Complete Frenc

FOR FIRST EXAMIN

By W. F. H. Whitmarsh

A First French Book
A Second French Book
A Third French Book
A Fourth French Book
Phonetic Introduction to 'A First French Book'
A French Word List
A First French Reader
Complete French Course for First Examinations
Essential French Vocabulary
Lectures pour la Jeunesse
Poems of France
Cours Supérieur
Simpler French Course for First Examinations
A New Simpler French Course
More Rapid French, Books I, II and III
Modern Certificate French
Senior French Composition

By W. F. H. Whitmarsh and C. D. Jukes

Advanced French Course

L.P. Records

Selections from A First, Second and
Third French Books on a set of three L.P. Records

Complete French Course

FOR FIRST EXAMINATIONS

W. F. H. WHITMARSH, M.A.

LICENCIÉ ÈS LETTRES

Declan Nee

4A

LONGMANS

Longmans, Green and Co Ltd
London and Harlow

Associated companies, branches and representatives throughout the world

First published 1935
Twenty-sixth impression 1964
New impression (completely reset) 1965
New impression 1969

SBN 582 36090 0

The cover design is based on the formal gardens at Villandry.

Printed and Bound in England by Hazell Watson & Viney Ltd, Aylesbury, Bucks

Preface

This book includes all the elements usually dealt with in the First Examination year: translation of French prose and verse, comprehension and reproduction of texts, grammar, prose composition and free composition.

Several advantages are offered by this general Course:

(1) It is convenient and economical. (2) The amount of work in each branch of the subject is kept within reasonable limits and may be covered in the year. This gives a sense of completeness to the preparation, which is lacking when several works are only partially covered. (3) Whatever kind of work the pupil is engaged upon, he can always turn up information when in difficulty.

As regards matter and method, the following aims have been kept in view: (1) to make the reading of French attractive and stimulating; (2) to impart a wide and useful vocabulary; (3) to develop the pupil's power of expression, both in written and spoken French; (4) to secure grammatical accuracy.

Observations on the Various Sections

Section I: French Prose Extracts for Translation, Oral Practice and Reproduction

The majority of the passages are taken from the works of contemporary authors and have been selected for their interest and variety; by touching on a large variety of subjects, it is hoped to give the pupil a wide and useful vocabulary. The close study of this part of the book may be considered as a valuable corrective for the rather specialized outlook acquired by the reading of continuous texts.

These extracts will serve primarily for practising translation. No special instruction is provided for this type of work, since it is assumed that teachers in charge of Certificate forms are well acquainted with the requirements of good translation. It may be pointed out however that in present-day examinations the first essential is accuracy of rendering.

Many teachers make a prose passage the basis of much interesting and valuable oral work. For their assistance, notes, questions and *analyse* are appended to each passage. Most of the questions test comprehension, while a few deal with linguistic points or matters contingent to the subject. The *analyse* will assist in the recapitulation of the narrative. It may be copied on the board, and the pupils may use the framework to build up a simple account of the incident described. This is good training for speaking French, for prose composition and for free composition.

Section II: French Verse for Translation or for Exercises in Comprehension

Most of the poems are of the narrative or descriptive type. All are likely to be within the comprehension of the average pupil.

Verse affords of course an inexhaustible fund of topics for oral work, and the teacher will probably supplement the questions given with others of his own devising.

An additional set of English questions is provided for those who prefer to deal thus with comprehension, and particularly for those who prepare pupils for examinations including this kind of test.

Section III: Sentences and Phrases on Grammatical Points

The object of these exercises is to drive home the grammar and train the pupil to say simple things correctly. The vocabulary has purposely been kept within narrow limits. Each exercise is based on a part of the Grammar Section. After revision of the paragraphs concerned, the pupil should be able to deal readily and successfully with the batch of sentences. This work may be done orally.

Section IV: English Prose Passages for Translation

An attempt has been made to provide passages which are interesting in themselves. The vocabulary required is fairly wide, but useful. Both styles of narrative are practised, although the proses calling for the use of the Past Historic are in the majority. The English is rather simple and so framed as to avoid unreasonable difficulties of idiom. In a few instances the passages had a French original, but in most cases the piece was put together independently, so that common constructions could be brought in with the maximum frequency.

Some consider that at the Fifth Form stage pupils should be put to work on original English, but there is evidence to show that forcing the pace in this branch of the work is discouraging and harmful. The pupil needs an exercise which he has a chance of tackling with success. When he has to wrestle in every line with idiom he has not the knowledge to deal with, he comes to look upon prose composition as a hopelessly difficult business. And further, the more preoccupied he is with other difficulties, the weaker his grammar becomes, and the whole foundation of his knowledge threatens to go to pieces. It is therefore preferable to set the type of composition which tends to revise and fortify what has already been acquired.

Section V: Free Composition

Some hints as to method are provided, but these are to be regarded as mere suggestions arising out of the author's own experience. The liberal selection of subjects given should exercise a good range of vocabulary. A point has been made of choosing topics which for the most part have a bearing on everyday life. If the pupil is interested in the subject and feels immediately that he has something to say, he is likely to put forth a good effort.

Section VI: Grammar

An attempt has been made to cut down the grammar to essentials and present it in a sympathetic form. Disagreement is bound to arise as to the amount the average pupil needs to know. In working through the grammar the teacher might make his own selection and let the pupils mark off the divisions.

Vocabulary

All but the commonest words are included.

Vocabulary is often grudgingly given, the argument being that it discourages effort of memory. But in practice one knows that the information the pupil cannot find in his book he seeks in inferior dictionaries. It is preferable that he should get his meanings from a reliable source.

I wish to express my gratitude to my friend Monsieur R. Boussion for many helpful suggestions, and to my esteemed colleague, J. R. Fox, Esq., for his assistance in correcting the proofs.

W. F. H. W.

Acknowledgements

ACKNOWLEDGEMENTS are due to the following, who have granted us permission to reproduce extracts from copyright works, as indicated also after each passage quoted:

Madame le Mouël.
Boivin et Cie, Éditeurs, 3–5 Rue Palatine.
Calmann-Lévy, Éditeurs, 3 Rue Auber.
M. Eugène Fasquelle, Éditeur, 11 Rue de Grenelle.
Librairie Ernest Flammarion, 26 Rue Racine.
Librairie Gallimard, 5 Rue Sébastien-Bottin.
Éditions Bernard Grasset, 61 Rue des Saints-Pères.
Librairie Alphonse Lemerre, 23–33 Passage Choiseul.
Le Mercure de France, 26 Rue de Condé.
M. Albin Michel, Éditeur, 22 Rue Huyghens.
Librairie Plon, 8 Rue Garancière.
Éditions Spes, 17 Rue Soufflot.
Librairie Stock, 7 Rue du Vieux-Colombier.

Contents

SECTION I

French Prose Extracts for Translation, Oral Practice and Reproduction

SECTION II

French Verse for Translation or for Exercises in Comprehension

SECTION I

French Prose Extracts

FOR TRANSLATION, ORAL PRACTICE AND REPRODUCTION

1. LE PEUPLIER

—Je suis d'avis, mon frère, que nous passions la rivière, car nous ne pouvons pas revenir par le même chemin. Jamais nous ne serions rentrés pour midi, tandis qu'en traversant . . .

— Oui, mais il faut traverser! L'eau est profonde.

— Si nous construisions un radeau?

— C'est un peu long, répondis-je. Rappelle-toi Robinson Crusoé; et puis nous n'avons pas de planches et pas de tonneaux vides. Il vaut mieux faire comme les sauvages, et couper un arbre.

Au premier moment, cette idée de couper un arbre me parut toute naturelle. Nous étions perdus dans le désert, seuls, semblait-il, dans des régions où le voyageur est à lui-même toute sa ressource et se sert librement des choses. Nous prîmes à nos ceintures nos petites haches, rouillées jusqu'aux deux tiers de la lame, et sans plus de délibération, à la façon des Indiens Pieds-Noirs, nous nous mîmes à frapper sur le tronc vert et lisse d'un jeune peuplier qui poussait sur le bord. Nous l'attaquions savamment, par la face qui regardait la rivière. Les copeaux blancs volaient. Enfin, dans l'orgueil du triomphe, nous vîmes la haute tige se pencher au-dessus de l'eau; un craquement sonore annonça que la dernière lame du tronc, trop faible pour porter la ramure, éclatait en mille fibres. Et le beau panache de feuilles légères et fines, décrivant un demi-cercle, s'abattit parmi les aulnes de l'autre rive, et se coucha sur le pré voisin.

Le pont était jeté. Nous passâmes à califourchon, nos nobles haches tout humides au côté.

Mais comme nous battions en retraite vers la maison, tous deux silencieux sous la grande chaleur qui faisait taire les oiseaux et chanter les grillons, nos pensées se modifièrent. L'arbre devait appartenir à quelqu'un, bien sûr; on l'avait planté; on attendait de lui dans l'avenir des lattes ou des chevrons de toiture. Et nous avions coupé l'arbre, perdu l'avenir, touché au bien d'autrui!

— C'est toi qui l'as voulu, me dit mon frère. Nous allons être grondés!

— Si ce n'était que cela! répondis-je.

Et j'ajoutai:

— Le plus difficile, c'est qu'il va falloir restituer.

— Comment veux-tu restituer un peuplier? En as-tu un que tu puisses planter à sa place?

— Non.

— Ni moi non plus. Et nous devons pourtant restituer.

Le retour fut triste. Nous arrivâmes en retard, et, sitôt nos haches enfermées dans une cachette, de peur d'une confiscation possible, nous avouâmes très franchement et avec détails le meurtre du peuplier. On nous gronda moins fort que nous l'avions redouté; seulement, après déjeuner, mon père s'adressant à moi, me dit:

— Ce n'est pas tout d'avoir avoué une sottise, mon ami: il faut la réparer. Tu es l'aîné. Dans cinq minutes tu monteras en cabriolet avec le vieux Baptiste, et tu iras tout seul, faire des excuses à madame la baronne du Vollier, à qui l'arbre appartient.

RENÉ BAZIN, *Contes de Bonne Perrette*
(Calmann-Lévy, éditeurs)

13. Rouillées: *rusted.*
20. La lame: partie très mince (sens ordinaire, *blade*).
21. Le panache: *plume.*
23. L'aulne (ou l'aune): *alder tree.*
24. A califourchon: jambe d'un côté, jambe de l'autre.
28. Le grillon: *cricket.*
30. La latte: morceau de bois long, étroit et mince.
30. Le chevron: pièce de bois sur laquelle on attache les lattes d'un toit.
50. Le cabriolet: voiture légère à deux roues.

1. Qu'ont fait ces deux enfants, et dans quel embarras se trouvent-ils?
2. Pourquoi veulent-ils traverser la rivière?
3. Qu'est-ce que le frère propose de construire? Pourquoi est-il impossible d'exécuter ce projet?
4. Avec quoi Robinson Crusoé avait-il construit un radeau?
5. Quelle est cette histoire de Robinson Crusoé?
6. Pourquoi l'idée de couper un arbre paraît-elle toute naturelle?
7. Comment font-ils pour abattre le peuplier?
8. Est-ce que l'auteur a raison de dire que la cime de l'arbre décrivit *un demi-cercle*? (l. 22.)
9. Pourquoi les deux garçons sont-ils contents de leur travail?

10. En quelle saison était-on? Quel temps faisait-il?
11. Pourquoi les enfants s'attendent-ils à être grondés par leur père?
12. Quelle difficulté se présente, quand il s'agit de restituer un arbre abattu?
13. Pourquoi les deux frères cachent-ils leurs haches?
14. Quelle est la réponse du père, quand les enfants avouent leur faute? Comment la question sera-t-elle réglée?

Analyse

La promenade—la rivière—il faut traverser—pourquoi?—un radeau?—ils coupent un peuplier—leur inquiétude—la question de restituer—arrivée à la maison—ils avouent leur faute—ce que dit leur père—excuses à la baronne.

2. LA POLITESSE ANGLAISE

[Mary-Ann, sa mère et Hermann ont été captifs chez les brigands. Le jeune homme s'est montré fort courageux et a rendu à ces dames d'inestimables services. Quelques jours après leur délivrance, Hermann se rend au bal dans l'espoir d'y rencontrer Mary-Ann, qu'il aime.]

Vers minuit, je perdis l'espérance. Je sortis du grand salon, et me plantai mélancoliquement devant une table de whist. Je commençais à m'intéresser à ce jeu d'adresse, lorsqu'un éclat de rire argentin me fit bondir le cœur. Mary-Ann était là derrière moi. Je ne la voyais pas, et je n'osais me retourner vers elle, mais je la sentais présente et la joie me serrait la gorge à m'étouffer. L'idée me vint que j'avais une glace devant moi. Je levai les yeux, et je la vis sans être vu, entre sa mère et son oncle, plus belle et plus radieuse que le jour où elle m'était apparue pour la première fois.

Sa toilette était celle de toutes les jeunes filles; elle ne portait pas, comme Mme Simons, un oiseau de paradis sur la tête, mais elle n'en était que plus belle. Je me retournai brusquement vers elle, je lui tendis les mains, je criai:

— Mary-Ann! c'est moi!

Le croiriez-vous, monsieur? elle recula comme épouvantée, au lieu de tomber dans mes bras. Mme Simons leva si haut la tête qu'il me sembla que son oiseau de paradis s'envolait au plafond. Le vieux monsieur me prit par la main, me conduisit à l'écart, m'examina comme une bête curieuse et me dit:

— Monsieur, êtes-vous présenté à ces dames?

— Il s'agit bien de tout cela, mon digne monsieur Sharper!

mon cher oncle? Je suis Hermann! Hermann Schultz! leur compagnon de captivité! leur sauveur! Je vous conterai tout cela chez nous.

— *Yes, yes,* répondit-il. Mais la coutume anglaise, monsieur, exige absolument qu'on soit présenté aux dames avant de leur raconter des histoires.

— Mais vous ne savez donc pas que je me suis exposé à mille morts pour ma chère Mary-Ann?

— Fort bien; mais vous n'êtes pas présenté.

— Enfin, monsieur, je dois l'épouser; sa mère l'a permis. Ne vous a-t-on pas dit que je devais me marier avec elle?

— Pas avant d'être présenté.

— Présentez-moi donc vous-même!

— *Yes, yes*; mais il faut d'abord vous faire présenter à moi.

EDMOND ABOUT, *Le Roi des Montagnes*

20. A l'écart: *aside.*
22. Il s'agit bien de tout cela: cela n'a aucune importance.

1. A quoi Hermann assiste-t-il?
2. Pourquoi est-il mécontent?
3. Où va-t-il? A quoi s'intéresse-t-il?
4. Tâchez d'expliquer *rire argentin.* (l. 4.)
5. Quelle est la nationalité de Mary-Ann?
6. Comment fait le jeune homme pour la voir sans être vu?
7. Comment comprenez-vous *sa toilette*? (l. 11.)
8. Qui est-ce qui accompagne la jeune fille?
9. A quoi ressemble le chapeau de Mme Simons?
10. Comment savons-nous qu' Hermann n'aime pas ce chapeau?
11. D'après Hermann, qu'est-ce que Mary-Ann aurait dû faire, au lieu de reculer?
12. Comment l'oncle regarde-t-il le jeune homme? Pourquoi?
13. Avez-vous saisi pourquoi Hermann appelle M. Sharper *mon cher oncle*? (l. 23.)
14. Pourquoi croit-il avoir le droit de parler librement à Mary-Ann?
15. Quelle objection l'oncle soulève-t-il?
16. Pourquoi M. Sharper ne peut-il pas présenter Hermann à Mary-Ann?

Analyse

Hermann et les deux Anglaises—leur captivité—amour d'Hermann pour Mary-Ann—le bal—Hermann s'ennuie—pourquoi?—arrivée de Mary-Ann —l'oncle et la mère—le chapeau de Mme Simons—joie d'Hermann—accueil froid des Anglais—conversation avec l'oncle—Hermann parle de mariage—étonnement de M. Sharper—«êtes-vous présenté?»

3. MÉDITATIONS SOLITAIRES D'UN MARIN EN PLEIN ATLANTIQUE

[Alain Gerbault, à bord d'un yacht de 8 tonneaux, a fait tout seul le tour du monde (1924–1929). Il faut lire les trois volumes où il décrit cet exploit extraordinaire:
« Seul, à travers l'Atlantique.»
« A la poursuite du Soleil.»
« Sur la route du Retour.»]

Les souvenirs de guerre se précipitent devant ma mémoire: un combat du haut des airs, les balles incendiairies qui percent les flancs de mon appareil, l'avion ennemi qui descend en flammes, l'ivresse momentanée de la victoire. De retour à terre je ne suis plus, hélas! qu'un enfant qui a perdu sa mère.

Le temps ne comble pas le vide immense. Les uns après les autres mes meilleurs compagnons meurent dans les airs. L'armistice vint et je pense à ces héros qu'on oublie trop facilement, à la vanité de tous ceux qui portent trop ostensiblement les insignes d'une victoire qui n'appartient qu'aux morts, car, lorsqu'on n'a pas donné sa vie pour la Patrie, on n'a rien donné...

De nouveau, d'autres épisodes de ma vie se présentent à ma mémoire. Certains, insignifiants en apparence, ont laissé en moi une impression profonde. Je ne sais trop pourquoi, je me vois soudain reporté à trois années en arrière.

Un train de luxe qui se dirigeait vers Madrid ralentissait sa marche le long d'une courbe aux approches de la ville. C'est alors que, regardant par la fenêtre de mon wagon, j'aperçus un jeune mendiant. Il courait pieds nus le long de la voie ferrée. Sa peau brunie brillait au soleil entre les haillons qui le couvraient. Il mendiait comme l'on mendie en Espagne, car il avait l'air de faire une faveur en demandant l'aumône.

Sale et déguenillé, c'était cependant lui le prince de la vie, qui courait libre, inondé de soleil et de lumière, et non l'un quelconque des voyageurs que le train emportait prisonnier. Je pensais alors que j'aurais aimé être comme lui pour pouvoir recommencer ma vie en partant de très bas avec quinze ans de moins, moi qui cours inlassablement à la recherche de ma jeunesse.

Mais, parce que, depuis des siècles, les hommes ont coutume de vivre esclaves de la civilisation, je ne serais pas obligé de mener la même vie servile et conventionnelle. Maître de mon navire, je voguerai autour du monde, ivre de grand air, d'espace et de lumière, menant la vie simple de matelot, baignant dans le soleil un corps qui ne fut pas créé pour être enfermé dans les maisons des hommes.

Et, tout heureux d'avoir trouvé ma voie et réalisé mon rêve, je récite à la barre mes poèmes préférés de la mer...

La nuit passait ainsi très vite. Une à une les étoiles disparaissaient. Une clarté grise arrivait de l'Orient et je voyais apparaître les formes et les lignes du *Firecrest*.

Mon navire était beau lorsque venait le jour.

ALAIN GERBAULT, *Seul, à travers l'Atlantique*
(Bernard Grasset, éditeur)

9. Les insignes: signes honorables, décorations.
20. Les haillons: vêtements usés, déchirés, en lambeaux.
22. L'aumône: argent qu'on donne aux pauvres par charité.
23. Déguenillé: en guenilles, en haillons.

1. Où est Alain Gerbault au moment de se livrer à ces méditations?
2. Pourquoi doit-il veiller pendant la nuit?
3. Qu'a-t-il fait pendant la guerre?
4. Qu'est-ce que c'est qu'une *balle incendiaire*? (l. 2.)
5. Quelle mort a-t-il pleurée quand il était au régiment?
6. Que sont devenus ses amis?
7. Que pense-t-il des survivants?
8. Qu'est-ce que vous comprenez par un *train de luxe*?
9. Qu'est-ce que la voie ferrée? (l. 19.)
10. Pourquoi le train devait-il ralentir sa marche?
11. Pourquoi la peau du mendiant était-elle brunie?
12. D'après cet auteur, comment mendie-t-on en Espagne?
13. Pourquoi Gerbault considère-t-il le mendiant comme un *prince de la vie*?
14. Expliquez: *en partant de très bas*. (l. 27.)
15. Pourquoi Gerbault voudrait-il avoir quinze ans de moins?
16. Qu'est-ce qu'il pense de la vie civilisée?
17. Qu'a-t-il fait pour échapper à la vie conventionnelle?
18. Qu'est-ce qu'il entend par *heureux d'avoir trouvé ma voie*? (l. 37.)
19. A quoi sert la barre?
20. Quelle était la *clarté grise* qui arrivait de l'Orient? (l. 40.)

Analyse

Gerbault tout seul—où?—la nuit—pourquoi veille-t-il?—il réfléchit à son passé—la guerre—l'aviation—combat avec un avion allemand—

le sort de ses amis—idées sur le patriotisme—le mendiant de Madrid—pourquoi Gerbault l'enviait—idées sur la vie civilisée—ce qu'il a fait pour y échapper—son bonheur.

4. LES BOHÉMIENS

[Plusieurs enfants causent entre eux. Chacun exprime ses désirs et révèle ainsi son caractère. Celui qui parle ici est un solitaire, à l'esprit inquiet, l'œil à jamais tourné vers de lointains horizons.]

Vous savez que je ne m'amuse guère à la maison; on ne me mène jamais au spectacle; mon tuteur est trop avare; Dieu ne s'occupe pas de moi et de mon ennui, et je n'ai pas une belle bonne pour me dorloter. Il m'a souvent semblé que mon plaisir serait d'aller toujours droit devant moi, sans savoir où, sans que personne s'en inquiète, et de voir toujours des pays nouveaux. Je ne suis jamais bien nulle part, et je crois toujours que je serais mieux ailleurs que là où je suis. Eh bien! j'ai vu à la dernière foire du village voisin, trois hommes qui vivaient comme je voudrais vivre. Vous n'y avez pas fait attention, vous autres. Ils étaient grands, presque noirs et très fiers, quoique en guenilles, avec l'air de n'avoir besoin de personne. Leurs grands yeux sombres sont devenus tout à fait brillants pendant qu'ils faisaient de la musique si surprenante qu'elle donne tantôt envie de danser, tantôt de pleurer, ou de faire les deux à la fois, et qu'on deviendrait comme fou si on les écoutait trop longtemps. L'un, en traînant son archet sur son violin, semblait raconter un chagrin, et l'autre, en faisant sautiller son petit marteau sur les cordes d'un petit piano suspendu à son cou par une courroie, avait l'air de se moquer de la plainte de son voisin, tandis que le troisième choquait, de temps à autre, ses cymbales avec une violence extraordinaire. Ils étaient si contents d'eux-mêmes, qu'ils ont continué à jouer leur musique de sauvages, même après que la foule s'est dispersée. Enfin ils ont ramassé leurs sous, ont chargé leur bagage sur leur dos, et sont partis. Moi, voulant savoir où ils demeuraient, je les ai suivis de loin, jusqu'au bord de la forêt, où j'ai compris seulement alors qu'ils ne demeuraient nulle part.

Alors l'un a dit: — Faut-il déployer la tente?

— Ma foi! non! a répondu l'autre, il fait une si belle nuit!

Le troisième disait en comptant la recette:—Ces gens-là ne sentent pas la musique, et leurs femmes dansent comme des ours. Heureusement, avant un mois nous serons en Autriche, où nous trouverons un peuple plus aimable.

— Nous ferions peut-être mieux d'aller vers l'Espagne, car voici la saison qui avance; fuyons avec les pluies et ne mouillons que notre gosier, a dit un des deux autres.

J'ai tout retenu, comme vous voyez. Ensuite ils ont bu chacun une tasse d'eau-de-vie et se sont endormis, le front tourné vers les étoiles.

C. BAUDELAIRE, *Petits Poèmes en Prose*

2. Le tuteur: celui qui a soin de la personne et des biens d'un orphelin.
4. Dorloter: combler de petits soins.
7. Bien: ici *bien* veut dire *content, à l'aise.*
11. En guenilles: en haillons, c.-à-d. habillé de vêtements usés, déchirés.
18. Sautiller: faire de petits sauts.
19. La courroie: bande de cuir.
25. Le bagage: ce mot s'emploie généralement au pluriel.
37. Le gosier: la gorge.

1. Qu'est-ce qu'on sait de la famille de cet enfant?
2. Pourquoi a-t-il peu de distractions?
3. Qu'est-ce que c'est que *le spectacle*? (l. 2.)
4. Que ferait cet enfant, s'il pouvait vivre à sa guise?
5. Pourquoi a-t-il une telle envie de voyager?
6. Pourquoi envie-t-il les musiciens?
7. Quelles émotions éprouve-t-il en écoutant leur musique?
8. De quels instruments les bohémiens jouaient-ils?
9. Qu'est-ce qui montre que ces hommes aimaient beaucoup la musique?
10. Que font-ils quand ils ont fini de jouer?
11. Pourquoi l'enfant les a-t-il suivis?
12. Comment vivent ces hommes? Où couchent-ils?
13. Expliquez *la recette*. (l. 31.)
14. Pourquoi les musiciens n'aiment-ils pas ce pays? Où comptent-ils aller?
15. Exprimez autrement: *J'ai tout retenu*. (l. 38.)
16. A quelle époque de l'année était-on?
17. Où ces bohémiens passent-ils la nuit?

Analyse

L'enfant est malheureux—pourquoi?—son malaise, ses désirs—la foire, les bohémiens—pourquoi il les admire—leur musique—son effet sur l'âme de l'enfant—départ des bohémiens—l'enfant les suit—préparatifs pour passer la nuit—ils parlent de pays lointains—ils s'endorment.

5. QUEL VOYAGE, MON DIEU!

[Colladan est fermier, Champbourcy rentier et Cordenbois pharmacien. Ils sont venus passer une journée à Paris. A la suite d'une aventure malheureuse, ils se trouvent presque sans argent et sont obligés de passer la nuit dans un bâtiment en construction. Au matin, ils se consultent sur les moyens de se procurer de quoi manger.]

COLLADAN: Qu'est-ce que vous voulez faire de dix sous... pour cinq. (*Tendant la main*) Donnez-les-moi toujours!

CHAMPBOURCY, *les prenant*. Du tout!... ils sont à la communauté!... elle va décider ce qu'il faut en faire... qui est-ce qui demande la parole?

CORDENBOIS *et* COLLADAN, *ensemble*. Moi?

CHAMPBOURCY: Ah! nous allons recommencer! Cordenbois, parlez! Vous êtes le plus vieux!

CORDENBOIS: Messieurs... quel voyage, mon Dieu, quel voyage!...

CHAMPBOURCY: Après?...

CORDENBOIS: Je n'ai pas autre chose à dire.

CHAMPBOURCY, *à* COLLADAN: A vous...

COLLADAN: Avec les dix sous, je propose d'acheter du pain et des saucisses... voilà!

CHAMPBOURCY: Eh bien! après? Quand vous les aurez mangés?

COLLADAN: Ah! dame!

CHAMPBOURCY: Remarquez-vous comme vous avez l'intelligence ratatinée...

CORDENBOIS: Que voulez-vous? L'adversité me flanque par terre!

CHAMPBOURCY: Moi, c'est le contraire... je grandis avec les difficultés!... le péril m'exalte!... J'étais né pour les grandes choses... Je vais d'abord acheter un timbre à vingt centimes.

COLLADAN: Mais ça ne se mange pas!

CORDENBOIS: Il ne nous restera plus que six sous... Quel voyage!

CHAMPBOURCY: Avez-vous confiance en moi, oui ou non?

COLLADAN: Allez!

CHAMPBOURCY: J'écris à Baucantin, notre ingénieux receveur des contributions, je le prie de nous envoyer 500 francs.

CORDENBOIS: Cinq cents francs!

COLLADAN: Nous sommes sauvés!

CORDENBOIS: Mais si on ne lui affranchissait pas la lettre?...

CHAMPBOURCY: Je le connais... il la refuserait.

CORDENBOIS: C'est juste.

COLLADAN: Je demande à placer une observation... Où nous ferons-nous adresser la réponse?... Nous n'avons pas de domicile, nous sommes traqués, poursuivis!...

CORDENBOIS: Et comment vivrons-nous d'ici-là?

CHAMPBOURCY: Enfants de la Ferté-sous-Jouarre! Croyez en moi!... Autrefois, quand je venais à Paris, je descendais rue de l'Échelle, *hôtel du Gaillardbois*... je payais grassement la bonne... elle doit se souvenir de moi...

CORDENBOIS: Eh bien?

COLLADAN: Après?

CHAMPBOURCY: Je me fais adresser la réponse de Baucantin à *l'hôtel du Gaillardbois*; nous nous y installons, nous y vivons confortablement, mais sans luxe... et quand les cinq cents francs arriveront... qu'est-ce que vous dites de ça?

CORDENBOIS: C'est du génie!

COLLADAN: Vous êtes un ange!...

CHAMPBOURCY, *enthousiasmé*. Je ne suis pas un ange... Je suis doué... voilà tout. Je vais acheter un timbre... De là, j'entre dans un café, je demande une plume, de l'encre...

COLLADAN: Allons à l'économie.

CHAMPBOURCY: Ça ne se paie pas!

EUGÈNE LABICHE, *La Cagnotte*

2. Pour cinq: il y a aussi deux dames.
20. Ratatiné: borné, limité (lit. *shrivelled up*).
21. Flanquer: *pop.* jeter.
31. Le receveur des contributions: *tax-collector*.
35. Affranchir une lettre: y mettre les timbres nécessaires.
42. La Ferté-sous-Jouarre: petite ville située à 50 kil. de Paris, sur la Marne.

1. Combien d'argent ont-ils?
2. Pourquoi Colladan veut-il prendre cet argent?
3. Pourquoi Champbourcy s'y oppose-t-il?
4. Que veut dire *la communauté*? (l. 4.)
5. Expliquez *en*, dans la phrase *ce qu'il faut en faire*. (l. 4.)
6. Exprimez autrement: *Qui est-ce qui demande la parole?* (l. 5.)
7. Qu'est-ce que Champbourcy entend par: *nous allons recommencer*? (l. 7.)
8. Porquoi Cordenbois a-t-il le droit de parler le premier?
9. Qu'est-ce que Colladan veut acheter? Que compte-t-il en faire?
10. Qu'est-ce qui montre qu'il a l'intelligence bornée?
11. Expliquez: *L'adversité me flanque par terre*. (l. 21.)

12. Pourquoi Colladan ne veut-il pas que Champbourcy achète un timbre?
13. Comment Champbourcy va-t-il obtenir de l'argent?
14. Quand refuse-t-on une lettre?
15. Où se feront-ils adresser la lettre de Baucantin?
16. Comment vivront-ils d'ici-là?
17. Qu'est-ce que Colladan entend par *Allons à l'économie*? (l. 57.)
18. Donnez l'anglais pour: *donnez-les-moi toujours* (l. 2); *après?* (l. 11); *à vous* (l. 13); *que voulez-vous?* (l. 21); *d'ici-là* (l. 41).

Analyse

Leur situation—les dix sous—Colladan veut les prendre—pourquoi faire?—Cordenbois se lamente—le plan de Champbourcy—la lettre—à qui?—la question de l'adresse—l'hôtel du Gaillardbois—il s'agit d'écrire et d'affranchir la lettre—l'idée de Champbourcy.

6. MES DERNIÈRES CHASSES

Et maintenant, par degrés, je m'éveillais tout à fait, sous le regard obstiné de la petite figure juchée dans les branches; mon bras s'allongeait vers l'arme, avec des lenteurs et des ruses, pour l'appuyer en silence contre mon épaule.

Alors, il commença de battre en retraite, le jeune singe... Oh! sans hâte, sans grande méfiance, comme à regret, avec de discrètes et comiques précautions pour ne pas faire de bruit. S'aidant de ses mains adroites, il se glissait parmi les feuillages, traînant, d'une allure drôle, sa longue queue derrière lui. Et il se retournait pour me regarder encore, avec un air de dire: «Je pense bien que tu ne me veux pas de mal, car je ne suis pas méchant; j'avais fait le curieux, voilà tout... Cependant on ne sait jamais, et cette machine que tu tiens à la main est de mauvaise apparence... Je préfère m'éloigner tout de même... Ne te fâche pas: tu vois, je m'en vais, je m'en vais...» Et je perçus plus loin la présence de deux autres singes de grande taille, les parents sans doute, qui lui adressèrent un cri d'appel.

Je le tenais en joue depuis deux ou trois secondes: il avait une belle pelure, qui me faisait envie. Et soudainement le coup partit, formidable dans tout ce silence, éparpillant des feuilles déchirées, excitant des cris d'oiseaux, éveillant partout des bêtes qui sommeillaient à l'ombre. Un papillon géant, plus large que la main étendue, s'envola d'un ébénier, lançant à chaque battement d'aile un éclair de métal bleu. Et le corps du jeune singe commença de rouler lentement de branche en branche, malgré le suprême effort des doigts habiles pour se raccrocher; puis, d'une chute tout à coup abandonnée et rapide, il s'aplatit sur le sol.

Quand je le ramassai, il vivait encore, mais d'une vie trop faible pour tenter aucune résistance. Comme chose morte, il se laissa prendre; ses petites lèvres pincées tremblaient et ses yeux d'enfant regardaient les miens avec une inoubliable expression d'agonie, de terreur et de reproche.

Alors seulement se dressa devant moi l'horreur stupide de ce que je venais de faire. Je le tenais couché dans mes bras, caressant avec des précautions infinies sa tête mourante... Le front appuyé sur ma poitrine, il mourut, le singe, dans une attitude de presque confiance, dans une pose de petit enfant.

PIERRE LOTI, *Reflets sur la Sombre Route*
(Calmann-Lévy, éditeurs)

2. Juché: *perched.*
18. Tenir en joue: viser, regarder pour adresser un coup de fusil.
19. La pelure: la peau.
23. Un ébénier: arbre des Indes qui fournit l'ébène.

1. Dans quels endroits peut-on voir des singes?
2. Comment sait-on que le chasseur n'est pas dans une forêt d'Europe?
3. Pourquoi s'empare-t-il de son fusil avec tant de précaution?
4. Pourquoi le singe bat-il en retraite?
5. Pourquoi trouvons-nous les singes amusants?
6. Qu'est-ce qui fait peur au singe?
7. Qu'est-ce qui prouve que les vieux singes s'étaient aperçus du danger?
8. Pourquoi le chasseur veut-il tuer le jeune singe?
9. Quel fut l'effet du coup de fusil sur les autres bêtes de la forêt?
10. Pourquoi la chute du singe devient-elle *abandonnée et rapide*? (l. 27.)
11. Qu'est-ce qui, dans l'aspect du singe mourant, touche le cœur du chasseur?
12. De quel adjectif vient *aplatir*? Expliquez: *il s'aplatit sur le sol.* (l. 27.)
13. Qu'y a-t-il d'illogique dans la conduite du chasseur?

Analyse

Le chasseur dort—où?—ce qu'il voit à son réveil—le singe bat en retraite—pourquoi? comment?—les vieux singes—le coup de fusil—effet sur les bêtes et les oiseaux de la forêt—le singe tombe—comment?—le chasseur le ramasse—agonie du singe—remords du chasseur.

7. UNE QUESTION DIFFICILE

Un beau matin de décembre, que la terre était dure comme fer, — il y avait cinq ans, — Maître Bouin arriva, portant sa cognée, toute fraîche aiguisée, un épieu et une bonne corde, cette corde qui lui servait à serrer ensemble sur sa charrette les sacs de blé qu'il allait livrer au marchand de grains.

Il était encore agile, malgré ses cinquante-cinq ans: il eut vite fait de grimper à l'orme, d'y nouer la corde à la première fourche; puis, une fois redescendu et en se servant du dos de sa cognée comme d'un marteau, il enfonça l'épieu en terre à une certaine distance et du côté où il voulait faire tomber l'arbre et y fixa solidement l'autre bout de la corde.

Il se frotta les mains, une paume contre l'autre, pour se les dégourdir et, « han! » il donna au bas du tronc de l'ormeau le premier coup de hache.

Le coup sonna dans le matin clair.

Il n'avait guère plus d'une dizaine de fois levé et laissé retomber sa cognée, et il n'y avait encore qu'une mince entaille dans l'orme, et qu'un tout petit tas de copeaux dans le fossé, que Maître Loriot était devant lui, dans son champ:

— Dis donc, Petit-Bignon, je vois que tu crois que cet orme est à toi, puisque tu veux l'abattre, mais il me semble que c'est bien à moi qu'il est, par le pied qu'il a dans mon fossé.

— Dans le mien...

Maître Bouin s'arrêta de cogner. C'était la première difficulté qu'il avait avec qui que ce fût. Les deux voisins discutèrent; Bouin prit une baguette de bourdaine pour mesurer les distances; ils les mesurèrent, et la largeur du fossé, et l'épaisseur du tronc; mais ils ne s'entendirent point et s'en retournèrent chacun chez eux.

— « On ira devant le juge de paix », avait fini par dire Maître Loriot.

— « Allons devant le juge de paix », avait répondu Maître Bouin.

Pourtant ils n'y allèrent pas. Ni l'un ni l'autre n'étaient querelleurs; ni l'un ni l'autre n'aimaient les procès. Maître Bouin songea qu'il ne fallait pas se battre pour un arbre. Il proposa à Maître Loriot de partager l'orme par moitié. Ils l'abattirent ensemble; ils firent deux morceaux du tronc, et des branches, ils eurent chacun cinq fagots.

Ils étaient restés bons voisins; mais ils n'étaient plus bons amis. Les autres années, le Pâtis-Marin et le Petit-Bignon «s'entr'aidaient». Ils mettaient en commun, pour le battage du blé de l'un et de l'autre, leurs hommes et leurs chevaux. Ils ne le firent plus.

CHARLES BAUSSAN, *La Charrue*
(Éditions Spes)

---

3. Un épieu: pièce de bois taillée en pointe.
7. Un orme, un ormeau: *elm.*
13. Dégourdir: redonner du mouvement à ce qui est engourdi (*numbed*).
26. Une baguette: bâton long et flexible.
26. La bourdaine: *black alder* (*tree*).
35. Le procès: *lawsuit.*

1. Que sont les deux hommes?
2. Expliquez: *toute fraîche aiguisée.* (l. 3.)
3. De quoi Bouin se sert-il pour enfoncer son épieu en terre?
4. De quel côté veut-il faire tomber l'arbre, et quels préparatifs fait-il?
5. Comment Loriot est-il prévenu que Bouin est en train d'abattre l'orme?
6. A quoi voit-il que Bouin a juste commencé à couper l'arbre?
7. A quel titre Loriot prétend-il que l'orme est à lui?
8. Où se trouve l'arbre exactement?
9. Expliquez ce que c'est qu'un fossé.
10. Pourquoi mesurent-ils les distances? Parviennent-ils à s'entendre?
11. Comment vont-ils régler la question?
12. Pourquoi les cultivateurs n'aiment-ils pas les procès?
13. Expliquez: *partager par moitié.* (l. 37.)
14. Qu'est-ce qu'un fagot?
15. Expliquez: *le battage du blé.* (l. 42.)
16. Quel fut le résultat de ce différend?

Analyse

Le temps—la saison—Bouin s'en va couper l'orme—préparatifs—il commence—arrivée de Loriot—la discussion—on mesure les distances—on parle d'un procès—comment règlent-ils le différend?—leurs relations à la suite de cette affaire.

8. L'ENFANT PERDU

[M. Godefroy, député et commerçant fort riche, apprend, en rentrant chez lui, que son enfant est perdu dans Paris. Il se rend en hâte à la Préfecture de Police, où il est reçu par M. le Préfet lui-même.]

— Du côté de la porte d'Asnières? Quartier suspect... Mais remettez-vous... Nous avons par là un commissaire de police très intelligent... je vais téléphoner.

L'infortuné père reste seul pendant cinq minutes. Quelle atroce migraine! Quels battements de cœur fous! Puis, brusquement, le préfet reparaît, le sourire aux lèvres, un contentement dans le regard: «Retrouvé!»

Oh! le cri de joie furieuse de M. Godefroy!

Comme il se jette sur les mains du préfet, les serre à les broyer!

— Et il faut convenir, monsieur le député, que nous avons de la chance... Un petit blond, n'est-ce pas? un peu pâle? Costume de velours bleu? Chapeau de feutre à plume blanche?

— Oui, parfaitement... C'est lui! c'est mon petit Raoul!

— Eh bien, il est chez un pauvre diable qui loge de ce côté-là et qui est venu tout à l'heure faire sa déclaration au commissariat. Voici l'adresse par écrit: «Pierron, rue des Cailloux, à Levallois-Perret.» Avec une bonne voiture, vous pourrez revoir votre fils avant une heure... Par exemple — ajoute le fonctionnaire — vous n'allez pas retrouver votre enfant dans un milieu bien aristocratique, dans la «haute», comme disent nos agents. L'homme qui l'a recueilli est tout simplement un marchand des quatre-saisons... mais qu'importe, n'est-ce pas?

Ah! oui, qu'importe! M. Godefroy remercie le préfet avec effusion, descend l'escalier quatre à quatre, remonte en coupé, et dans ce moment, je vous en réponds, si le marchand de quatre-saisons était là, il lui sauterait au cou... A partir de cette minute, il reconnaît seulement à quel point il aime son enfant. Fouette, cocher! Plus vite! Plus vite!

Cependant, par la nuit froide et claire, le coupé rapide a de nouveau traversé Paris, dévoré l'interminable boulevard Malesherbes et, le rempart franchi, après les maisons monumentales et les élégants hôtels, tout de suite voici la solitude sinistre, les ruelles sombres de la banlieue. On s'arrête, et M. Godefroy, à la clarté des lanternes éclatantes de sa voiture, voit une basse et sordide baraque de plâtras. C'est bien le numéro, c'est là que loge ce Pierron. Aussitôt la porte s'ouvre, et un homme paraît: un grand gaillard, une tête bien française, à moustaches rousses. C'est un manchot, et la manche gauche de son tricot de laine est pliée en deux sous l'aisselle. Il regarde l'élégant coupé, le bourgeois en belle pelisse, et dit gaiement:

— Alors, monsieur, c'est vous qui êtes le papa? Ayez pas peur... Il n'est rien arrivé au gosse...

Et, s'effaçant pour permettre au visiteur d'entrer, il ajoute, en mettant un doigt sur sa bouche: « Chut! il fait dodo! »

FRANÇOIS COPPÉE, *Longues et Brèves*
(A. Lemerre, éditeur)

1. Asnières: quartier qui fait partie de la banlieue nord-ouest de Paris.
2. Un commissaire de police: *police superintendent*; le bureau du commissaire s'appelle le commissariat.
5. Une migraine: mal de tête.
9. Broyer: *to crush*.
17. Levallois-Perret: quartier industriel situé au nord de Paris.
21. Un marchand des quatre-saisons: *costermonger*.
35. Une baraque de plâtras: mauvaise construction faite de débris de vieux murs.
38. Un manchot: une personne qui n'a qu'un bras.
38. Le tricot: *jersey*.
39. L'aisselle: *armpit*.
40. Une pelisse: manteau doublé de fourrure.
42. Le gosse: (*pop.*) l'enfant.
43. S'effacer: *to stand back, stand to one side*.
44. Il fait dodo: (*pop.*) il dort.

1. Dites tout d'abord pourquoi ce père est si malheureux.
2. A qui M. Godefroy s'adresse-t-il? Pourquoi les deux hommes se respectent-ils?
3. Comment est cet enfant? Comment est-il habillé?
4. Quels quartiers sont suspects?
5. Qui a recueilli l'enfant perdu?
6. Comment sait-on que l'enfant se trouve chez cet homme?
7. Qu'est-ce que les agents de police appellent la *haute*? (l. 20.)
8. Qu'est-ce qui montre que l'auteur ne décrit pas le Paris de nos jours?
9. Que veut dire: *il lui sauterait au cou*? (l. 26.)
10. Quel aspect la banlieue parisienne présente-t-elle par un soir d'hiver?
11. Quelle sorte d'homme appelle-t-on un *grand gaillard*?
12. Qu'est-ce qui vous frappe dans la manière dont le pauvre s'adresse au député?
13. Qu'est-ce que M. Godefroy a dû faire avant de quitter cette maison?

Analyse

L'enfant perdu—où?—le père chez le préfet de police—on téléphone—à qui?—bonne nouvelle—remerciements—père s'en va trouver l'enfant—où? à travers Paris—Pierron et sa maison—l'enfant sain et sauf.

9. UNE MARCHANDE COURAGEUSE

— En ce temps-là, commença mon père, j'étais jeune encore. Il y avait plus de bois qu'à présent, plus d'étangs, des routes moins nombreuses, et si étroites, si mal entretenues, que les meilleurs voyages se faisaient à cheval. Pour se rendre de la ville à leur domaine, mon père et ma mère montaient à califourchon sur la même jument blanche, et trottant quelquefois, marchant le plus souvent au pas, relevant le bout des pieds pour traverser les gués, cheminaient entre les haies de ronces qui accrochaient parfois le fichu jaune paille que ma mère se mettait au cou. C'était plus joli qu'à présent, les campagnes, et moins facile d'accès. Surtout quand on remontait vers les pays hauts qui bordent la Bretagne, on trouvait de si mauvais passages, tant de boue et tant de fondrières, que le cheval était le seul moyen de locomotion, à moins qu'on ne préférât la charrette étroite et non suspendue des paysans. Les voitures seraient restées en détresse.

Il se faisait cependant par là un commerce assez actif, et soit de jour, soit de nuit, des marchands nous venaient de plusieurs points des côtes bretonnes ou normandes. Nous les reconnaissions à leur cri, quand j'avais votre âge et des vacances comme vous. Les uns vendaient des sardines conservées dans le sel; d'autres des œufs, des volailles, du beurre. Et justement nous avions une marchande de beurre à laquelle ma mère achetait sa provision pour l'hiver. Elle portait la coiffe normande, et elle la portait bien. C'était une femme grande et rose, jolie et de mine ouverte. J'ai rarement vu une paysanne aussi décidée. Il se trouvait toujours, dans les métairies, un couvert mis pour elle, un bon coin dans l'étable et une botte de foin pour son cheval. Elle devait ces prévenances à sa loyauté de marchande, et un peu à son malheur. Car elle était restée veuve de très bonne heure, et elle travaillait pour élever son fils.

Je lui dis un jour:

— Vous voyagez de jour et de nuit, la grande Honorine: n'avez-vous jamais peur?

— Jamais, monsieur.

— De votre village jusqu'ici, la route est longue pourtant. Il y a de mauvais chemins sombres, des nuits sans lune, et on ne sait pas les rencontres qu'on peut faire.

La grande Honorine étendit le bras, comme pour prêter serment, un bras qui eût fait plier celui d'un homme.

—Je ne dis pas, répondit-elle, qu'il ne m'arrive jamais de rencontrer des choses, d'en voir d'autres, d'en entendre surtout. Mais rien ne me dit rien à moi. Je suis protégée.

RENÉ BAZIN, *Contes de Bonne Perrette*
(Calmann-Lévy, éditeurs)

5. A califourchon: jambe d'un côté, jambe de l'autre.
8. Le gué: endroit d'une rivière où l'eau est peu profonde.
9. Le fichu: *small shawl, neckerchief.*
13. La fondrière: terrain marécageux, c.-à-d. où il y a beaucoup d'eau et de boue.
15. Non suspendue: qui n'a pas de ressorts (*springs*).
23. La coiffe: *head-dress, country-woman's bonnet.*
26. La métairie: la ferme.
28. Ces prévenances: ce traitement poli et obligeant.

1. De quoi parlait le père?
2. Pourquoi voyageait-on à cheval en ce temps-là?
3. Qu'est-ce qu'un domaine?
4. Comment ces deux personnes traversaient-elles les rivières sans se mouiller les pieds?
5. Que savez-vous de la Bretagne?
6. Quels étaient les moyens de locomotion dans ces campagnes?
7. Pourquoi l'auteur trouvait-il les marchands intéressants?
8. Comment était la marchande de beurre?
9. Expliquez ce que veut dire: *un couvert mis pour elle*. (l. 26.)
10. Expliquez le sens de *sa loyauté de marchande*. (l. 28.)
11. Quel était le malheur de cette paysanne?
12. Pourquoi l'auteur s'étonnait-il que cette femme voyageât toute seule?
13. Qu'est-ce qui rendait son âme forte, de sorte qu'elle ne craignait pas les dangers du chemin?

Analyse

La campagne en ce temps-là—voyages à cheval—père et mère montés sur la même jument—les gués, les fondrières, les haies—les marchands normands et bretons—leurs cris—la marchande de beurre—pourquoi elle était bien vue—conversation avec elle sur les dangers du chemin—sa réponse.

19. Jongler: *to juggle.*
20. Dire la bonne aventure: prédire l'avenir.
35. Un écu: *crown.*
37. La tzigane: la bohémienne.
44. La soutane: robe que portent les prêtres.
44. Ramenait: sortait, retirait.

1. Quelle est cette enfant, et où le curé la rencontre-t-il?
2. Qu'est-ce qu'elle veut dire par: *La charité, monsieur le curé*? (l. 1.)
3. Dans quels pays y a-t-il beaucoup de musiciens bohémiens?
4. Comment est cette jeune bohémienne?
5. A quoi voit-on qu'elle est très pauvre?
6. Quel est le verbe qui exprime l'action de se servir d'un éventail?
7. Combien le curé va-t-il donner d'abord à la mendiante?
8. Qu'est devenu le frère de la bohémienne?
9. Qu'est-ce qu'une *pièce blanche*? (l. 17.)
10. Quelles circonstances empêchent ces gens de voyager et de gagner leur vie dans les villes?
11. Pourquoi leur serait-il difficile de gagner leur vie en travaillant comme tout le monde?
12. Quelles questions le curé pose-t-il à la mendiante pour savoir l'état de son âme? Quelles réponses reçoit-il?
13. Exprimez autrement: *des larmes plein les yeux.* (l. 43.)
14. Pourquoi le curé veut-il que la mendiante dise: *Mon Dieu, je vous aime*? Est-ce qu'elle le dit?

Analyse

Le vieux curé—le cinquantième anniversaire—de quoi?—l'idée des paroissiens—l'argent—combien?—l'achat d'une cloche—pourquoi?—voyage du curé—la rencontre—description de la bohémienne—la pièce de deux sous—le frère de la mendiante—la pièce blanche—les malheurs de la famille—le cheval mort—le prêtre s'occupe du salut de la mendiante—« Mon Dieu, je vous aime.» —il donne les cent écus—ce que dit la bohémienne.

12. UNE PROPOSITION

Boinville se leva avec empressement pour recevoir la visiteuse. Après qu'il l'eut fait asseoir, il lui demanda en rougissant des nouvelles de sa petite-fille.

— Merci, monsieur, répondit-elle, la petite va bien, votre

visite lui a porté chance... Elle sollicitait depuis longtemps une place dans les télégraphes... Elle a reçu hier sa nomination et je n'ai pas voulu quitter Paris sans prendre congé de vous et vous témoigner toute notre reconnaissance.

La poitrine de Boinville se serra.

— Vous quittez Paris? demanda-t-il, ce poste est donc en province?

— Oui, dans les Vosges... Et naturellement j'accompagne Claudette... j'ai quatre-vingt-deux ans, mon cher monsieur; je n'ai plus grand temps à passer dans ce monde et nous ne voulons pas nous séparer.

— Vous partez bientôt?

— Dans la première semaine de janvier... Adieu, monsieur, vous avez été très bon pour nous, et Claudette m'a bien recommandé de vous remercier en son nom...

Le sous-directeur, interdit et absorbé, ne répondit guère que par des monosyllabes. Quand la vieille dame fut sortie, il resta longtemps accoudé sur son bureau, la tête dans ses mains. Cette nuit-là, il dormit mal, et, le lendemain, il fut de très maussade humeur avec ses employés. Il ne tenait pas en place. Dès trois heures, il brossa son chapeau, quitta le ministère et sauta dans une voiture qui passait.

Une demi-heure après, il traversait tout frissonnant le jardin maraîcher du n° 12 de la rue de la Santé et sonnait à la porte de Mme Blouet.

Ce fut Claudette qui vint lui ouvrir. A l'aspect du sous-directeur, elle tressaillit, puis devint toute rouge, tandis qu'un sourire passait dans ses yeux bleus.

— Grand'mère est sortie, dit-elle, mais elle ne tardera pas à rentrer et elle sera si heureuse de vous voir!...

— Ce n'est pas Mme Blouet que je désirais surtout rencontrer, mais vous, mademoiselle.

— Moi? murmura-t-elle, troublée.

— Oui, vous, répéta-t-il brusquement...

Sa gorge se serrait, il cherchait ses mots et les trouvait à peine:

— Vous partez toujours au mois de janvier?...

Elle répondit par un signe de tête affirmatif.

— Ne regrettez-vous pas de quitter Paris?

— Oh! si... cela me fait gros cœur... Mais quoi? Cette place est pour nous une bonne fortune et grand'mère pourra au moins vivre en paix pendant ses dernières années.

— Et si je vous donnais un moyen de rester à Paris, tout en assurant le repos et le bien-être de Mme Blouet?

—Oh! monsieur! s'exclama la jeune fille dont le visage s'épanouit.

ANDRÉ THEURIET, *La Saint-Nicolas*
(A. Lemerre, éditeur)

20. Interdit: étonné, troublé.
23. Maussade: désagréable, de mauvaise grâce.
24. Il ne tenait pas en place: il était impatient, agité.
27. Le jardin maraîcher: jardin où l'on cultive des légumes.
43. Cela me fait gros cœur: je le regrette bien, j'en suis désolée.
49. S'épanouit: *beamed.*

1. Quel était l'emploi de Boinville?
2. Que veut dire *avec empressement*? (l. 1.)
3. Pourquoi la vieille dame est-elle venue voir Boinville?
4. Qu'est-ce qui montre qu'il a de l'affection pour la petite-fille de Mme Blouet?
5. Pourquoi les deux femmes quittent-elles Paris?
6. Que veut dire: *prendre congé de quelqu'un*? (l. 7.)
7. Où se trouvent les Vosges? Parle-t-on ici des montagnes, ou du département des Vosges? Que savez-vous de l'administration d'un département?
8. Pourquoi les deux femmes ne veulent-elles pas se séparer?
9. Quel fut l'effet de cette visite sur Boinville?
10. Pourquoi *tout frissonnant*? (l. 27.)
11. Exprimez autrement: *elle ne tardera pas à rentrer*. (l. 33.)
12. Qu'est-ce qui trahit l'agitation de Boinville, quand il se trouve vis-à-vis de Claudette?
13. Quels avantages présente ce poste dans les Vosges?
14. D'après vous, quel est ce *moyen* de rester à Paris? (l. 46.)

Analyse

Boinville—son emploi—visite de Mme Blouet—le nouveau poste de Claudette—Boinville bouleversé—pourquoi?—le lendemain—sa mauvaise humeur—visite chez Mme Blouet—conversation avec Claudette—la proposition.

13. DANS LE MARAIS

Il faisait très froid. La terre était dure, la nuit presque complète, au point que la ligne des côtes et la mer ne formaient plus qu'un horizon compact et tout noir. Un reste de rougeur s'éteignait à la base du ciel et blêmissait de minute en minute.

Un chariot passait au loin près de la falaise; on l'entendait cahoter et crier sur le pavé gelé. L'eau des marais était prise; par endroits seulement, de larges carrés d'eau douce, qui ne gelaient point, continuaient de se mouvoir doucement, et demeuraient blanchâtres. Six heures sonnèrent au clocher de Villeneuve. Le silence et l'obscurité devenaient si grands, qu'on aurait cru qu'il était minuit. Je marchais sur les levées, et je ne sais comment je me rappelai qu'à cet endroit-là même autrefois, dans de froides nuits pareilles, j'avais chassé des canards. J'entendais au-dessus de ma tête le susurrement rapide et singulier que font ces oiseaux en volant très vite. Un coup de fusil retentit. Je vis la lueur de la poudre, et l'explosion m'arrêta court. Un chasseur sortit de sa cachette, descendit vers la mare et se mit à y piétiner; un autre lui parla. Dans cet échange de paroles brèves dites assez bas, mais que la nuit rendait très distinctes, je saisis comme un son de voix qui me frappa.

— André! criai-je.

Il y eut un silence, après quoi je répétai de nouveau: «André!»

— Quoi? dit une voix qui ne me laissa plus aucun doute.

André fit quelques pas à ma rencontre. Je le distinguais assez mal, quoiqu'il dépassât de toute la taille la levée obscure. Il avançait lentement, un peu à tâtons, sur ce chemin foulé par des pas d'animaux; il répétait: «Qui est là? qui m'appelle?» avec un émoi croissant, et comme s'il hésitait de moins en moins à reconnaître celui qui l'appelait et qu'il croyait si loin.

— André! lui dis-je une troisième fois, quand il n'eut plus qu'un ou deux pas à faire.

— Comment? quoi?... Ah! monsieur! monsieur Dominique! dit-il en laissant tomber son fusil.

— Oui, c'est moi, c'est bien moi, mon vieux André!...

Je me jetai dans les bras de mon vieux domestique. Mon cœur, à la fin de ces contraintes, éclata de lui-même et se fondit librement en sanglots.

EUGÈNE FROMENTIN, *Dominique*

4. Blêmissait: de *blêmir*, c.-à-d. devenir blême, très pâle.
6. Cahoter: *to jolt.*
11. Les levées: *dykes, sea-walls.*
14. Le susurrement: *whirring.*
18. Piétiner: marcher, patauger.
26. La taille: ici, partie du corps depuis les épaules jusqu'à la ceinture.
27. A tâtons: *gropingly* (tâter, *to touch, feel*).

1. Qu'est-ce qu'un marais?
2. Quels oiseaux fréquentent les marais?
3. Pourquoi la terre était-elle dure? (l. 1.)
4. A quoi voyait-on que le soleil venait de se coucher?
5. Expliquez ce que c'est qu'une falaise.
6. Exprimez autrement: *l'eau des marais était prise* (l. 6.)
7. Laquelle gèle la première, l'eau douce ou l'eau salée?
8. Que veut dire *blanchâtre*? Citez d'autres exemples d'adjectifs qui se terminent en *-âtre*.
9. Que savez-vous de la chasse au canard sauvage?
10. Pourquoi ce chasseur descendit-il à la mare? Était-il seul?
11. Pourquoi l'auteur pouvait-il entendre la conversation des chasseurs?
12. Pourquoi André n'avançait-il pas vite? (l. 27.)
13. Quels animaux voit-on dans les marais?
14. Pourquoi André ne pouvait-il pas croire que ce fût M. Dominique qui l'appelait?
15. Pourquoi est-il dangereux de laisser tomber un fusil?
16. Qu'est-ce qui montre que M. Dominique était malheureux?

Analyse

Dominique revenu chez lui—un soir d'hiver—promenade dans le marais—ses chasses d'autrefois—les canards sauvages—un coup de fusil—les deux chasseurs—il reconnaît une voix—André!—le chasseur s'approche—émotion de Dominique.

14. LA PIPE

J'étais à l'ombre, mollement couché sur la mousse; devant moi, les vignes descendaient jusqu'au fond de la vallée pleine de soleil où la rivière scintillait entre des peupliers. Les alouettes gazouillaient au-dessus de ma tête dans un ciel pommelé: je me sentais parfaitement heureux et je n'avais plus de remords!

Le fourneau une fois bourré, je l'allumai avec solennité et je tirai voluptueusement les premières bouffées.

—Quel bon tabac! quelles jolies fumées blanches je lançai fièrement vers les arbres! Miroufle avait raison, c'était doux comme miel!...

Au bout d'un quart d'heure, néanmoins, mon enthousiasme tomba peu à peu. Il me sembla que ma tête s'alourdissait. J'éprouvais un singulier malaise et j'avais le cœur légèrement barbouillé. Je posai la pipe sur la mousse, espérant que *cela* passerait; cela ne passa pas. Ma tête tournait, mes yeux papillotaient, un nauséeux affadissement me venait aux lèvres et mon estomac se soulevait... Je n'eus que le temps de me pencher sur le bord du talus... J'étais ridiculement malade et je vomissais avec des efforts qui me retournaient les entrailles... Le châtiment commençait.

Quand la crise fut passée, j'empochai piteusement ma pipe et tout chancelant encore, je repris le chemin de chez nous. Je n'étais pas brillant et je trouvais le miel de la pipe de Bigeard singulièrement amer. J'entrai, blême et la figure tirée, dans notre arrière-boutique, et j'eus l'ennui d'y trouver toute la famille: mon grand-père lisait, mon père filtrait un drogue et la tante Honorine était en train de recoudre le fameux gilet.

— Bonté! comme tu es pâle! s'écria-t-elle en m'apercevant, es-tu malade?

— Mais non, ma tante...

— Viens donc un peu ici, reprit mon père qui me dévisageait sévèrement. Pouah! tu sens la tabagie!... Puis tout à coup m'empoignant par le bras: — Drôle, continua-t-il, tu as fumé!

Il me secoua si violemment que la pipe sortit aux trois quarts de ma poche. Il la saisit, la reconnut, et sans me lâcher:

— C'est la pipe de Bigeard... La pipe d'un failli! s'exclama-t-il d'une voix indignée... Bandit, tu as osé fumer ça? ... Où te l'es-tu procurée? Avec quel argent? Mais réponds donc, petit misérable!

Il me hocha comme un prunier; j'étais plus mort que vif et je prévoyais déjà une catastrophe: mon crime découvert, et la punition terrible qui allait suivre. — Je lançais des regards de détresse vers ma tante et mon aïeul, qui eux-mêmes semblaient atterrés.

— Calme-toi, Péchoin, dit tout à coup le grand-père, l'argent lui vient de moi... J'ai eu la faiblesse de le lui donner et je suis le premier fautif.

— Vous avez eu tort, grand tort d'encourager les vices d'un vaurien qui finira mal! répliqua mon père, puis il jeta rageusement à terre la pipe de Bigeard qui se brisa en plusieurs morceaux.

ANDRÉ THEURIET, *Contes pour les Jeunes et les Vieux.*
(A. Lemerre, éditeur)

4. Un ciel pommelé: ciel couvert de petits nuages blancs.
13. Avoir le cœur barbouillé: avoir mal au cœur, avoir envie de vomir.
15. Mes yeux papillotaient: Je ne pouvais plus regarder fixement les objets.
16. Nauséeux: adjectif de *nausée*.
16. Un affadissement: nausée, mal de cœur.

25. Une arrière-boutique: pièce derrière la boutique.
32. La tabagie: salle spéciale où l'on se retire pour fumer.
36. Un failli: commerçant qui a fait faillite, qui a fait de mauvaises affaires.

1. Quel âge donnez-vous à cet enfant?
2. Comment a-t-il fait pour payer la pipe?
3. Qui est Bigeard, et pourquoi déplaît-il au père?
4. Où l'enfant s'en va-t-il fumer la pipe?
5. Quel temps faisait-il? En quelle saison était-on?
6. Pourquoi le fumeur a-t-il eu des remords? (l. 5.)
7. Qu'est-ce que c'est que le fourneau d'une pipe?
8. Qui lui a conseillé de fumer?
9. Mettez un autre mot pour *châtiment*. (l. 20.)
10. Que veut dire *empocher*?
11. *Le miel de la pipe était amer*. (l. 23.) Expliquez.
12. Quelle est la profession du père? Quel est son nom de famille?
13. Comment le père découvre-t-il la pipe?
14. Quelle opinion a-t-il de son fils? Qu'est-ce qu'un vaurien?
15. Comment le grand-père cache-t-il la faute de son petit-fils?
16. Donnez l'équivalent anglais de *chancelant* (l. 22); *drôle* (l. 33); *bandit* (l. 37); *fautif* (l. 47).

Analyse

L'enfant a volé de l'argent—à qui?—l'achat de la pipe—chez qui?—il s'en va la fumer—où?—son plaisir—le nausée qui l'envahit—il est malade—il rentre—on s'aperçoit de quelque chose—le père voit la pipe—la reconnaît—interroge l'enfant—sa colère—ses soupçons—grand-père cache la faute—comment?

15. UNE JEUNE FILLE

[Roger est le tuteur de Suzanne, qui est orpheline. Elle se plaît à l'appeler «mon père», mais on voit bien que son affection pour lui n'est pas exactement celle d'une jeune fille pour son papa.]

MADAME DE CÉRAN: Suzanne, voyons, il n'est pas convenable...

SUZANNE: D'embrasser son père?... Ah bien! (*Elle va à lui.*)

LA DUCHESSE, *à* ROGER: Mais embrasse-la donc, voyons! (*Ils s'embrassent.*)

SUZANNE: C'est moi qui suis contente!... Je ne savais pas que tu arrivais aujourd'hui, figure-toi! C'est madame de Saint-Réault qui m'a appris cela, au cours, tout à l'heure; alors, moi, sans rien dire... j'étais précisément près d'une porte... je me suis esquivée et j'ai couru au chemin de fer!

MADAME DE CÉRAN: Seule?

SUZANNE: Oui, toute seule! Oh! C'est amusant!... Mais le plus drôle, vous allez voir!... J'arrive au guichet: pas d'argent, ah!! Voyant cela, un monsieur qui prenait son billet m'offre de prendre le mien, un jeune homme très poli. Il allait à Saint-Germain justement. Et puis un autre, un vieux très respectable! Et puis un troisième, et puis tout le monde, tous les messieurs qui étaient là... ils allaient tous à Saint-Germain: «Mais, mademoiselle, je vous en prie!... Je ne souffrirai pas... Moi, mademoiselle; moi!...» J'ai donné la préférence au vieux respectable; tu comprends, c'était plus convenable.

MADAME DE CÉRAN: Tu as accepté?

SUZANNE: Je ne pouvais pas rester là, voyons.

MADAME DE CÉRAN: D'un étranger?

SUZANNE: Puisque c'était un vieux respectable!... Oh! il a été très bien; il m'a aidée à monter en wagon... Oh! très bien! tous, du reste!... car ils étaient tous montés avec nous. Et si aimables! Ils m'offraient les coins, ils levaient les glaces, et puis ils s'empressaient: «Par ici, mademoiselle.»... «Tenez, par là; pas de soleil, mademoiselle!»... et ils tiraient leurs manchettes, et ils frisaient leurs moustaches, et ils faisaient des grâces, tout à fait comme pour une dame... Oh! oui, c'est amusant de sortir seule!... Il n'y a que le vieux respectable qui me parlait toujours de ses propriétés immenses!... ça m'était bien égal.

MADAME DE CÉRAN: Mais c'est monstrueux!

SUZANNE: Oh! non; mais le plus étonnant, c'est qu'en arrivant, je retrouve mon porte-monnaie! dans ma poche!... Alors, j'ai remboursé le vieux respectable, j'ai fait une belle révérence à ces messieurs, et j'ai filé. Ah! ah! ils me regardaient tous... (*A Roger*) comme toi, tiens!... Qu'est-ce qu'il a? Mais embrasse-moi donc encore?...

MADAME DE CÉRAN, *à* LA DUCHESSE: Voilà une inconvenance qui dépasse toutes les autres.

ÉDOUARD PAILLERON, *Le Monde où l'on s'ennuie.*
(Calmann-Lévy éditeurs)

8. Au cours: à la leçon, à la conférence.
10. S'esquiver: sortir discrètement, sans être remarqué.

31. La manchette: *cuff*.
32. Ils faisaient des grâces: ils cherchaient à plaire, à paraître charmants.
39. Rembourser quelqu'un: lui rendre son argent.
40. Filer: s'en aller, se sauver.
43. Une inconvenance: action indiscrète, contraire à la bienséance.

1. Quel âge donneriez-vous à Suzanne?
2. Est-ce que Madame de Céran l'approuve d'embrasser son «père»?
3. Pourquoi la duchesse dit-elle à Roger: *Mais embrasse-la donc*? (l. 4.)
4. Qu'est-ce qui prouve que Suzanne était impatiente de revoir son «père»?
5. Est-ce que Suzanne plaît à Madame de Céran? Et à la duchesse?
6. Pourquoi Madame de Céran veut-elle savoir si Suzanne est allée à la gare toute seule?
7. Qu'est-ce que c'est que *le guichet*? (l. 13.)
8. Comment savons-nous que Suzanne est jolie?
9. De qui accepte-t-elle les services?
10. Pourquoi les messieurs disent-ils tous qu'ils vont à Saint-Germain?
11. Pourquoi Madame de Céran est-elle scandalisée?
12. Expliquez: *ils levaient les glaces*. (l. 29.)
13. D'après Suzanne, pour qui les messieurs se montrent-ils généralement très aimables?
14. Pourquoi Suzanne trouve-t-elle le vieillard ennuyeux?
15. Qu'est-ce qui prouve que la jeune fille a voulu s'amuser aux dépens de ces voyageurs?
16. Donnez l'équivalent anglais de *voyons!* (l. 4); *Tenez, par là* (l. 30).

Analyse

L'orpheline et son tuteur—elle va à sa rencontre—à la gare—les voyageurs—pas d'argent!—le vieux respectable—tous les autres montent avec eux—leur politesse—Suzanne retrouve son porte-monnaie.

16. LE CAMARADE ALPHONSE

J'étais heureux, j'étais très heureux. Pourtant j'enviais un autre enfant. Il se nommait Alphonse. Je ne lui connaissais pas d'autre nom, et il est fort possible qu'il n'eût que celui-là. Sa mère était blanchisseuse et travaillait en ville. Alphonse vaguait tout le long de la journée dans la cour ou sur le quai, et j'observais de ma fenêtre son visage barbouillé, sa tignasse jaune, sa culotte sans fond et ses savates, qu'il traînait dans les ruisseaux. J'aurais bien voulu, moi aussi, marcher en liberté dans les ruisseaux. Alphonse hantait les cuisinières et gagnait près d'elles force gifles et quelques vieilles croûtes de pâté. Parfois les palefreniers l'envoyaient puiser à la pompe un seau d'eau qu'il rapportait fièrement, avec une face cramoisie et la langue hors de la bouche. Et je l'enviais... Il était libre et hardi. De la cour, son domaine, il me regardait à ma fenêtre comme on regarde un oiseau en cage.

Il advint un jour que cette cour si gaie, où les ménagères venaient le matin emplir leur cruche à la pompe et où les cuisinières secouaient, vers six heures, leur salade dans un panier de laiton, il advint que cette cour fut dépavée. On ne la dépavait que pour la repaver; mais comme il avait plu pendant les travaux, elle était fort boueuse, et Alphonse, qui y vivait comme un satyre dans son bois, était, de la tête aux pieds, de la couleur du sol. Il remuait les pavés avec une joyeuse ardeur. Puis, levant la tête et me voyant muré là-haut, il me fit signe de venir. J'avais bien envie de jouer avec lui à remuer des pavés... Je n'avais pas de pavés à remuer dans ma chambre, moi. Il se trouva que la porte de l'appartement était ouverte. Je descendis dans la cour.

— Me voilà, dis-je à Alphonse.

— Porte ce pavé, me dit-il.

Il avait l'air sauvage et la voix rauque; j'obéis. Tout à coup le pavé me fut arraché des mains et je me sentis enlevé de terre. C'était ma bonne qui m'emportait, indignée. Elle me lava au savon de Marseille et me fit honte de jouer avec un polisson, un rôdeur, un vaurien.

— Alphonse, ajouta ma mère, Alphonse est mal élevé; ce n'est pas sa faute, c'est son malheur; mais les enfants qui sont bien élevés ne doivent pas fréquenter ceux qui ne le sont pas.

ANATOLE FRANCE, *Le Livre de mon Ami*
(Calmann-Lévy, éditeurs)

4. Vaguer: errer, aller à l'aventure.
6. Sa tignasse: ses cheveux en désordre, mal peignés.
7. La savate: vieux soulier fort usé.
9. Force gifles: beaucoup de gifles.
10. Le palefrenier: valet qui s'occupe des chevaux.
18. Le laiton: *brass*.

23. Muré: emprisonné dans un endroit dont les issues sont fermées par des pierres ou des briques.
33. Le savon de Marseille: savon jaune qui sert à nettoyer.

1. Qu'est-ce qu'une blanchisseuse?
2. Pourquoi Alphonse ne reste-t-il pas chez lui?
3. De quels *ruisseaux* s'agit-il ici? (l. 7.)
4. Comment ce gamin obtient-il de quoi manger?
5. Quel service rend-il de temps en temps aux palefreniers?
6. Pourquoi l'enfant riche envie-t-il Alphonse?
7. Quel nom forme la racine du verbe *puiser*? (l. 11.)
8. Expliquez pourquoi l'enfant trouve cette cour gaie.
9. Quel repas les cuisinières préparent-elles vers six heures du soir?
10. Pourquoi la cour était-elle boueuse à ce moment-là?
11. Que fait l'enfant au moment où sa bonne l'aperçoit?
12. Tâchez d'imaginer ce qu'elle lui dit.
13. Donnez l'anglais pour *polisson*, *rôdeur*, *vaurien*.
14. Quel est l'avis de la mère en ce qui concerne ces sortes de relations?

Analyse

Alphonse—son origine—son aspect—ses occupations—la cour dépavée—la boue—Alphonse s'amuse—son invitation—les enfants jouent ensemble—avec quoi?—arrive la bonne—ce qu'elle fait—les idées de la maman.

17. LA JUSTICE DES ENFANTS

[Scène: la cour d'un bel hôtel, où les visiteurs sont en train de manger en plein air.
Au milieu du repas, un mendiant arrive devant la grille et joue de la mandoline. On ne lui donne rien.]

Maintenant, c'est une autre voix qui retentit, une voix qui implore, et puis qui menace, et enfin qui maudit. Le pauvre diable, qui a chanté pour tous ces gens qui mangent, — il est vrai qu'il a chanté derrière une grille, dans la rue, sans y être invité, sans autorisation officielle, — le meurt-de-faim qui pendant sa chanson a pu distinguer sur les tables tant de plats divers, ici un melon rafraîchi dans la glace, et là un poisson éventré à belle chair rose, ailleurs une volaille bien roussie au feu, et partout des fruits colorés qui doivent être savoureux et fondants, voudrait échanger sa musique contre les miettes de notre festin. Il tient une sébile à la main. Rien qu'une petite quête rapide et il s'en ira. Il promet de ne pas s'attarder, d'aller de l'un à l'autre sans s'arrêter. Comment? pas même cela, pas même ce tour des tables qu'il accomplira au pas de course! Ce n'est pas juste: il a chanté. Il a donné, lui, ce qu'il avait dans l'estomac, et il ne reçoit rien en échange. Alors, c'est un véritable guet-apens: on le dépouille, on l'assassine, c'est donc pire qu'à la guerre, c'est donc pire que du temps des Boches. Il ne lui reste plus qu'à crever de misère au bord de la route. Dieu ne permet pas de telles abominations: vous verrez qu'il enverra le feu ou la grêle, car Dieu est pour les grands moyens. Inutile de le toucher, de le pousser: il n'est pas sourd, il n'est pas idiot, il s'en ira puisqu'on le chasse. Mais là, vraiment, c'est bien mal.

Et, en effet, il s'en va, lamentable, vaincu, effondré, la tête basse, et sa mandoline, au bout du bras, touche presque le sol.

Ce qui se passa alors, ce fut exquis, comme un brusque vol de mouettes au-dessus d'un lac immobile: elles sont posées sur l'eau comme d'imperceptibles points et tout à coup elles battent l'air de leurs ailes blanches et c'est un nuage de plumes où le soleil joue.

Presque à chaque table où il y avait des enfants, une petite fille, un petit garçon, se leva, réclama en hâte une aumône à ses parents—vite, vite, de la monnaie. Pas de monnaie? une pièce blanche ou des billets parce que, ce papier sale, ça ne doit pas avoir beaucoup de valeur — et les voici qui se mettent à courir, robes roses, robes bleues, robes blanches, costumes de marins, petites culottes courtes, pour rattraper le chanteur.

HENRY BORDEAUX, *Contes de la Montagne*
(Librairie Plon)

4. Une grille: *iron gate, railings.*
7. Éventré: dont le ventre a été ouvert.
8. Roussi: *browned* (roux, rousse, *reddish brown*).
9. Fondant: qui a beaucoup de jus et qui fond dans la bouche.
11. Une sébile; petit bol de bois.
11. Une quête: action de recueillir l'argent.
14. Au pas de course: très vite, à toute allure.
16. Un guet-apens: embûche, embuscade dressée pour voler ou assassiner.
18. Les Boches: (*pop.*) les Allemands.
19. Crever: mourir.
21. Dieu est pour les grands moyens: *The Almighty doesn't do things by halves.*
24. Effondré: *broken down, in a state of collapse.*

27. La mouette: les oiseaux blancs qu'on voit au bord de la mer sont des mouettes.

1. Quel est cet homme qui ennuie les convives?
2. Où le déjeuner est-il servi?
3. Où est le musicien? De quel instrument joue-t-il?
4. Pourquoi les convives ne veulent-ils pas lui faire l'aumône?
5. Qu'est-ce que le mendiant regardait, tout en chantant?
6. Quel est le sens de *rafraîchi*? (l. 7.) De quel adjectif vient *rafraîchir*?
7. Qu'est-ce que l'auteur entend par *les miettes de notre festin*? (l. 10.)
8. Qu'est-ce que le musicien demande à faire, après avoir chanté?
9. Quelle promesse fait-il?
10. D'après lui, quelle injustice y a-t-il dans ce refus?
11. Qu'est-ce qui indique qu'il a fait la guerre?
12. Que font certains des convives, quand le mendiant commence à dire des injures?
13. Qu'est-ce que c'est que de la *monnaie*? (l. 33.)
14. Quelle idée ont les enfants de la valeur des billets?
15. Pourquoi tous ces enfants sont-ils si joliment habillés?

Analyse

La compagnie qui déjeune—où?—les plats succulents—le musicien derrière la grille—sa demande—le refus—sa colère—il devient injurieux—on le chasse—son désespoir—ce que font les enfants.

18. ARRIVÉE A PARIS

Nous arrivâmes à Paris le soir. Partout ailleurs il eût été tard. Il pleuvait; il faisait froid. Je n'aperçus d'abord que des rues boueuses, des pavés mouillés, luisants sous le feu des boutiques, le rapide et continuel éclair de voitures qui se croisaient en s'éclaboussant, une multitude de lumières étincelant comme des illuminations sans symétrie dans de longues avenues de maisons noires dont la hauteur me parut prodigieuse. Je fus frappé, je m'en souviens, des odeurs de gaz qui annonçaient une ville où l'on vivait la nuit autant que le jour, et de la pâleur des visages qui m'aurait fait croire qu'on s'y portait mal. J'y reconnus le teint d'Olivier, et je compris mieux qu'il avait une autre origine que moi.

Au moment où j'ouvrais ma fenêtre pour entendre plus distinctement la rumeur inconnue qui grondait au-dessus de cette ville en bas, et déjà par ses sommets tout entière plongée dans la nuit, je vis passer au-dessous de moi, dans la rue étroite, une double file de cavaliers portant des torches, et escortant une suite de voitures aux lanternes flamboyantes, attelées chacune de quatre chevaux et menées presque au galop.

— Regarde vite, me dit Olivier, c'est le roi.

Confusément je vis miroiter des casques et des lames de sabres. Ce défilé retentissant d'hommes armés et de grands chevaux chaussés de fer fit rendre au pavé sonore un bruit de métal, et tout se confondit au loin dans le brouillard lumineux des torches.

Olivier s'assura de la direction que prenaient les attelages; puis, quand la dernière voiture eut disparu:

— C'est bien cela, dit-il avec la satisfaction d'un homme qui connaît son Paris et qui le retrouve, le roi va ce soir aux Italiens.

Et malgré la pluie qui tombait, malgré le froid blessant de la nuit, quelque temps encore il resta penché sur cette fourmilière de gens inconnus qui passaient vite, se renouvelaient sans cesse, et que mille intérêts pressants semblaient tous diriger vers des buts contraires.

— Es-tu content? lui dis-je.

Il poussa une sorte de soupir de plénitude, comme si le contact de cette vie extraordinaire l'eût tout à coup rempli d'aspirations démesurées.

EUGÈNE FROMENTIN, *Dominique*

4. Éclabousser: faire jaillir de la boue sur.
14. La rumeur: bruit sourd et confus.
21. Miroiter: *to flash, gleam.*
23. Chaussé: *shod.*
25. Un attelage: l'ensemble des chevaux attelés à une voiture.
28. Les Italiens: célèbre théâtre où l'on jouait surtout des opéras.
30. La fourmilière: *ant-hill* (la fourmi, *ant*).

1. Pourquoi eût-il été tard ailleurs qu'à Paris? (l. 1.)
2. Quel aspect présentent les rues par ce temps froid et pluvieux?
3. Que veut dire *le feu des boutiques*? (l. 3.)
4. Expliquez: *l'éclair de voitures*. (l. 4.)
5. Expliquez l'action de *se croiser*. (l. 4.)

6. Pourquoi les maisons de Paris paraissent-elles très hautes à ce voyageur? (l. 7.)
7. D'après cet auteur, pourquoi les Parisiens ont-ils le teint pâle?
8. Quelle était l'origine d'Olivier? et de celui qui parle?
9. Qu'est-ce que l'auteur entend par les *sommets* de la ville? (l. 15.)
10. Expliquez: *une suite de voitures*. (l. 17.)
11. De quoi les cavaliers étaient-ils coiffés?
12. Comment Olivier sait-il que le roi va aux Italiens?
13. Pourquoi le mot *fourmilière* peut-il s'appliquer à une grande ville comme Paris?
14. Pourquoi «vers des buts *contraires*»? (l. 33.)
15. Quel effet a Paris sur l'esprit d'Olivier?

Analyse

Arrivée par un soir pluvieux—les rues—circulation intense—lumières des magasins et des voitures—la vie nocturne de la ville—le teint pâle des habitants—la cavalcade—le roi passe—contentement d'Olivier—son âme de Parisien.

19. UNE VENGEANCE

Que de babas! il y en a bien une soixantaine,— bruns, tout humides et tout odorants encore du rhum où ils ont été plongés. — Lucie Collignon restait bouche béante devant ces bonnes choses et les yeux lui sortaient de la tête.

— Tiens-toi contre la porte, lui dis-je, et empêche qu'on entre. Je m'approche des plateaux, je soulève un baba et je mords délicatement en dessous. C'était bon. Même cérémonie avec le second baba.

— Part à deux! s'écrie Lucie, qui grille d'en faire autant! mais je m'y oppose! — «Du tout, reste où tu es... Je prends sur moi la responsabilité de la vengeance; il est donc juste que je l'accomplisse jusqu'au bout.»

Et je l'accomplis héroïquement. Pas un seul baba ne demeure intact; tous portent la marque de mes dents... Le coup fait, nous nous esquivons et nous allons étudier notre piano.

Une heure. Les invités commencent à affluer... Toutes les élèves en grand tralala sont en haut; quant à nous, vêtues de notre robe et de notre tablier de tous les jours, on nous a reléguées comme des parias dans la salle d'études.

Une heure et demie. On commence le concours. De temps en temps des applaudissements éclatent, puis les deux pianos repartent ensemble. Tout à coup un grand silence, interrompu seulement par des remuements de chaises et des piétinements. On procède au lunch, et mon cœur se met à battre. Le silence devient de plus en plus solennel; on dirait qu'une morne stupéfaction règne là-haut... Et tout en regardent Lucie Collignon, qui pâlit, je savoure délicieusement ma vengeance. Brusquement la porte de la salle d'études s'ouvre et M. Paponnet, hagard, pâle, les cheveux dressés, la cravate en détresse, apparaît sur le seuil.

— Mesdemoiselles, s'exclame-t-il, c'est une honte, c'est une abomination, ce que vous avez fait! Vous avez déshonoré la maison, vous avez contraint Mme Paponnet à rougir devant ses invités!... Mais les choses ne se passeront pas ainsi et les deux coupables recevront un châtiment exemplaire...

Je me lève toute rouge, et je réponds courageusement:

— Monsieur, il n'y a pas deux coupables... Il n'y en a qu'une... C'est moi.

Sans égard pour ma grandeur d'âme, le petit homme me prend par le bras, m'entraîne dans l'escalier, à travers le couloir, et me pousse en plein salon devant les parents ébaubis.

Un spectacle tragique: tous les petits babas, le ventre en l'air, gisaient sur les plateaux, montrant les morsures que je leur avais infligées. Les élèves simulaient l'indignation, poussaient des *oh!* et *ah!* hypocrites; les parents me regardaient avec des mines scandalisées. Moi, avec ma robe noire fripée et mon tablier d'alpaga, je baissais les yeux, j'avais deux pouces rouges sur les joues et j'aurais voulu être dans un trou de souris.

Enfin, Mme Paponnet, qui ne se possédait plus, m'a tirée d'embarras en s'écriant: «Qu'on emmène cette perverse créature!... Je ne peux plus la voir... Tous mes babas!... Elle les a entamés tous... Et elle n'en est même pas malade!»

On m'a jetée honteusement dehors. — Conclusion: privée de sortie jusqu'aux prix; deux jours de pain sec et le bonnet de nuit pendant une semaine... Mais ça m'est égal, je me suis vengée.

ANDRÉ THEURIET, *Contes pour les Soirs d'hiver*
(A. Lemerre, éditeur)

1. Un baba: *sponge cake steeped in rum spirit.*
17. En grand tralala: somptueusement habillées pour la fête.
19. Un paria: personne exclue de la société.
46. Fripé: vieux, usé.

47. Alpaga: *alpaca.*
47. Le pouce: ici, tache, marque.
49. Tirer d'embarras: tirer d'une situation gênante.
52. Entamer: couper ou détacher le premier morceau.
53. Privée de sortie: privée du droit de sortir les jours de congé.
54. Jusqu'aux prix: jusqu'au jour de la distribution des prix, c.-à-d. la fin du trimestre.

1. Pourquoi ces deux élèves n'assistent-elles pas à la réception?
2. Qu'est-ce qui montre que Lucie aime beaucoup les babas?
3. Que veut dire *bouche béante*? (l. 3.)
4. Pourquoi la jeune fille éprouve-t-elle un double plaisir à mordre les babas?
5. Pourquoi les mord-elle en dessous?
6. Qu'est-ce que Lucie entend par: *Part à deux!* (l. 9.)
7. Mettez un autre mot pour *grille.* (l. 9.)
8. Pourquoi Lucie ne doit-elle pas mordre les babas?
9. Que font les jeunes filles dans la salle d'études?
10. Comment savent-elles que le concours a commencé?
11. Qu'est-ce qui fait battre le cœur de la jeune fille? (l. 24.)
12. A quoi devine-t-elle que le crime a été découvert?
13. Expliquez: *la cravate en détresse.* (l. 29.)
14. Sur quel ton M. Paponnet parle-t-il aux deux élèves?
15. Comment la coupable montre-t-elle de la grandeur d'âme?
16. Pourquoi est-ce que personne n'a mangé de babas? Qu'est-ce qu'on en avait fait?
17. Que feraient les autres élèves, si elles osaient?
18. Que veut dire: *Je ne peux plus la voir*? (l. 51.)
19. Comment comprenez-vous *le bonnet de nuit*? (l. 54.)

Analyse

Le pensionnat—la réception—deux élèves n'y assistent pas—pourquoi?—les babas—Lucie n'y touche pas—pourquoi?—dans la salle d'études—qu'est-ce qui se passe en haut?—l'heure du lunch—entrée de M. Paponnet—ce qu'il dit—la coupable entraînée devant les invités—colère de Mme Paponnet—la punition.

20. QUI RONFLAIT?

PACHE *et* DIEUTEGARD *sommeillent dans des fauteuils.* PACHE *ronfle, par intervalles.* DIEUTEGARD *ouvre un œil et siffle pour faire taire* PACHE *qui s'éveille en sursaut.*

PACHE: Vous dormiez!

DIEUTEGARD: Moi? Ah! mais non!

PACHE: Demande pardon: je vous ai entendu ronfler.

DIEUTEGARD: Ah! par exemple! C'est vous, c'est vous qui avez ronflé.

PACHE: Il n'y a pas de mal: vous avez fait un petit somme. Vous y avez du mérite, avec les mouches.

DIEUTEGARD: Je parie cent sous...

PACHE: Je ne ronfle jamais. C'est ainsi dans ma famille: une disposition du gosier. Les Pache ne peuvent pas ronfler; ils le voudraient qu'ils ne le pourraient pas. Mais, je vous le répète, il n'y a pas de mal.

DIEUTEGARD: C'est trop fort! Je parie dix francs...

PACHE: Je ne parie jamais. (*Sans se retourner.*) Demandez plutôt à Monsieur... Monsieur... (*Il cherche à se rappeler un nom.*) N'est-ce pas? Monsieur...

DIEUTEGARD (*triomphant*). Il est parti! Monsieur Héglin est parti depuis plus d'un quart d'heure! Vous avez dormi. Êtes-vous convaincu?

PACHE: Je ne dors jamais entre mes repas; c'est impossible. Ça me donne des aigreurs.

DIEUTEGARD: Vous avez dormi! Voilà pourtant la vérité. Je parie cent francs.

PACHE: Vous ronflez comme une bouillotte et vous en accusez les autres.

DIEUTEGARD: Demandez à Cantepie. Il ratissait l'allée, devant la terrasse. Cantepie!

PACHE: Vous n'allez pas vous fier au témoignage d'un ivrogne?

DIEUTEGARD: Cantepie!

CÉLINE (*elle apparaît sur le seuil des Foulon*). Eh! monsieur Dieu, laissez donc travailler mon homme; il ne commence que.

CANTEPIE (*dans l'allée*). ... Désirez, messieurs?

CÉLINE: Finis tes allées, mon ami! Finis tes allées avant le coup de midi.

DIEUTEGARD: Dites, Cantepie, lequel de nous deux ronflait, tout à l'heure?

CANTEPIE: Tous les deux, messieurs, vous ronfliez tous les deux.

CÉLINE: Bien fait! Et que ça vous apprenne à laisser travailler le monde.

GEORGES DUHAMEL, *La Journée des Aveux*
(*Mercure de France*, éditeurs)

8. Parier: *to bet.*
10. Le gosier: *throat.*
21. Des aigreurs: l'indigestion.
24. La bouillotte: *kettle.*
26. Ratisser: nettoyer et unir avec un râteau.
29. Un ivrogne: personne qui boit trop, qui est souvent ivre.

1. De quoi ces deux messieurs s'accusent-ils?
2. Que fait-on quand on *parie*? Donnez des exemples.
3. Comment Pache se défend-il contre cette accusation?
4. Exprimez autrement: *ils le voudraient qu'ils ne le pourraient pas.* (l. 11.)
5. Qu'est-ce que Dieutegard entend par *C'est trop fort*? (l. 13.)
6. Quelle autre preuve y a-t-il que Pache a dormi?
7. Qui est Cantepie? Quel est son grand défaut?
8. Pourquoi ne se fie-t-on pas généralement au témoignage d'un ivrogne?
9. Qu'est-ce qu'on dirait en bon français pour *il ne commence que*? (l. 32.)
10. Pourquoi Céline tutoie-t-elle Cantepie?
11. Quel est le témoignage de Cantepie?
12. Que veut dire ici *le monde*? (l. 41.)

Analyse

On se réveille—qui ronflait?—Dieutegard parie cent sous—«les Pache ne peuvent pas ronfler»—dix francs!—Pache appelle M. Héglin—triomphe de Dieutegard—«je ne dors pas entre mes repas»—cent francs!—on appelle le jardinier—Pache s'y oppose—pourquoi?—qui ronflait?—réponse de Cantepie.

21. VISITE AU GRAND-PÈRE

— Monsieur Martel! crie mon oncle.

Personne ne répondit. Nous entrâmes en descendant une marche. La petite salle n'avait ni dalle ni plancher: on marchait sur la terre battue, bien sèche. La porte seule donnait du jour. Il faisait sombre. A gauche, un banc de menuisier. Le mur, au-dessus du banc, était couvert d'outils innombrables, tous sans exception luisants d'un travail récent. A droite, l'escalier tournant, étroit comme une échelle, qui conduisait aux chambres. Sous le retour de cet escalier, dans un enfoncement de la muraille, un homme, dans un antique fauteuil de paille, sommeillait paisible, le souffle égal. Le rayon de lumière venu de la porte effleurait le bas du visage: un vieux visage rasé et frais, au menton large. Un front haut, surmonté de deux touffes légères de cheveux brillants comme l'argent même, les mains un peu entr'ouvertes sur un gros livre refermé. Une d'elles tenait des lunettes.

Je regardai, trouble. L'oncle Albert ne savait que faire. Mon grand-père m'a souvent dit depuis: «Le sommeil, c'est sacré; c'est la vie, mon garçon. Quand un travailleur dort, — éloigne-toi en le bénissant.» Mon oncle connaissait sans doute cette sagesse. Il demeurait là, immobile et muet.

Mais le calme dormeur avait senti notre présence: nous étions devant son soleil. Il ouvrit les yeux, et, toujours tranquille, les mains immobiles:

— Qu'est-ce que c'est que ce petit soldat?

— Regardez-le bien, grand-père.

Grand-père Martel me regarda attentivement. Tout à coup ses lèvres se mirent à trembler. Il se souleva, puis il se mit debout avec lenteur... Ses mains, machinalement soigneuses, déposèrent sur son fauteuil les lunettes et le gros livre, et d'une voix de songe, venue des profondeurs de sa vie:

— Martel... est-ce toi? dit-il.

Je répondis:

— Oui, grand-père.

Il mit ses mains sur ma tête:

— Oh! mon fils!... mon fils!... mon fils!

Brusquement, il se baissa et m'étreignit.

Sans doute, sa vie entière abondait en lui, tous ses souvenirs, d'un seul coup, — son mariage, la naissance de mon père, les espérances perdues, les espérances éternelles...

Ses regards se levèrent sur l'oncle Albert:

— Merci, l'oncle, dit-il.

La lumière de la porte éclairait ses yeux, un peu voilés par la fatigue et l'âge:

— Ma fille! cria-t-il. Ma fille, viens vite! C'est lui! il est arrivé...

JEAN AICARD, *L'Âme d'un Enfant*
(Flammarion, éditeur)

3. La dalle: *flagstone.*
5. Le menuisier: artisan qui travaille en bois.
9. Le retour: angle formé par une partie de construction qui fait saillie.

9. Un enfoncement: *recess.*
12. Effleurer: toucher légèrement.
37. M'étreignit: me serra dans ses bras. (verbe, *étreindre.*)

1. Quelles sont les deux personnes qui rendent visite au grand-père?
2. Pourquoi est-ce que personne ne répond? (l. 2.)
3. Pourquoi fait-il sombre dans cette salle?
4. A quoi voit-on que le grand-père a travaillé?
5. Où le vieillard est-il assis? Sur quoi est-il assis?
6. Pourquoi, malgré l'obscurité de la pièce, voit-on bien la figure du grand-père?
7. Qu'a-t-il fait avant de s'endormir?
8. Exprimez autrement: *éloigne-toi.* (l. 20.)
9. Expliquez: *nous étions devant son soleil.* (l. 23.)
10. Exprimez autrement: *il se mit debout avec lenteur.* (l. 28.)
11. Pourquoi les mains du vieillard étaient-elles *machinalement soigneuses*? (l. 29.)
12. Comprenez-vous pourquoi il dit: *Oh! mon fils!...* (l. 36.)
13. Qu'est-ce que la vue de l'enfant lui rappelle?
14. Que sait-on maintenant au sujet du père de l'enfant?

Analyse

L'oncle et l'enfant—arrivée chez le grand-père—personne ne répond—ils entrent—description de la pièce—le vieillard endormi—comment est-il?—grand-père se réveille—reconnaît son petit-fils—«Mon fils !»—ses souvenirs—sa joie.

22. LE MARDI GRAS DE TROTT

[Le petit Trott, en costume de Polichinelle, va assister à la matinée d'enfants chez Mme Corbeiller.]

Voici la maison de Mme Corbeiller. Elle en impose beaucoup à Trott, cette maison, avec ses plafonds si hauts et ses valets de pied presque aussi hauts, qui vous accueillent avec tant de gravité. N'importe! aujourd'hui Trott les brave, et il passe devant eux sans être intimidé. Il fait son entrée au salon. Bon! il faut dire bonjour à Mme Corbeiller. Ça, c'est encore un peu terrible. Quelques dames le tournent, le retournent et le tripotent. Qu'elles sont ennuyeuses! Horreur! Mme Plantain s'avance: quand Trott était petit, elle lui a une fois demandé la permission de l'embrasser, et il lui a dit: «Non, merci.» Il avait raison, car quand elle vous embrasse, ça pique, et, après, on est tout mouillé. Mais aujourd'hui que Trott est grand garçon, il rougit, et ce souvenir est pénible à sa correction.

Ouf! c'est fini. Trott s'esquive lestement pour se mêler au petit monde dansant. Il est tout ahuri d'abord. Il ne reconnaît personne...

Quel malheur! Marie de Milly et Lily sont enrhumées; Yvonne et Maud étaient invitées ailleurs et n'ont pas pu venir. Le visage de Trott s'assombrit. Alors, ça ne va pas être amusant.

Heureusement, voilà Solange! c'est ça qui est une chance! elle est en marquise, avec des cheveux poudrés et une jupe qui bouffe. Trott, tout joyeux, court à elle. Mais elle l'accueille par un éclat de rire:

— Oh! mon pauvre Trott, que tu es laid!

Trott est horriblement humilié. Il ne lui aurait pas cru si mauvais goût. Enfin il fait bonne contenance et lui demande de danser avec lui. Mais elle répond d'un ton de protection:

— Non, mon chéri, tu es trop petit; et puis, tu comprends, tes bosses me gêneraient.

Et elle s'éloigne en riant, fièrement appuyée au bras d'un grand toréador de douze ans.

Alors Trott éprouve les affres de la jalousie et la haine de la cruauté des femmes. Toute sa bonne humeur est partie. Il y a bien d'autres petites filles, mais il ne les connaît pas, sauf Alice Prébins, avec qui il est brouillé, et Laure Lanney, qui est trop petite. Et, pour que ce soit amusant, il faut avoir une danseuse presque pour soi, avec qui l'on puisse rire et jacasser. Mme Corbeiller voit son isolement. Elle le prend par la main et le mène à une petite princesse. La petite princesse louche, et elle a la figure très grognon. En dansant, elle écrase les pieds du pauvre Trott, qui menace de s'embarrasser dans sa traîne. Aussi il se dépêche de la planter là. Et, de crainte qu'on ne la lui ramène, il va se cacher dans un coin. Et il se sent tout triste et tout seul.

ANDRÉ LICHTENBERGER, *Mon Petit Trott*
(Librairie Plon)

1. Elle en impose à Trott: Trott la trouve imposante.
4. Braver: affronter avec courage.
7. Tripoter: toucher, manipuler.
13. Sa correction: son sentiment de ce qui est correct.
15. Ahuri: stupéfait, étourdi, qui a perdu la tête.

21. Une jupe qui bouffe: *a skirt that puffs out.*
29. La bosse: *hump.* Trott portait un costume de Polichinelle, et il avait une bosse par devant et une par derrière.
32. Les affres: les tourments, les angoisses.
35. Avec qui il est brouillé: c.-à-d. il n'est plus son ami.
37. Jacasser: bavarder.
39. Loucher: *to squint.*
40. Grognon: *grumpy.*

1. Quel âge a Trott, à peu près?
2. Pourquoi va-t-il chez Mme Corbeiller?
3. Qui se tient près de la porte?
4. Que veut dire *être intimidé*? (l. 5.)
5. Pourquoi faut-il que Trott dise bonjour à Mme Corbeiller?
6. Pourquoi n'aime-t-il pas que Mme Plantain l'embrasse?
7. Quel souvenir est pénible à sa correction?
8. Expliquez: *petit monde dansant.* (l. 15.)
9. Comment se fait-il que Trott ne reconnaisse personne?
10. Expliquez: *elle est en marquise.* (l. 21.)
11. Qu'est-ce qui rend Trott si laid?
12. Expliquez ce que c'est qu'un *ton de protection.* (l. 27.)
13. Pourquoi Solange ne veut-elle pas danser avec Trott?
14. Qu'est-ce qu'un toréador?
15. La petite princesse est-elle une bonne danseuse?
16. Que veut dire: «Il se dépêche de la *planter là.*» (l. 42.)
17. Pourquoi Trott se cache-t-il dans un coin?

Analyse

Trott—son costume—arrivée chez Mme Corbeiller—il salue les dames—il veut danser—sa déception—Solange—son humiliation—la «princesse»—Trott la quitte—pourquoi?—isolement et mauvaise humeur de Trott.

23. A BORD D'UN NAVIRE TORPILLÉ

[Scène: un grand paquebot. Sur le pont, quelques passagers causent avec le médecin du bord, homme curieux qui prend pour juger toutes les choses le point de vue le plus inattendu.

Il explique l'attitude des passagères sur un paquebot torpillé.]

— Et au moment du torpillage? s'inquiéta M. Prater.
— Tranquilles comme des poissons rouges, mon cher monsieur.

Elles vous posaient des questions charmantes: «Est-ce vrai, docteur, que nous sommes torpillés?... Me conseillez-vous de prendre mon manteau?» Et elles rejoignaient l'emplacement de leurs chaloupes bien gentiment, sans pleurnicher, leur petit sac à la main.

— Elles étaient braves, alors?

Le médecin ne pouvait pas l'admettre. Il haussa les épaules:

— Inconscientes, oui. Si je vous disais qu'il y en a qui se sont enfermées à clef dans leurs cabines et qui, jusqu'au bout, ont refusé de sortir. Des hommes aussi, d'ailleurs. Tant qu'ils étaient dans leur petite chambre, ils ne se croyaient pas en danger. Ils ont coulé, la tête sur l'oreiller... Excellent! Ça valait mieux pour tout le monde.

La brièveté de cette oraison funèbre choqua le banquier de Pékin.

— Pourquoi cela? demanda-t-il.

— A cause des chaloupes et des statistiques, répéta le médecin en fronçant le nez. Si ces tristes imbéciles ne s'étaient pas barricadés dans leurs cabines et si d'autres, hagards d'épouvante, ne s'étaient pas précipités dans la mer du haut du pont supérieur, jamais il n'y aurait eu assez de place sur les radeaux et dans les embarcations. Mais vous pensez bien que, depuis qu'il y a des naufrages, on tient une statistique fort exacte du pourcentage des gens à sauver. Eh bien, à chaque sinistre, la proportion reste la même. Il y en a toujours autant qui se flanquent à l'eau de peur, autant qui s'enferment chez eux et autant qui refusent désespérément de quitter le bord, persuadés, malgré tout ce qu'on leur dit, qu'ils sont plus en sécurité sur le navire que dans cette petite chaloupe qui se balance au bout de deux ficelles. Alors il n'y a que le restant à embarquer.

ROLAND DORGELÈS, *Partir*
(Albin Michel, éditeur)

1. S'inquiéta: demanda anxieusement.
6. La chaloupe: canot de sauvetage.
6. Pleurnicher: *to whimper, snivel.*
14. Couler: aller au fond de l'eau.
16. Une oraison funèbre: discours prononcé en l'honneur d'un mort.
20. Fronçant: *wrinkling, puckering.*
24. Une embarcation: petit bateau.
24. Vous pensez bien que: vous pouvez être sûr que.
27. Se flanquer: (*pop.*) se jeter, se précipiter.
29. Quitter le bord: quitter le navire.

1. De quoi parlaient ces gens?
2. Expliquez le mot *torpillage*. (la torpille, *torpedo*.)
3. Pourquoi le médecin dit-il: «tranquilles comme des *poissons rouges*»? (l. 2.)
4. Regardez bien *torpillés* (l. 4). Pourquoi l'accord masculin?
5. Qu'ont fait les dames avant de rejoindre l'emplacement de leurs chaloupes?
6. D'après le docteur, qu'est-ce que cette conduite prouvait?
7. Que veut dire *barricader*? (l. 21.)
8. Mettez un autre mot pour *épouvante*. (l. 21.)
9. Expliquez ce que c'est qu'un radeau.
10. Mettez un autre mot pour *sinistre*. (l. 26.)
11. Pourquoi quelques passagers refusent-ils de quitter le bord?
12. Est-ce que le médecin plaisante, quand il dit *ficelle*? (l. 31.)

Analyse

Le médecin—le navire torpillé—les dames—leur conduite—leurs questions—étaient-elles braves?—opinion du docteur—que font ceux qui perdent la tête?—ce que prouvent les statistiques.

24. MAISON A VENDRE

Ce vieux ne connaissait personne dans le pays. Excepté la voiture du boulanger, qui s'arrêtait à toutes les portes dans l'unique rue du village, il n'avait jamais de visite. Parfois, quelque passant, en quête d'un de ces terrains à mi-côte qui sont tous très fertiles et font de charmants vergers, s'arrêtait pour sonner en voyant l'écriteau. D'abord la maison restait sourde. Au second coup un bruit de sabots s'approchait lentement du fond du jardin, et le vieux entre-bâillait sa porte d'un air furieux:

— Qu'est-ce que vous voulez?

— La maison est à vendre?

— Oui, répondait le bonhomme avec effort, oui... elle est à vendre, mais je vous préviens qu'on en demande très cher... Et sa main, toute prête à la refermer, barrait la porte. Ses yeux vous mettaient dehors, tant ils montraient de colère, et il restait là, gardant comme un dragon ses carrés de légumes et sa petite cour sablée. Alors les gens passaient leur chemin, se demandant à quel maniaque ils avaient affaire, et quelle était cette folie de mettre sa maison en vente avec un tel désir de la conserver.

Ce mystère me fut expliqué. Un jour, en passant devant la

petite maison, j'entendis des voix animées, le bruit d'une discussion.

— Il faut vendre, papa, il faut vendre... vous l'avez promis...

Et la voix du vieux, toute tremblante:

— Mais, mes enfants, je ne demande pas mieux que de vendre... voyons! Puisque j'ai mis l'écriteau.

J'appris ainsi que c'étaient ses fils, ses brus, de petits boutiquiers parisiens, qui l'obligeaient à se défaire de ce coin bien-aimé. Pour quelle raison? je l'ignore. Ce qu'il y a de sûr, c'est qu'ils commençaient à trouver que la chose traînait trop, et à partir de ce jour, ils vinrent régulièrement tous les dimanches pour harceler le malheureux, l'obliger à tenir sa promesse. De la route, dans ce grand silence du dimanche, où la terre elle-même se repose d'avoir été labourée, ensemencée toute la semaine, j'entendais cela très bien. Les boutiquiers causaient, discutant entre eux en jouant au tonneau, et le mot argent sonnait sec dans ces voix aigres comme les palets qu'on heurtait. Le soir, tout le monde s'en allait; et quand le bonhomme avait fait quelques pas sur la route pour les reconduire, il rentrait bien vite et refermait tout heureux sa grosse porte, avec une semaine de répit devant lui. Pendant huit jours, la maison redevenait silencieuse. Dans le petit jardin brûlé de soleil, on n'entendait rien que le sable écrasé d'un pas lourd, ou traîné au râteau.

ALPHONSE DAUDET, *Contes du Lundi*
(Fasquelle, éditeur)

8. Entre-bâiller: entr'ouvrir (bâiller, *to yawn*).
26. Les brus: les femmes de ses fils.
35. Le jeu de tonneau: *game in which quoits* (palets) *are aimed at various openings in a barrel* (tonneau).
38. Reconduire: accompagner une personne dont on a reçu la visite.

1. Que veut dire ici *le pays*? (l. 1.)
2. Comment sait-on que le vieillard ne sort pas beaucoup?
3. De qui reçoit-il la visite tous les jours?
4. Décrivez la situation de cette maison.
5. Comment les passants savent-ils que la maison est à vendre?
6. Expliquez: *la maison restait sourde*. (l. 6.)
7. Comment le vieux reçoit-il les gens qui viennent demander des renseignements?
8. Expliquez pourquoi personne ne veut acheter la maison.
9. Expliquez: *ses yeux vous mettaient dehors*. (l. 14.)
10. Pourquoi *comme un dragon*? (l. 15.)
11. Qu'est-ce qu'un maniaque?

12. Qui veut obliger le vieux à vendre sa maison?
13. Que font les fils et les brus pour obliger le vieux à tenir sa promesse?
14. Expliquez le mot *ensemencée*. (l. 33.)
15. De quoi les boutiquiers parlent-ils quand ils sont chez le vieux père? A quoi pensent-ils?
16. Expliquez: *avec une semaine de répit devant lui*. (l. 39.)
17. A quoi le vieillard s'occupe-t-il la plupart du temps?

Analyse

La maison et son propriétaire—comment le vieux reçoit ceux qui viennent s'informer du prix—ce que l'auteur entend un jour—les fils et leurs femmes—ce qu'ils veulent—ce qu'ils font pour obliger le père à vendre—les visites du dimanche—contentement du vieux quand les visiteurs s'en vont.

25. LENDEMAIN DE BANQUET

[Lenglumé a assisté hier soir à un banquet. Sa femme n'en sait rien. Justin est son domestique.]

JUSTIN, *seul*: Monsieur qui n'est pas sorti hier... il est allé se coucher à cinq heures, en se plaignant d'un fort mal de tête... Mais je ne vois pas son pantalon!... où est donc le pantalon?... (*Il trébuche contre une seconde paire de souliers.*) Hein!... encore des souliers!... crottés!... ah! c'est curieux, ça! (*Apercevant d'autres vêtements sur une chaise.*) Et un second habit... et pas le moindre pantalon!... Est-ce que, les jours de migraine, M. Lenglumé s'habillerait en Écossais?... Il y a quelque chose... (*Il éternue.*) Cré rhume!... J'ai oublié mon mouchoir!... Que je suis bête!... (*Il prend un mouchoir dans un des habits qu'il porte, et se mouche très fort, à plusieurs reprises.*)

LENGLUMÉ, *qui se réveille, dans l'alcôve*: Qui est-ce qui sonne du cor?...

JUSTIN: Oh! j'ai réveillé monsieur! (*Il se sauve vivement par la droite.*)

LENGLUMÉ, *seul, passant sa tête entre les rideaux.* Personne!... Tiens, il fait grand jour!... (*Il se glisse en bas de son lit. Les rideaux se referment derrière lui. Il a son pantalon.*) Où est donc mon pantalon?... (*Se regardant.*) Tiens! je suis dedans!... Voilà qui est particulier!... je me suis couché avec... Ah! je me rappelle!... (*Avec mystère.*) Chut! Madame Lenglumé n'est pas là... Hier, j'ai fait mes farces... Sapristi, que j'ai soif! (*Il prend une carafe d'eau sur la cheminée, et boit à même.*) Je suis allé au banquet annuel de l'institution Labadens, dont je fus un des élèves les plus... médiocres. Ma femme s'y opposait... alors, j'ai prétexté une migraine; j'ai fait semblant de me coucher... et vlan! j'ai filé chez Véfour... Ah! c'était très bien... on nous a servi des garçons à la vanille... avec des cravates blanches... et puis du madère, du champagne, du pommard!... Pristi, que j'ai soif! (*Il boit à même la carafe.*) Je crois que je me suis un peu... pochardé!... Moi, un homme rangé!... J'avais à ma droite un notaire... pas drôle! et à ma gauche, un petit fabricant de biberons... Par exemple, mes idées s'embrouillent complètement à partir de la salade! (*Par réflexion*) Ai-je mangé de la salade? Voyons donc!... Non!... Il y a une lacune dans mon existence! Ah çà! comment diable suis-je revenu ici?... J'ai un vague souvenir d'avoir été me promener du côte de l'Odéon... et je demeure rue de Provence!... Était-ce bien l'Odéon?... Impossible de me rappeler!... (*Prenant sa montre sur la cheminée.*) Neuf heures et demie!... (*Il la met dans son gousset.*) Dépêchons-nous de nous habiller. (*On entend ronfler derrière les rideaux.*) Hein!... on a ronflé dans mon alcôve! (*Nouveaux ronflements.*) Nom d'un petit bonhomme! j'ai ramené quelqu'un sans m'en apercevoir!... (*Il se dirige vivement vers le lit.*)

EUGÈNE LABICHE, *L'Affaire de la Rue de Lourcine*

5. Crotté: sali de boue.
6. Un habit: *dress-coat.*
8. Éternuer: *to sneeze.*
9. Cré: abréviation de *sacré.*
20. Particulier: singulier, étrange.
22. Faire ses farces: se divertir d'une façon peu sage.
27. Véfour: propriétaire d'un restaurant à la mode.
29. Le pommard: vin de Bourgogne très estimé.
30. A même la carafe: *straight from the flask.*
31. Pochardé: (*pop.*) enivré.
33. Le biberon: *baby's bottle.*
37. L'Odéon: célèbre théâtre de Paris.

1. Pourquoi Lenglumé s'est-il couché hier à cinq heures?
2. Pourquoi Justin ne trouve-t-il pas le pantalon de son maître?
3. De quoi le domestique s'étonne-t-il?
4. Que veut dire: *pas le moindre pantalon*? (l. 6.)
5. Pourquoi *en Écossais*? (l. 8.)
6. Quand est-ce qu'on éternue beaucoup?

7. Mettez un autre mot pour *bête.* (l. 10.)
8. Comment Justin fait-il pour se moucher?
9. Exprimez autrement: *à plusieurs reprises.* (l. 11.)
10. Pourquoi Lenglumé demande-t-il: *Qui est-ce qui sonne du cor?* (l. 12.)
11. Qu'est-ce qui surprend Lenglumé à son réveil?
12. S'est-il déshabillé au moment de se coucher?
13. Pourquoi a-t-il fait semblant de se coucher à cinq heures?
14. Qu'est-ce qui montre qu'il a trop bu au banquet?
15. Expliquez: *un homme rangé.* (l. 31.)
16. Qu'est-ce qu'un fabricant?
17. Qu'est-ce qui révèle la présence d'une autre personne dans la chambre?
18. A qui s'adresse-t-il quand il dit: *Dépêchons-nous de nous habiller?* (l. 40.)
19. Donnez l'équivalent anglais de *hein!* (l. 4); *tiens* (l. 17); *chut!* (l. 21); *sapristi* (l. 22); *par exemple* (l. 33); *voyons donc!* (l. 35).

Analyse

Étonnement du domestique—pas de pantalon—deux paires de souliers—Lenglumé se réveille—il a son pantalon—il tâche de se rappeler les événements de la veille—il s'est couché de bonne heure—sous quel prétexte? dans quelle intention?—le banquet—la bonne chère—le vin—ses souvenirs confus—comment est-il rentré?—il découvre qu'il a ramené un inconnu.

26. AVENTURE EN CALABRE*

[Les deux Français n'ont pas confiance en leurs hôtes. Courier veille donc pendant que son compagnon dort.]

La nuit s'était déjà passée presque entière assez tranquillement, et je commençais à me rassuer, quand, sur l'heure où il me semblait que le jour ne pouvait être loin, j'entendis au-dessous de moi notre hôte et sa femme parler et se disputer; et, prêtant l'oreille par la cheminée, qui communiquait avec celle d'en bas, je distinguai fortement ces mots du mari:

« Eh bien! enfin, voyons, faut-il les tuer tous deux?»

A quoi la femme répondit:

« Oui.» Et je n'entendis plus rien. Que vous dirai-je? je

* La Calabre: pays du sud-ouest de l'Italie.

restai respirant à peine, tout mon corps froid comme un marbre— Dieu! quand j'y pense encore!... Nous deux presque sans armes, contre eux douze ou quinze qui en avaient tant. Et mon camarade mort de sommeil et de fatigue! L'appeler, faire du bruit, je n'osais; m'échapper tout seul, je ne pouvais; la fenêtre n'était guère haute, mais en bas deux gros dogues hurlaient comme des loups...

Au bout d'un quart d'heure, qui fut long, j'entends sur l'escalier quelqu'un et par les fentes de la porte je vois le père, sa lampe dans une main, dans l'autre un de ses grands couteaux.

Il montait, sa femme après lui; moi derrière la porte: il ouvrit, mais, avant d'entrer, il posa la lampe, que sa femme vint prendre; puis il entre pieds nus, et elle, de dehors, lui disait à voix basse, masquant avec ses doigts le trop de lumière de la lampe:

«Doucement, va doucement.»

Quand il fut à l'échelle, il monte, son couteau entre les dents, et, venu à la hauteur du lit — ce pauvre jeune homme étendu, offrant sa gorge découverte — d'une main il prend son couteau, et de l'autre... ah!... il saisit un jambon qui pendait au plancher, en coupe une tranche, et se retire comme il était venu. La porte se referme, la lampe s'en va, et je reste seul à mes réflexions.

Dès que le jour parut, toute la famille, à grand bruit, vient nous éveiller, comme nous l'avions recommandé. On apporte à manger: on sert un déjeuner fort propre, fort bon, je vous assure. Deux chapons en faisaient partie, dont il fallait, dit notre hôtesse, emporter l'un et manger l'autre. En les voyant, je compris enfin le sens de ces terribles mots: «Faut-il les tuer tous deux?»

PAUL-LOUIS COURIER

15. Le dogue: *mastiff*.
18. La fente: ouverture étroite.
35. Le chapon: poulet engraissé pour la table.

1. Où se trouvent ces deux hommes?
2. Pourquoi Courier ne dort-il pas?
3. A quelle heure entend-il les voix?
4. Pourquoi entend-il très bien ce qu'on dit en bas?
5. Exprimez autrement: *prêter l'oreille*. (l. 4.)
6. Quelle signification attache-t-il aux mots: *Faut-il les tuer tous deux*? (l. 7.)

7. Que lui serait-il arrivé, s'il avait essayé de s'échapper par la fenêtre?
8. Qu'y a-t-il de suspect dans les actions des deux paysans?
9. Exprimez autrement: *Quand il fut à l'échelle.* (l. 26.)
10. Pourquoi le paysan tient-il son couteau entre les dents? (l. 26.)
11. A quoi sert une échelle?
12. Que fait le paysan, au lieu d'égorger le jeune homme?
13. Qu'est-ce qu'un jambon?
14. De quoi parlait le paysan, quand il dit: *Faut-il les tuer tous deux?*

Analyse

Courier veille—pourquoi?—bruit de voix—quand?—ce qu'il entend—son effroi—impossibilité d'échapper—les dogues—l'Italien monte—conversation à voix basse avec sa femme—son couteau—va-t-il égorger le dormeur?—le jambon—le déjeuner—l'hospitalité des paysans—les deux poulets.

27. CIRCULEZ!

Jérôme Crainquebille, marchand des quatre saisons, allait par la ville, poussant sa petite voiture et criant: *Des choux, des navets, des carottes!* Et, quand il avait des poireaux, il criait: *Bottes d'asperges!* parce que les poireaux sont les asperges du pauvre. Or, le 20 octobre, à l'heure de midi, comme il descendait la rue Montmartre, Madame Bayard, la cordonnière, sortit de sa boutique et s'approcha de la voiture légumière. Soulevant dédaigneusement une botte de poireaux:

— Ils ne sont guère beaux, vos poireaux. Combien la botte?

— Quinze sous, la bourgeoise. Y a pas meilleur.

— Quinze sous, trois mauvais poireaux?

Et elle rejeta la botte dans la charrette, avec un geste de dégoût.

C'est alors que l'agent 64 survint et dit à Crainquebille:

— Circulez!

Crainquebille, depuis cinquante ans, circulait du matin au soir. Un tel ordre lui sembla légitime et conforme à la nature des choses. Tout disposé à y obéir, il pressa la bourgeoise de prendre ce qui était à sa convenance.

— Faut encore que je choisisse la marchandise, répondit aigrement la cordonnière.

Et elle tâta de nouveau toutes les bottes de poireaux, puis elle garda celle qui lui parut la plus belle et elle la tint contre son sein comme les saintes, dans les tableaux d'église, pressent sur leur poitrine la palme triomphale.

—Je vais vous donner quatorze sous. C'est bien assez. Et encore il faut que j'aille les chercher dans la boutique, parce que je ne les ai pas sur moi.

Et, tenant les poireaux embrassés, elle rentra dans la cordonnerie où une cliente, portant un enfant, l'avait précédée.

A ce moment l'agent 64 dit pour la deuxième fois à Crainquebille:

— Circulez!

— J'attends mon argent, répondit Crainquebille.

— Je ne vous dis pas d'attendre votre argent; je vous dis de circuler, reprit l'agent avec fermeté.

Cependant la cordonnière, dans sa boutique, essayait des souliers bleus à un enfant de dix-huit mois dont la mère était pressée. Et les têtes vertes des poireaux reposaient sur le comptoir.

ANATOLE FRANCE, *Crainquebille*
(Calmann-Lévy, éditeurs)

3. Le poireau: *leek.*
3. La botte: un certain nombre de choses de même espèce qu'on a liées ensemble.
19. Ce qui était à sa convenance: ce qui lui convenait, lui plaisait.

1. Où voit-on des marchands des quatre saisons, et que font-ils pour vivre?
2. Expliquez le sens de la phrase: *Les poireaux sont les asperges du pauvre.* (l. 4.)
3. Qu'est-ce que Montmartre? Pourquoi est-ce un nom bien connu?
4. Que veut dire *la voiture légumière*? (l. 7.) Quelle sorte de voiture est-ce?
5. Pourquoi Crainquebille appelle-t-il la cordonnière *la bourgeoise*? (l. 10.)
6. Quelle idée a la cordonnière, en disant que les poireaux ne sont pas bons?
7. Qu'est-ce qu'on dirait en bon français pour *Y a pas meilleur*? (l. 10.)
8. Pourquoi Crainquebille trouve-t-il l'ordre de l'agent *conforme à la nature des choses*? (l. 17.)
9. Pourquoi n'obéit-il pas tout de suite?

10. Quelle botte la cordonnière choisit-elle? Combien la paye-t-elle?
11. A quoi fait-elle penser, avec sa botte de poireaux?
12. Expliquez pourquoi la position de Crainquebille était particulièrement difficile.
13. Qu'aurait dû faire la cordonnière?
14. Quelles idées générales l'auteur veut-il mettre en lumière?

Analyse

Crainquebille—son commerce—la cordonnière et les poireaux—l'agent—la cordonnière emporte les poireaux—Crainquebille attend—pourquoi?—l'agent répète son ordre—l'autre n'obéit pas—que fait la cordonnière pendant ce temps?

28. LE CHIEN DE ZETTE

Pas de bateau en vue. Le ponton est vide. Zette inspecte les environs, le bord du quai toujours si intéressant, avec les pêcheurs au guet, les mariniers près des péniches qu'on décharge. Il n'y a pas grand monde aujourd'hui. Si! tiens! voilà un homme tout à fait au bord, qui se penche, examine l'eau. Il a une bien vilaine mine, sale, en loques. Et qu'est-ce qu'il a près de lui? Qu'est-ce que c'est que ça? Zette approche:

— Ah! mon Dieu! quelle horreur!

L'homme, au bout d'une ficelle, tient une pauvre chose hideuse et informe, un tas noir et crotté qui grelotte. Mais, c'est un chien! Oui, un petit caniche noir, si pelé, si miteux, avec des plaques et des croûtes par tout son pauvre corps-squelette affamé, osseux, martyrisé, si pénible à voir que Zette a envie de pleurer, de s'enfuir... Qu'est-ce qui va se passer? L'homme tire sur la ficelle. Le chien s'arc-boute, étranglé à demi, hurlant à la mort.

— Vous n'allez pas le noyer, dites? s'écrie Zette, avec indignation, poussée par on ne sait quel héroïsme subit.

— Et un peu! dit l'homme, avec une affreuse voix éraillée, une brutalité gouailleuse.

— Oh! murmure Zette, confondue.

— Faudrait-il pas le nourrir? reprend la voix insultante.

Et Zette se demande du fond de quel abîme sort cette voix, et si c'est un homme comme les autres qui parle... Non, vrai! Bibi d'abord.

Zette sent le flot glacé l'envahir. Brr... c'est terrible! Pauvre bête!

— Allons, ouste! dit l'homme.

Et il tire.

Le regard de Zette rencontre celui du chien. Ah! cette supplication humaine, jamais elle ne l'oubliera; ces yeux d'infinie tristesse et d'appel... Pauvre bête! Mais qu'il est vilain!

— Attendez! ordonne-t-elle avec une décision brusque.

Elle fouille dans sa poche. L'homme attend, le chien attend, frétillant de sa pauvre queue, avec on ne sait quelle résignation touchante, quelle grâce humble et désespérée. Zette tire vingt francs de son porte-monnaie. Elle n'a que ça; ce sont des économies du mois, destinées à vingt menus plaisirs. Elle tend les billets. Et c'est un grand sacrifice.

L'homme est parti. Autour de Zette, stupéfaite et ravie — mais qu'est-ce que maman va dire? — le caniche tourne en aboyant, saute et rampe. Il a des secondes de reconnaissance frénétique; il oublie d'avoir honte de sa laideur et de sa misère. Sa langue râpeuse lèche la main de Zette, qui, troublée, le regarde, et déclare:

— Il n'est pas si vilain que ça.

Elle l'aime déjà. Demain, il sera beau, et, dorénavant, chaque jour plus beau. Zette se sent légère, légère. Tout le grand dévouement de la femme emplit son petit cœur.

PAUL ET VICTOR MARGUERITTE, *Le Chien de Zette*
(Librairie Plon)

1. Le ponton: pont flottant, qui permet aux voyageurs de monter sur les bateaux-mouches.
3. Le marinier: homme qui conduit des bateaux sur les fleuves et les canaux.
3. La péniche: bateau à fond plat qui sert à transporter le charbon, la pierre, etc.
10. Grelotter: trembler de froid.
11. Pelé: qui n'a plus de poils.
11. Miteux: faible, chétif, maladif.
12. La plaque: *patch, blotch.*
12. La croûte: *scab.*
15. S'arc-bouter: se voûter le dos pour mieux résister.
19. Et un peu!: (*pop.*) mais bien sûr!
19. Éraillé: rauque.
20. Gouailleur: *bantering, jocular.*
25. Bibi: (*pop.*) moi-même; '*this child.*'
41. Le caniche: *poodle.*
44. Râpeuse: *rough, raspy.*

1. Quel âge donneriez-vous à Zette?
2. Dans quelle ville et au bord de quel fleuve cet incident se passe-t-il?
3. Pourquoi Zette descend-elle au ponton?
4. Que veut dire *décharger*?
5. Pourquoi *si*, et non pas *oui*? (l. 4.)
6. Mettez un autre mot pour *vilaine*. (l. 6.)
7. Exprimez autrement: *en loques*. (l. 6.)
8. Comment est ce chien? Et son maître?
9. Pourquoi le chien est-il *étranglé à demi*? (l. 15.)
10. Sous quel prétexte l'homme va-t-il noyer le caniche?
11. Pourquoi Zette hésite-t-elle à se charger de ce chien?
12. Combien paye-t-elle le chien? Pourquoi est-ce un grand sacrifice?
13. Comment la pauvre bête montre-t-elle sa reconnaissance?
14. Que fera Zette quand elle arrivera chez elle?
15. Donnez l'équivalent anglais de *tiens!* (l. 4); *Ah! mon Dieu!* (l. 8); *Allons, ouste!* (l. 28.)

Analyse

Zette attend le bateau—où?—l'homme et le chien—comment sont-ils?—conversation entre l'homme et Zette—elle achète le chien—son sacrifice—joie du chien, et de Zette.

29. UN HOMME D'AFFAIRES

[Daniel Garrot, courtier* à Shanghaï, parle ici de Prater, son associé.]

— Savez-vous comment je l'ai connu? Ça vaut la peine... C'était à Shanghaï, pendant la guerre. Le gouvernement russe avait passé de gros marchés en Chine, et j'étais chargé des paiements, avec mission de m'assurer que la fourniture était bien conforme. Un jour, je vois donc ce Prater qui se présente, avec sa lippe pendante et son air endormi, et qui me parle d'une fourniture de six cent mille paires de bottes pour l'armée russe, un tiers en chèvre, deux tiers en veau. Je me demandais où il voulait en venir, mais il ne me fit pas languir. Les bottes en chèvre coûtaient quatre dollars, celles en veau huit: il me proposait simplement de tout livrer en chèvre, et nous partagions le bénéfice. Une paille, vous voyez... Vous ne me connaissez pas

* Le courtier: *broker*.

encore beaucoup, mais vous devinez l'effet que me fit sa proposition. Surtout en temps de guerre. Je me levai et dis à mon bonhomme de filer par les voies les plus courtes. Vous croyez qu'il se démonta? Pas du tout... L'air aussi tranquille que vous lui avez vu, buvant son café turc... Il me regardait d'un gros œil étonné, comme si je n'avais pas saisi et, quand je lui laissai placer une parole, il me dit avec son plus bel accent:

« — Donc, fous travailler, pour les Poches?»

— Cette fois, je vous l'avoue, je restai bouche bée. Alors, il continua avec l'air de me faire la leçon:

« — Vous êtes un homme d'affaires, n'est-ce pas, moi aussi. Pour nous, la guerre, ce n'est pas du sentiment: c'est une entreprise où il faut tout prévoir. Eh bien, je connais l'armée russe, moi: vous ne la connaissez pas. Les arsenaux sont vides, on n'a ni fusils, ni cartouches, les soldats vont au feu armés de bâtons. Alors, si je leur livre « vos » fameuses bottes en veau, savez-vous ce qui se passera? Il se passera qu'au bout d'une heure de bataille tous les Russes seront tués et que les Allemands leur prendront leurs bottes. Voilà ce que vous ferez, avec vos principes: vous ravitaillerez les Prussiens!»

— Je m'épate difficilement, mais je vous avoue que j'en restai ébaubi. Ébaubi à un point que je ne l'ai pas jeté dans l'escalier. Je refusai simplement son pot-de-vin et il s'en alla, pas du tout vexé, me prenant pour un imbécile.

ROLAND DORGELÈS, *Partir*
(A. Michel, éditeur)

4. Bien conforme: exactement ce qui avait été commandé.
6. La lippe: lèvre inférieure trop grosse et trop avancée.
9. Où il voulait en venir: quelle était son idée; ce qu'il voulait me dire.
12. Une paille: un rien, une bagatelle.
16. Se démonter: se déconcerter, se déranger.
20. Poches: c.-à-d. les Boches, les Allemands.
33. Épater: (*pop.*) étonner.
34. Ébaubi: très surpris, interdit.
35. Un pot-de-vin: *bribe.*

1. Est-ce qu'il s'agit ici d'un honnête homme?
2. Comment sait-on que Prater n'est pas de nationalité française?
3. Quel est son métier?
4. Dans quel pays est situé Shanghaï?

5. Pourquoi le gouvernement russe avait-il passé ces gros marchés en Chine?
6. A quel verbe se rattache le substantif *fourniture*? (l. 7.)
7. Quelles bottes étaient les plus chères, les bottes en veau ou les bottes en chèvre?
8. Quel bénéfice auraient-ils fait, s'ils avaient tout livré en chèvre?
9. Pourquoi cette proposition déplaît-elle à Garrot?
10. Que veut dire: *filer par les voies les plus courtes*? (l. 15.)
11. Expliquez le sens de la phrase: *quand je lui laissai placer une parole.* (l. 18.)
12. D'après Prater, comment faut-il considérer la guerre?
13. Comment aideraient-ils les Allemands en livrant de bonnes bottes à l'armée russe?
14. Expliquez: *je restai bouche bée.* (l. 21.)
15. Qu'est-ce que Garrot aurait probablement fait, s'il avait été moins surpris?

Analyse

Garrot à Shanghaï—les affaires qu'il traitait—visite de Prater—les deux sortes de bottes—la proposition de Prater—colère de Garrot—réponse surprenante de Prater—ses raisonnements—refus de Garrot.

30. LE PHARE

A l'extrémité du pays, sur une sorte de presqu'île caillouteuse battue de trois côtés par les lames, il y avait un phare, aujourd'hui détruit, entouré d'un très petit jardin, avec des haies de tamaris plantés si près du bord qu'ils étaient noyés d'écume à chaque marée un peu forte. C'était assez ordinairement le lieu choisi pour les rendez-vous de chasse dont je vous parle. L'endroit était particulièrement désert, la falaise y était plus haute, la mer plus vaste et plus conforme à l'idée qu'on se fait de ce bleu désert sans limites et de cette solitude agitée. L'horizon circulaire qu'on embrassait de ce point culminant du rivage, même sans quitter le pied de la tour, offrait une surprise grandiose dans un pays si pauvrement dessiné qu'il n'a presque jamais ni contours ni perspectives.

Je me souviens qu'un jour Madeleine et M. de Nièvres voulurent monter au sommet du phare. Il faisait du vent. Le bruit de l'air, que l'on n'entendait point en bas, grandissait à mesure que nous nous élevions, grondait comme un tonnerre dans l'escalier en spirale, et faisait frémir au-dessus de nous les parois de cristal de la lanterne. Quand nous débouchâmes à cent pieds du sol, ce fut comme un ouragan qui nous fouetta le visage, et de tout l'horizon s'éleva je ne sais quel murmure irrité dont rien ne peut donner l'idée quand on n'a pas écouté la mer de très haut. Le ciel était couvert. La marée basse laissait apercevoir entre la lisière écumeuse des flots et le dernier échelon de la falaise le morne lit de l'océan pavé de roches et tapissé de végétations noirâtres. Des flaques d'eau miroitaient au loin parmi les varechs, et deux ou trois chercheurs de crabes, si petits qu'on les aurait pris pour des oiseaux pêcheurs, se promenaient au bord des vases, imperceptibles dans la prodigieuse étendue des lagunes. Au delà commençait la grande mer, frémissante et grise, dont l'extrémité se perdait dans les brumes. Il fallait y regarder attentivement pour comprendre où se terminait la mer, où le ciel commençait, tant la limite était douteuse, tant l'un et l'autre avaient la même pâleur incertaine, la même palpitation orageuse et le même infini.

EUGÈNE FROMENTIN, *Dominique*

3. Le tamaris: *tamarisk* (*shrub with feathery foliage*).
18. La paroi: surface intérieure.
20. Un ouragan: *hurricane*.
24. La lisière: le bord, la limite.
24. Échelon: *spur*, *scarp*.
26. Des flaques d'eau: petites mares.
27. Les varechs: *sea-weed*, *wrack*.
29. La vase: boue qui se dépose au fond de l'eau.

1. Que veut dire *pays* dans cette phrase? (l. 1.)
2. Expliquez ce que c'est qu'une presqu'île.
3. De quel nom vient l'adjectif *caillouteux*? (l. 1.)
4. Que sont les *lames*? (l. 2.)
5. Décrivez un phare. A quoi sert un phare?
6. Quels gens se donnaient rendez-vous à ce phare?
7. Pourquoi la mer semblait-elle plus vaste? (l. 8.)
8. Comment montait-on au sommet du phare?
9. Que veut dire *pauvrement dessiné*? (l. 12.)
10. Expliquez: *le ciel était couvert*. (l. 23.)
11. Pourquoi la lisière des flots était-elle écumeuse? (l. 24.)
12. De quel nom vient le verbe *tapisser*? (l. 25.)
13. Où cherche-t-on des crabes?
14. Qu'est-ce qu'une lagune?

15. Pourquoi ces gens trouvaient-ils difficile de distinguer l'horizon?

Analyse

Situation du phare—le jardin—proximité de la mer—la falaise—vue grandiose de l'océan—ascension du phare par un jour de grand vent—bruit du vent et de la mer—le rivage à marée basse—les chercheurs de crabes—la haute mer—l'horizon indécis.

SECTION II

French Verse

FOR TRANSLATION OR FOR EXERCISES IN COMPREHENSION

1. LES HIRONDELLES

Captif au rivage du More,
Un guerrier, courbé sous ses fers,
Disait: Je vous revois encore,
Oiseaux ennemis des hivers.
Hirondelles, que l'espérance
Suit jusqu'en ces brûlants climats,
Sans doute vous quittez la France:
De mon pays ne me parlez-vous pas?

Depuis trois ans je vous conjure
De m'apporter un souvenir
Du vallon où ma vie obscure
Se berçait d'un doux avenir.
Au détour d'une eau qui chemine
A flots purs sous de frais lilas,
Vous avez vu notre chaumine:
De ce vallon ne me parlez-vous pas?

L'une de vous peut-être est née
Au toit où j'ai reçu le jour;
Là d'une mère infortunée
Vous avez dû plaindre l'amour.
Mourante, elle croit à toute heure
Entendre le bruit de mes pas;
Elle écoute, et puis elle pleure:
De son amour ne me parlez-vous pas?

Ma sœur est-elle mariée?
Avez-vous vu de nos garçons

La foule, aux noces conviée,
La célébrer dans leurs chansons?
Et ces compagnons du jeune âge
Qui m'ont suivi dans les combats,
Ont-ils revu tous le village?
De tant d'amis ne me parlez-vous pas?

Sur leur corps l'étranger, peut-être,
Du vallon reprend le chemin;
Sous mon chaume il commande en maître,
De ma sœur il trouble l'hymen.
Pour moi plus de mère qui prie,
Et partout des fers ici-bas.
Hirondelles de ma patrie,
De ses malheurs ne me parlez-vous pas?

BÉRANGER

1. More (ou Maure): nom donné autrefois aux habitants de l'Afrique du Nord.
9. Conjurer: prier avec instance, implorer.
15. La chaumine: petite chaumière.

1. Qui est-ce qui parle dans ce poème?
2. Pourquoi s'adresse-t-il aux hirondelles?
3. Depuis combien de temps est-il prisonnier en Afrique?
4. Décrivez la maison où il a passé son enfance.
5. Pourquoi a-t-il un si grand désir de revoir sa mère?
6. Avec qui est-il parti pour la guerre?
7. Quelles sont les chansons dont on parle au vingt-huitième vers?
8. Expliquez: *partout des fers ici-bas.* (*v.* 38.)

1. *Where is this man? Why is he in this place?*
2. *How long has he been in this country?*
3. *What do we know of his origin?*
4. *He thinks of the lilacs at home. Where do they grow?*
5. *What persons come into his mind when he thinks of his native village?*
6. *Why does he suppose his mother is so unhappy?*
7. *What fate may have overtaken the people at home?*
8. *What celebration may the swallows have witnessed?*

2. L'ENSEIGNE* DU CABARET

Devant un cabaret, ces mots étaient écrits:
Aujourd'hui vous paierez le pain, le vin, la viande;
    Demain vous mangerez gratis.
    Jeannot, que l'enseigne affriande,
    Dit: Aujourd'hui je n'entre pas;
    Il faudrait payer la dépense;
Mais demain je veux faire un si fameux repas
Que le cabaretier s'en souviendra, je pense.
    Le lendemain on voit entrer Jeannot,
Qui va se mettre à table et s'écrie aussitôt:
    Servez vite, maître Grégoire!
Servez! Jusqu'à la nuit je veux manger et boire;
Apportez du meilleur, je suis de vos amis!
    A peine le couvert est mis,
Qu'il faut voir mon Jeannot des dents faire merveilles,
Et vider bel et bien les plats et les bouteilles.
S'étant lesté la panse, il se lève gaiement,
Et, sans cérémonie, il regarde la porte.
Mais Grégoire l'appelle et lui dit brusquement:
Mon brave, il faut payer avant que l'on ne sorte!
    — Vous riez, dit Jeannot, vraiment,
    Et la plaisanterie est forte;
Vous deviez aujourd'hui, si je m'en souviens bien,
    Nous servir à dîner pour rien!...
— Oh! répond l'hôtelier, votre erreur est extrême,
Car je dis aujourd'hui ce qu'hier je disais.
Regardez: tous les jours mon enseigne est la même.
— Vous ne m'y prendrez plus, dit l'autre, désormais;
Et vous ne m'eussiez pas leurré par un vain conte,
    Si j'avais su qu'à votre compte
    Demain signifiât jamais.

P. LACHAMBEAUDIE

* Une enseigne: tableau au-dessus de la porte d'une auberge.
4. Affriander: attirer par des choses appétissantes.
16. Bel et bien: tout à fait, entièrement.
17. Se lester la panse: lit. *to ballast one's paunch.*

1. Sur quoi ces mots étaient-ils écrits? (v. 1.)
2. Exprimez autrement: *vous mangerez gratis.* (v. 3.)

3. Pourquoi Jeannot décide-t-il de dîner au cabaret demain, et non pas aujourd'hui?
4. Pourquoi le cabaretier se souviendra-t-il de ce dîner? (v. 8.)
5. Qu'est-ce que Jeannot entend par: *je suis de vos amis*? (v. 13.)
6. Que veut dire: *le couvert est mis*? (v. 14.)
7. Pourquoi Grégoire appelle-t-il Jeannot au moment où celui-ci va sortir?
8. Quelle est l'erreur de Jeannot?
9. Quel est le *vain conte* dont parle Jeannot au vingt-neuvième vers?

1. What, outside the inn, attracts Jeannot's attention?
2. What does he decide to do?
3. What sort of meal does he intend to have? Why?
4. What quality of food does he call for?
5. How does he eat?
6. How does he feel after his meal?
7. What makes the innkeeper suspect that Jeannot does not intend to pay?
8. What is the innkeeper's interpretation of his sign?
9. How does Jeannot describe the sign?

3. LA LÉGENDE DE L'ÉTANG

Un jour, pour courir à l'étang,
Un jeune enfant choisit l'instant
  Où dormait sa mère,
S'esquiva de son petit lit
Comme un criminel et sans bruit,
  D'une main légère,
Ouvrit la porte, et, mi-vêtu,
Descendit d'un pied suspendu
  L'escalier de pierre.

Et le voilà dès le matin,
Sans avoir souci de sa mère,
Bondissant comme un petit daim,
A travers les fleurs du parterre.

Trouva la porte du jardin,
Sur les champs et le bleu lointain,
  Toute grande ouverte,

Et le voilà courant les nids,
Les papillons, les lézards gris,
  La grenouille verte.
Enfants, vous allez voir comment
Ce mauvais petit garnement
  Courait à sa perte.

Petits enfants, n'approchez pas,
Quand vous courez par la vallée,
Du grand étang qui luit là-bas
Dans le brouillard, sous la feuillée.

L'enfant, négligeant les sentiers,
Nu-bras, nu-tête et sans souliers,
  Foulant l'herbe humide,
Sous les rayons et les lueurs,
A travers abeilles et fleurs,
  Tout seul et sans guide,
Soulevant sous ses petits pieds
De beaux insectes par milliers,
  S'en allait rapide.

Le nez en l'air, la joue en feu,
L'enfant fuyait sous le ciel bleu;
  Et par la prairie
Quand il eut fait de papillons
Et de bleuets par les sillons
  Sa moisson fleurie;
Voilà qu'il arrive à l'étang,
Le front mouillé, tout haletant,
  Face épanouie.

La demoiselle aux ailes d'or,
Allant, rasant, rasant encor
  L'onde frissonnante,
Sur un beau nénuphar en fleurs,
Fière de ses vives couleurs,
  Se fixa brillante.
Pour la saisir l'enfant courut,
Prit l'eau pour l'herbe, et disparut
  Sous la fleur tremblante.

Petits enfants, n'approchez pas,
Quand vous courez par la vallée,
Du grand étang qui luit là-bas,
Dans le brouillard, sous la feuillée.

G. MATHIEU

1. Un étang: pièce d'eau.
12. Un daim: *fallow-deer.*
13. Le parterre: partie d'un jardin consacrée à la culture des fleurs.
21. Un garnement: un méchant enfant.
29. Foulant: quand on marche sur l'herbe, on la *foule.*
44. Épanouie: joyeuse, riante.
45. La demoiselle: *dragon-fly.*
46. Rasant: effleurant, touchant légèrement.
48. Le nénuphar: *water-lily.*

1. Pourquoi l'enfant sort-il avec précaution? Quelle est son intention?
2. Expliquez: *le bleu lointain.* (v. 15.)
3. Que fait l'enfant, quand il arrive dans les champs?
4. Décrivez la situation de l'étang.
5. Pourquoi l'enfant est-il *nu-bras, nu-tête et sans souliers*? (v. 28.)
6. Où trouve-t-il les papillons et les bleuets?
7. Expliquez: *sa moisson fleurie.* (v. 41.)
8. Qu'est-ce qui montre qu'il a couru vite?
9. Qu'est-ce qui l'attire, quand il arrive au bord de l'étang?
10. Comment se fait-il que l'enfant tombe à l'eau?

1. *What precautions does the child take to avoid waking his mother?*
2. *Why is he* nu-bras, nu-tête et sans souliers*? (v. 28.)*
3. *What leads us to think that he takes a short cut to reach the garden gate?*
4. *Why is he able to get into the fields so easily?*
5. *What creatures does he see there?*
6. *Does he know where he is going? Give reasons for your answer.*
7. *What does he disturb as he walks through the grass?*
8. *What does he collect? Where?*
9. *What shows that he is enjoying himself and getting along very fast?*
10. *Where does he see the dragon-fly? When does he make his attempt to catch it?*
11. *What mistake does he make which costs him his life?*

4. LE MEUNIER DE SANS-SOUCI

Sur le riant coteau par le prince choisi
S'élevait le moulin du meunier *Sans-Souci.*

. . . .

Fort bien achalandé, grâce à son caractère,
Le moulin prit le nom de son propriétaire;
Et des hameaux voisins les filles, les garçons
Allaient à *Sans-Souci* pour danser aux chansons.
Sans-Souci!... Ce doux nom, d'un favorable augure,
Devait plaire aux amis des dogmes d'Épicure.
Frédéric le trouva conforme à ses projets,
Et du nom d'un moulin honora son palais.

Hélas! est-ce une loi sur notre pauvre terre
Que toujours deux voisins auront entre eux la guerre,
Que la soif d'envahir et d'étendre ses droits
Tourmentera toujours les meuniers et les rois?
En cette occasion le roi fut le moins sage;
Il lorgna du voisin le modeste héritage.
On avait fait des plans, fort beaux sur le papier,
Où le chétif enclos se perdait tout entier.
Il fallait, sans cela, renoncer à la vue,
Rétrécir les jardins, et masquer l'avenue.

Des bâtiments royaux l'ordinaire intendant
Fit venir le meunier, et, d'un ton important:
« Il nous faut ton moulin: que veux-tu qu'on t'en donne?
— Rien du tout, car j'entends ne le vendre à personne.
Il vous faut est fort bon,... mon moulin est à moi...
Tout aussi bien au moins que la Prusse est au roi.
— Allons, ton dernier mot, bonhomme, et prends-y garde.
— Faut-il vous parler clair? — Oui. — C'est que je le garde.
Voilà mon dernier mot.» Ce refus effronté
Avec un grand scandale au prince est raconté.
Il mande auprès de lui le meunier indocile,
Presse, flatte, promet; ce fut peine inutile.
Sans-Souci s'obstinait. « Entendez la raison,
Sire; je ne peux pas vous vendre ma maison:
Mon vieux père y mourut, mon fils y vient de naître;
C'est mon Potsdam à moi. Je suis tranchant peut-être,
Ne l'êtes-vous jamais? Tenez, mille ducats

Au bout de vos discours ne me tenteraient pas.
Il faut vous en passer, je l'ai dit, j'y persiste.»
Les rois malaisément souffrent qu'on leur résiste.
Frédéric, un moment par l'humeur emporté:
« Parbleu! de ton moulin c'est bien être entêté!
Je suis bon de vouloir t'engager à le vendre:
Sais-tu que sans payer je le pourrais bien prendre?
Je suis le maître. — Vous!... de prendre mon moulin?
Oui, si nous n'avions pas des juges à Berlin.»

Le monarque, à ce mot, revient de son caprice,
Charmé que sous son règne on crût à la justice.
Il rit, et se tournant vers quelques courtisans:
« Ma foi, messieurs, je crois qu'il faut changer nos plans.
Voisin, garde ton bien; j'aime fort ta réplique.»

ANDRIEUX

3. Achalandé: qui a beaucoup de clients, d'acheteurs.
7. Un augure: présage, signe par lequel on juge de l'avenir.
18. Chétif: misérable, petit, pauvre.
18. Un enclos: terrain enfermé par des haies ou des murs.
20. Rétrécir: rendre plus étroit, diminuer.
31. Mander: envoyer chercher, donner ordre de venir.

1. Quel surnom donnait-on au meunier?
2. Qu'est-ce qui montre qu'il avait le caractère enjoué?
3. Quels sont *les dogmes d'Épicure*? (v. 8.)
4. Quel nom le roi donne-t-il à son palais?
5. Quel défaut semble commun à tous les hommes?
6. Quel projet le roi forme-t-il?
7. Pourquoi Frédéric veut-il faire démolir le moulin?
8. Pourquoi l'intendant fait-il venir le meunier?
9. Comment le meunier se montre-t-il *indocile*? (v. 31.)
10. Pourquoi ne veut-il pas vendre son moulin?
11. Qu'est-ce que le roi menace de faire?
12. Comment le meunier empêchera-t-il Frédéric de lui prendre son moulin?
13. Pourquoi le roi ne se fâche-t-il pas?

1. *What was the miller's nickname? What was his mill called?*
2. *Why had he plenty of business?*
3. *What proves that he was popular?*
4. *Why did Frederick decide to call his palace* Sans-Souci?

5. *What failing seems to be common to all men?*
6. *Why was the mill in the way?*
7. *In what sense did the King show himself* le moins sage*?* (*v. 15.*)
8. *Who tackles the miller first?*
9. *How does the King deal with him?*
10. *What reasons does the miller give for his refusal to sell?*
11. *What threat does the King finally make?*
12. *How will the miller defend his rights?*
13. *Why is the King not displeased with the retort?*

5. UN CURIEUX

«Je me fais vieux, j'ai soixante ans,
J'ai travaillé toute ma vie
Sans avoir, durant tout ce temps,
Pu satisfaire mon envie.
Je vois bien qu'il n'est ici-bas
De bonheur complet pour personne.
Mon vœu ne s'accomplira pas:
Je n'ai jamais vu Carcassonne!

«On voit la ville de là-haut,
Derrière les montagnes bleues;
Mais, pour y parvenir, il faut,
Il faut faire cinq grandes lieues,
En faire autant pour revenir;
Ah! si la vendange était bonne!
Le raisin ne veut pas jaunir:
Je ne verrai pas Carcassonne!

«On dit qu'on y voit tous les jours,
Ni plus ni moins que les dimanches,
Des gens s'en aller sur le cours,
En habits neufs, en robes blanches.
On dit qu'on y voit des châteaux
Grands comme ceux de Babylone,
Un évêque et deux généraux!
Je ne connais pas Carcassonne!

«Le vicaire a cent fois raison:
C'est des imprudents que nous sommes.

Il disait dans son oraison
Que l'ambition perd les hommes.
Si je pouvais trouver pourtant
Deux jours sur la fin de l'automne...
Mon Dieu! que je mourrais content
Après avoir vu Carcassonne!

« Mon Dieu! mon Dieu! pardonnez-moi
Si ma prière vous offense;
On voit toujours plus haut que soi,
En vieillesse comme en enfance.
Ma femme, avec mon fils Aignan,
A voyagé jusqu'à Narbonne;
Mon filleul a vu Perpignan:
Et je n'ai pas vu Carcassonne!»

Ainsi chantait, près de Limoux,
Un paysan courbé par l'âge.
Je lui dis: « Ami, levez-vous,
Nous allons faire le voyage.»
Nous partîmes le lendemain;
Mais (que le Bon Dieu lui pardonne!) —
Il mourut à moitié chemin:
Il n'a jamais vu Carcassonne!

GUSTAVE NADAUD
(Stock, éditeur)

7. Le vœu: souhait, désir.
8. Carcassonne: ville du Midi de la France, célèbre par son château et ses fortifications du moyen âge.
14. La vendange: la récolte du raisin.
19. Le cours: promenade publique plantée d'arbres.
25. Le vicaire: prêtre qui aide le curé.
39. Le filleul: *godson.*
41. Limoux: petite ville située à 20 kil. de Carcassonne, et à 70 kil. de Narbonne et de Perpignan.

1. Qu'est-ce qui compléterait le bonheur de ce vieux paysan?
2. Pourquoi n'a-t-il pas pu satisfaire son envie?
3. Quelle distance y a-t-il de son village à Carcassonne?
4. Qu'est-ce qui l'empêche d'y aller cette année?
5. D'après le vieillard, qu'est-ce qu'on voit d'extraordinaire à Carcassonne?

6. Pourquoi s'étonne-t-il que les gens s'y promènent tous les jours *en habits neufs, en robes blanches*? (v. 20.)
7. Quand fera-t-il peut-être ce voyage?
8. Pourquoi s'indigne-t-il de ce qu'il n'a pas vu Carcassonne?
9. Racontez la fin de l'histoire.

1. *What is this old fellow? What is he like? Where does he live?*
2. *What is lacking for his* bonheur complet*?*
3. *Why has he never been able to satisfy this desire?*
4. *What evidence is there that he is the least travelled of the family?*
5. *What will probably prevent him from going this year?*
6. *How much time does he need for this trip? How far is it?*
7. *What is the meaning of* en faire autant pour revenir*? (v. 13.)*
8. *What lies between his village and the city?*
9. *What unusual things and persons will he expect to see at Carcassonne?*
10. *According to this old fellow, how do the customs of the townsfolk differ from those of the villagers?*
11. *Of what sin does the old man fear he is guilty?*
12. *Why, in spite of his friend's assistance, does he never see Carcassonne?*

6. TROIS JOURS DE CHRISTOPHE COLOMB

« En Europe! — Espérez! — Plus d'espoir!
— Trois jours, leur dit Colomb, et je vous donne un monde.»
Et son doigt le montrait, et son œil, pour le voir,
Perçait de l'horizon l'immensité profonde;
Il marche, et des trois jours le premier a lui;
Il marche, et l'horizon recule devant lui;
Il marche et le jour baisse. Avec l'azur de l'onde
L'azur d'un ciel sans borne à ses yeux se confond.
Il marche, il marche encore, et toujours; et la sonde
Plonge et replonge dans une mer sans fond.
Le pilote en silence, appuyé tristement
Sur la barre qui crie au milieu des ténèbres,
Écoute du roulis le sourd mugissement
Et des mâts fatigués les craquements funèbres.
Les astres de l'Europe ont disparu des cieux;
L'ardente croix du Sud épouvante ses yeux.
Enfin l'aube attendue, et trop lente à paraître,
Blanchit le pavillon de sa douce clarté;
« Colomb, voici le jour! le jour vient de renaître!
Le jour! et que vois-tu — Je vois l'immensité.»

Le second jour a fui. Que fait Colomb? Il dort;
La fatigue l'accable, et dans l'ombre on conspire.
« Périra-t-il? Aux voix: — La mort! — la mort! — la mort!
Qu'il triomphe demain, ou, parjure, il expire.»
Les ingrats! quoi! demain il aura pour tombeau
Les mers où son audace ouvre un chemin nouveau,
Et peut-être demain leurs flots impitoyables,
Le poussant vers ces bords que cherchait son regard,
Les lui feront toucher, en roulant sur les sables
L'aventurier Colomb, grand homme un jour plus tard!

Soudain du haut des mâts descendit une voix:
« Terre! s'écriait-on, terre! terre!...» Il s'éveille;
Il court: oui, la voilà, c'est elle, tu la vois.
La terre!... ô doux spectacle! ô transports! ô merveille!
Ô généreux sanglots qu'il ne peut retenir!
Que dira Ferdinand, l'Europe, l'avenir?
Il la donne à son roi, cette terre féconde;
Son roi va le payer des maux qu'il a soufferts:
Des trésors, des hommes en échange d'un monde,
Un trône, ah! c'était peu... Que reçut-il? des fers!

DELAVIGNE

5. Lui: participe passé de « luire », *to shine*.
9. La sonde: instrument dont on se sert pour connaître la profondeur de l'eau.
13. Le roulis: mouvement d'un navire qui se penche alternativement à droite et à gauche.
24. Parjure: qui a fait un faux serment, une fausse promesse.

1. Où l'action se passe-t-elle?
2. Qui prononce les paroles du premier vers?
3. Qu'est-ce que Colomb entend par: *je vous donne un monde*? (v. 2.)
4. Expliquez le sens de: *l'horizon recule devant lui*. (v. 6.)
5. Comment savent-ils qu'ils sont toujours loin de la terre?
6. Quels bruits le pilote entend-il dans la nuit?
7. Qu'est-ce que les conspirateurs décident de faire?
8. Comment le poète montre-t-il que les compagnons de Colomb sont des ingrats?
9. Que fait Colomb en voyant la terre?
10. A qui l'explorateur donna-t-il cette terre, et quelle fut sa récompense?

1. *What is the meaning of* Plus d'espoir *(v. 1)? Who says this?*
2. *How does the poet convey to us the idea of Columbus' great faith?*
3. *Have you any comment to make on* il marche? *(v. 5.)*
4. *How do the sailors try to ascertain whether they are approaching land?*
5. *What sounds come to the ear of the helmsman as he steers through the night?*
6. *What can he see which reminds him how far he is from home waters?*
7. *What decision do the conspirators arrive at?*
8. *According to the poet, what would probably have happened to Columbus' body if the crew had killed him?*
9. *What does Columbus do when he sights the land?*
10. *What is in his mind when he takes possession of the land in the King's name?*

7. LES PETITS PAYSANS

Les petits paysans, bruns sous leurs blouses blanches,
Reviennent de l'école et courent, très heureux
D'enjamber le soleil qui passe entre les branches,
Semant de plaques d'or l'herbe des chemins creux.
Les petits paysans, bruns sous leurs blouses blanches.

Les buissons ont des nids, et les fossés des fraises...
On déniche les œufs, on remplit les paniers
Pour les petites sœurs, qui vont être bien aises,
Ce soir, sur le gazon, à l'ombre des pommiers,
De regarder les œufs et de manger les fraises.

Les vaches vont rentrer, les bonnes vaches rousses,
Lentement, faisant peur aux canards étourneaux,
Avec le cou tendu, broutant les jeunes pousses,
Et frottant leur museau rose sur les rameaux,
Quand elles vont rentrer, les bonnes vaches rousses.

Les garçons de la ferme, étendus dans la paille,
Le chapeau sur les yeux, siffleront un refrain,
Et le chat, accroupi sur un pan de muraille,
Guettera les oiseaux qui picorent du grain
Près des garçons de ferme étendus dans la paille.

Comme ils vont bien dormir sous les rideaux à fraises,
Les petits paysans et leurs petites sœurs!

Et pendant que le chien rôdera sous les chaises,
Ils vont rêver qu'ils sont près des pommiers en fleurs,
Qu'ils dénichent des œufs et qu'ils mangent des fraises.

C'est ainsi tous les jours! On court après les poules...
On cueille des bleuets et des coquelicots...
On va sur les versants rouler comme des boules...
A force de chanter on lasse les échos;
Et sous les plants ombreux on court après les poules!

Qu'ils dénichent des nids et qu'ils mangent des fraises,
Et qu'ils soient bien heureux, les petits paysans!
Ici-bas, il en est beaucoup qui seraient aises
De s'arracher un jour à la torpeur des ans,
Pour dénicher des nids et pour manger des fraises!

EUGÈNE LE MOUËL, *Enfants Bretons*
(Reproduit avec l'autorisation de Madame le Mouël)

3. Enjamber: *to step over, jump over.*
4. La plaque: *patch.*
4. Le chemin creux: *lane.*
8. Être bien aise: être content.
12. Étourneau: *reckless, madcap.*
13. La pousse: *shoot* (*of plant*).
18. Un pan de muraille: lit. *a stretch of wall.*
27. Le coquelicot: fleur rouge qu'on voit souvent dans les champs de blé.
30. Le plant: *plantation.*

1. Comment les petits paysans sont-ils habillés?
2. Expliquez le sens du quatrième vers.
3. Que cherchent les enfants en revenant de l'école? A qui destinent-ils ces choses?
4. Que font les canards quand les vaches s'approchent?
5. Pourquoi les vaches s'arrêtent-elles de temps en temps?
6. Que font les garçons de la ferme, quand le travail est fini?
7. Expliquez: *les rideaux à fraises.* (v. 21.)
8. Où couchent les enfants?
9. Où cueille-t-on des bleuets et des coquelicots?
10. Comment les enfants s'amusent-ils?
11. Expliquez le sens du vers 34.

1. *The poet mentions six things which give the peasant children enjoyment. What are they?*
2. *Why are the boys described as* bruns? *(v. 1.)*

3. *What is the meaning of* enjamber le soleil? *(v. 3.)*
4. *What are the* plaques d'or, *mentioned in v. 4?*
5. *What do the boys find in the lanes?*
6. *For whom do they gather these things? When and where will they display them?*
7. *What dreams will the children have when they are in bed?*
8. *What do the cows do as they saunter homewards?*
9. *Where does the cat take up its station? For what purpose?*
10. *What sort of people envy these children their simple joys?*

8. LE PERROQUET

Un gros Perroquet gris, échappé de sa cage,
Vint s'établir dans un bocage;
Et là, prenant le ton de nos faux connaisseurs,
Jugeant tout, blâmant tout d'un air de suffisance,
Au chant du rossignol il trouvait des longueurs,
Critiquait surtout sa cadence.
Le linot, selon lui, ne savait pas chanter;
La fauvette aurait fait quelque chose peut-être,
Si de bonne heure il eût été son maître,
Et qu'elle eût voulu profiter.
Enfin aucun oiseau n'avait l'art de lui plaire;
Et, dès qu'ils commençaient leurs joyeuses chansons,
Par des coups de sifflet répondant à leurs sons,
Le Perroquet les faisait taire.
Lassés de tant d'affronts, tous les oiseaux du bois
Viennent lui dire un jour: « Mais parlez donc, beau sire!
Vous qui sifflez toujours, faites qu'on vous admire.
Sans doute vous avez une brillante voix.
Daignez chanter pour nous instruire.»
Le Perroquet dans l'embarras
Se gratte un peu la tête, et finit par leur dire:
«Messieurs, je siffle bien, mais je ne chante pas.»

FLORIAN

2. Un bocage: petit bois.
4. La suffisance: *self-sufficiency.*
7. Le linot: *linnet.*
8. La fauvette: *warbler.*

1. Où voit-on d'habitude les perroquets? Comment se fait-il que celui-ci vive dans un bois?

2. A quels gens le Perroquet ressemble-t-il?
3. Quelle critique le Perroquet fait-il du chant des autres oiseaux?
4. Expliquez: *Et qu'elle eût voulu profiter.* (v. 10.)
5. Comment le Perroquet fait-il taire les autres oiseaux?
6. Pourquoi les oiseaux lui demandent-ils de chanter?
7. Pourquoi se trouve-t-il embarrassé?
8. Quelle est, d'après vous, la morale de cette fable?

1. *According to this poet, how do* faux connaisseurs *treat other people's efforts?*
2. *How was it that this Parrot was in a position to converse with the wild birds?*
3. *What, in his criticism of the warbler, shows his enormous vanity?*
4. *What fault does he find with the nightingale's song?*
5. *What does the Parrot do as soon as the birds begin to sing?*
6. *Show from the poem that the birds treat the Parrot better than he treats them.*
7. *What gesture betrays the Parrot's embarrassment when the birds ask him to sing?*
8. Siffler = *to whistle, usually. What is the other meaning of* siffler *which the poet has in mind?*

9. LE CONSENTEMENT

Ahod fut un pasteur opulent dans la plaine;
Sa femme, un jour d'été, posant sa cruche pleine,
Se coucha sous un arbre au pays de Béthel,
Et, s'endormant, elle eut un songe, qui fut tel:
D'abord il lui sembla qu'elle sortait d'un rêve
Et qu'Ahod lui disait: « Femme, allons, qu'on se lève.
Aux marchands de Ségor, l'an dernier, j'ai vendu
Cent brebis, et le tiers du prix m'est encor dû,
Mais la distance est grande et ma vieillesse est lasse.
Qui pourrais-je envoyer à Ségor en ma place?
Rare est un messager fidèle et diligent.
Va, et réclame-leur trente sicles d'argent.»
Elle n'objecta point le désert, l'épouvante,
Les voleurs: « Vous parlez, maître, à votre servante.»
Et quand, montrant la droite, il eut dit: « C'est par là!»
Elle prit un manteau de laine et s'en alla.

Les sentiers étaient durs et si pointus de pierres
Qu'elle eut du sang aux pieds et des pleurs aux paupières;
Pourtant elle marcha tout le jour, et, le soir,
Elle marchait encor, sans entendre ni voir,
Quand tout à coup, de l'ombre, avec un cri farouche,
Quelqu'un bondit, lui mit une main sur la bouche,
D'un geste forcené lui vola son manteau
Et s'enfuit, lui laissant dans la gorge un couteau!

A ce coup le sursaut d'une transe mortelle
La réveilla.

L'époux se tenait devant elle.
«Aux marchands de Ségor, lui dit-il, j'ai vendu
Cent brebis, et le tiers du prix m'est encore dû.
Mais la distance est grande et ma vieillesse est lasse.
Qui pourrais-je envoyer à Ségor en ma place?
Rare est un messager fidèle et diligent.
Va, et réclame-leur trente sicles d'argent.»

La femme dit: «Le maître a parlé, je suis prête.»
Elle appela ses fils, mit ses mains sur la tête
Du fier aîné, baisa le front du plus petit,
Et, prenant son manteau de laine, elle partit.

CATULLE MENDÈS, *Contes Épiques*
(Fasquelle, éditeur)

8. La brebis: femelle du mouton.
12. Le sicle: *shekel.*
23. Forcené: furieux, rageur.
25. Le sursaut: mouvement brusque causé par quelque sensation subite.

1. Où demeurait Ahod? Que faisait-il pour vivre?
2. Qu'est-ce que la femme d'Ahod avait été faire?
3. Pourquoi s'endort-elle?
4. A qui le pronom *on* se rapporte-t-il? (v. 6.)
5. Pourquoi Ahod veut-il que sa femme aille à Ségor?
6. Pourquoi ne peut-il pas y aller lui-même?
7. Pourquoi ne veut-il pas confier cette mission à un autre?
8. Qu'est-ce qui prouve que ce voyage était long et pénible?
9. Que voit la femme en rêve?
10. Pourquoi se réveille-t-elle en sursaut?
11. Qu'y a-t-il de singulier dans cette histoire?
12. Que fait la femme avant de partir?

1. *Who was this woman? Where did she live?*
2. *How did she come to fall asleep under a tree?*
3. *Why did she waken with a start?*
4. *How much had her husband sold his sheep for?*
5. *Why does Ahod want his wife to go on this journey? Why can't he go himself?*
6. *Why would the journey be dangerous for a woman?*
7. *Why does the woman immediately assent?*
8. *What sufferings did she foresee on the way to Ségor?*
9. *In her dream, what happens at sundown?*
10. *Why has she reason to be surprised at what her husband says to her when she awakens?*
11. *What does she do before she starts on her journey?*

10. TOU-TSONG

Le long du fleuve Jaune, on ferait bien des lieues
Avant de rencontrer un mandarin pareil.
Il fume l'opium, au coucher du soleil,
Sur sa porte en treillis, dans sa pipe à fleurs bleues.

D'un tissu bigarré son corps est revêtu;
Son soulier brodé d'or semble un croissant de lune;
Dans sa barbe effilée il passe sa main brune,
Et sourit doucement sous son bonnet pointu.

Les pêchers sont en fleurs; une brise légère
Des pavillons à jour fait trembler les grelots;
La nue, à l'horizon, s'étale sur les flots,
Large et couleur de feu, comme un manteau de guerre.

C'est Tou-Tsong le lettré! Tou-Tsong le mandarin!
Le peuple, à son aspect, se recueille en silence,
Quand, sous le parasol qu'un esclave balance,
Il marche gravement au son du tambourin.

Dans ses buffets sculptés la porcelaine éclate;
Il a de beaux lambris faits de bois odorants;
Ses cloisons sont de toile aux dessins transparents,
Et la nappe à sa table est en drap d'écarlate.

Il laisse le riz fade à ceux du dernier rang;
Le millet fermenté pour le peuple ruisselle;
Il mange, à ses repas, le nid de l'hirondelle,
Et boit le vin sucré des rives du Kiang.

Puis, sillonnant le lac, au pied des térébinthes,
Sur la jonque bizarre il se berce en rêvant,
Ou, dans le pavillon qui regarde au levant,
Cause avec ses amis, sous les lanternes peintes.

LOUIS BOUILHET

1. Le fleuve Jaune (ou Hoang-Ho): grand fleuve de la Chine.
4. En treillis: (*of*) *trellis-work, lattice-work.*
5. Bigarré; qui a des couleurs variées.
7. Effilé: mince et allongé.
10. A jour: laissant passer la lumière; percé de nombreuses ouvertures.
10. Le grelot: boule métallique contenant un morceau de métal qui la fait résonner dès qu'on la remue.
18. Le lambris: revêtement de bois sur les murs d'un appartement.
19. La cloison: séparation de bois ou de maçonnerie légère.
21. Fade: insipide, sans saveur.
25. Le térébinthe: *terebinth, turpentine-tree.*

1. Quelle est la nationalité de Tou-Tsong? Où habite-t-il?
2. Qu'est-ce qu'il fait le soir?
3. A quoi voyez-vous que Tou-Tsong est riche?
4. *La nue... s'étale sur les flots.* (v. 11.) Quels flots?
5. Pourquoi le peuple respecte-t-il Tou-Tsong?
6. Comment se promène-t-il par les rues?
7. Décrivez sa demeure.
8. Qu'est-ce qui montre que ce mandarin est un gourmet?
9. Qu'est-ce qu'une jonque?
10. Quels sont les divertissements de Tou-Tsong?

1. What is Tou-Tsong? Where does he live?
2. What indications are there in the poem as to his bodily appearance?
3. How do we know he is a man of culture?
4. How does he dress?
5. What do the common people eat in this country? To what refined diet does Tou-Tsong treat himself?
6. How is his apartment furnished?
7. Describe the exterior of his house.
8. How does he like to spend the evening?
9. How is he attended when he goes among the people?
10. What excursions and visits please him?

11. COMBAT DE LOUPS ET DE TAUREAUX

L'été, lorsque du ciel tombe enfin la nuit fraîche,
Les bestiaux tout le jour retenus dans la crèche
Vont errer librement: au pied des verts coteaux
Ils suivent pas à pas les longs détours des eaux,
S'étendent sur les prés, ou, dans la vapeur brune,
Hennissent bruyamment aux rayons de la lune.
Alors, de sa tanière, attiré par leurs voix,
Les yeux en feu, le loup, comme un trait sort du bois,
Tue un jeune poulain, étrangle une génisse;
Mais avant que sur eux l'animal ne bondisse,
Souvent tout le troupeau se rassemble, et les bœufs,
Les cornes en avant, se placent devant eux;
Le loup rôde à l'entour, ouvrant sa gueule ardente,
Et, hurlant, il se jette à leur gorge pendante;
Mais il voit de partout les fronts noirs se baisser
Et des cornes toujours prêtes à le percer.
Enfin, lâchant sa proie, il fuit, lorsqu'une balle
L'atteint, et les bergers, en marche triomphale,
De hameaux en hameaux, promènent son corps mort:
Tel le loup qu'on voyait ce jour-là dans Coat-Lorh.

Ô landes! ô forêts! pierres sombres et hautes,
Bois qui couvrez nos champs, mers qui battez nos côtes,
Villages où les morts errent avec les vents,
Bretagne! d'où te vient l'amour de tes enfants? —
Des villes d'Italie, où j'osai, jeune et svelte,
Parmi ces hommes bruns montrer l'œil d'un Celte,
J'arrivai, plein des feux de leur volcan sacré,
Mûri par leur soleil, de leurs arts enivré;
Mais dès que je sentis, ô ma terre natale!
L'odeur qui des genêts et des landes s'exhale,
Lorsque je vis le flux, le reflux de la mer,
Et les tristes sapins se balancer dans l'air,
Adieu les orangers, les marbres de Carrare;
Mon instinct l'emporta, je redevins barbare,
Et j'oubliai les noms des antiques héros,
Pour chanter les combats des loups et des taureaux.

AUGUSTE BRIZEUX

2. Les bestiaux: les animaux qu'on élève dans les fermes.
2. La crèche: mangeoire pour bestiaux.

7. La tanière: retraite d'une bête féroce.
9. Un poulain: jeune cheval.
9. Une génisse: jeune vache.
18. Atteindre: frapper.
25. Svelte: de taille mince et élégante.
30. Le genêt: *broom* (*shrub*).
32. Le sapin: *fir*.
33. Carrare: ville d'Italie près de laquelle se trouvent les fameuses carrières de marbre.
34. L'emporter: vaincre, être victorieux.

1. Que savons-nous de l'origine du poète?
2. Quand les fermiers de ce pays laissent-ils sortir les bestiaux?
3. Expliquez: *les longs détours des eaux.* (v. 4.)
4. Quel est l'animal qui hennit?
5. Comment le loup sait-il que les bestiaux sont dans les prés?
6. Comment font les bœufs pour se protéger contre le loup?
7. De quoi le loup a-t-il peur?
8. Décrivez la Bretagne, d'après les indications que vous trouvez dans ce poème.
9. Par quoi le poète se faisait-il remarquer, quand il était en Italie?
10. Quel changement le séjour en Italie avait-il opéré en lui?
11. Quelles choses revoit-il avec amour quand il revient en Bretagne?
12. Expliquez: *je redevins barbare.* (v. 34.)

1. What seems to be the practice of the farmers in this part of France?
2. Where do the animals wander during the night?
3. What attracts the wolf? How does he manage to approach without being seen?
4. What depredations does he sometimes make?
5. How is the victim sometimes saved?
6. How does the herd defend itself?
7. How does the wolf behave? Why can't he get in?
8. What fate sometimes overtakes the marauder?
9. What inkling does the poet give us as to his own appearance?
10. When did he go to Italy? What effect did life in Italy have upon him?
11. What sights and sounds won back his heart as soon as he returned home?
12. What sort of country is Brittany? Answer from indications you find in the poem.
13. What leads us to believe that the Bretons are superstitious?

12. LUCIE

Un soir, nous étions seuls, j'étais assis près d'elle;
Elle penchait la tête, et sur son clavecin
Laissait, tout en rêvant, flotter sa blanche main.
Ce n'était qu'un murmure: on eût dit des coups d'aile
D'un zéphyr éloigné glissant sur des roseaux,
Et craignant en passant d'éveiller les oiseaux.
Les tièdes voluptés des nuits mélancoliques
Sortaient autour de nous du calice des fleurs.
Les marronniers du parc et les chênes antiques
Se berçaient doucement sous leurs rameaux en pleurs.
Nous écoutions la nuit; la croisée entr'ouverte
Laissait venir à nous les parfums du printemps;
Les vents étaient muets, la plaine était déserte;
Nous étions seuls, pensifs, et nous avions quinze ans.
Je regardais Lucie. — Elle était pâle et blonde.
Jamais deux yeux plus doux n'ont du ciel le plus pur
Sondé la profondeur et réfléchi l'azur.
Sa beauté m'enivrait; je n'aimais qu'elle au monde;
Mais je croyais l'aimer comme on aime une sœur,
Tant ce qui venait d'elle était plein de pudeur!
Nous nous tûmes longtemps; ma main touchait la sienne,
Je regardais rêver son front triste et charmant,
Et je sentais dans l'âme, à chaque mouvement,
Combien peuvent sur nous, pour guérir toute peine,
Ces deux signes jumeaux de paix et de bonheur,
Jeunesse de visage et jeunesse de cœur.
La lune, se levant dans un ciel sans nuage,
D'un long réseau d'argent tout à coup l'inonda,
Elle vit dans mes yeux resplendir son image;
Son sourire semblait d'un ange: elle chanta.

ALFRED DE MUSSET

5. Le roseau: *reed.*
7. Tiède: qui est entre le froid et le chaud.
9. Le marronnier: *horse-chestnut tree.*
11. La croisée: *casement.*
20. La pudeur: modestie, chasteté.
25. Jumeaux: quand deux enfants naissent en même temps, ils sont jumeaux.
28. Le réseau: ensemble de lignes entrelacées.

1. Quel âge ont ces enfants?
2. Qu'est-ce que la jeune fille tient à la main?
3. A quoi le poète compare-t-il la musique du clavecin?
4. Qu'y a-t-il dans le texte qui montre qu'on est au printemps?
5. Que voient les deux enfants de la croisée entr'ouverte?
6. Décrivez Lucie.
7. Quels sont les sentiments du poète vis-à-vis de Lucie?
8. D'après le poète, qu'est-ce qui a le pouvoir de guérir toutes nos peines?
9. Qu'est-ce qui produit ce *long réseau d'argent*? (v. 28.)
10. Qu'est-ce qui fait sourire la jeune fille?

1. *About what age were these young people?*
2. *What indications do you find in the poem as to Lucie's type of beauty? What sort of eyes had she?*
3. *What was the nature of the boy's affection?*
4. *Where were they sitting? What did they notice that was characteristic of the season?*
5. *In what attitude was the girl sitting? How was she playing her instrument?*
6. *What suddenly lit up her face? Why did she smile?*
7. *What has the poet to say about the charm of youth?*

13. LE PONT-KERLÔ

Un jour que nous étions assis au Pont-Kerlô,
Laissant pendre, en riant, nos pieds au fil de l'eau,
Joyeux de la troubler, ou bien, à son passage,
D'arrêter un rameau, quelque flottant herbage,
Ou sous les saules verts d'effrayer le poisson
Qui venait au soleil dormir près du gazon;
Seuls en ce lieu sauvage, et nul bruit, nulle haleine
N'éveillant la vallée immobile et sereine,
Hors nos rires enfantins, et l'écho de nos voix
Qui partait par volée, et courait dans les bois,
Car entre deux forêts la rivière encaissée
Coulait jusqu'à la mer, lente, claire et glacée;
Seuls, dis-je, en ce désert, et libres tout le jour,
Nous sentions en jouant nos cœurs remplis d'amour.
C'était plaisir de voir sous l'eau limpide et bleue
Mille petits poissons faisant frémir leur queue,

Se mordre, se poursuivre, ou, par bandes nageant,
Ouvrir et refermer leurs nageoires d'argent;
Puis les saumons bruyants; et, sous son lit de pierre,
L'anguille qui se cache au bord de la rivière;
Des insectes sans nombre ailés ou transparents,
Occupés tout le jour à monter les courants,
Abeilles, moucherons, alertes demoiselles,
Se sauvant sous les joncs du bec des hirondelles. —
Sur la main de Marie une vint se poser,
Si bizarre d'aspect qu'afin de l'écraser
J'accourus; mais déjà ma jeune paysanne
Par l'aile avait saisi la mouche diaphane,
Et voyant la pauvrette en ses doigts remuer:
«Mon Dieu, comme elle tremble! oh! pourquoi la tuer?»
Dit-elle. Et dans les airs sa bouche ronde et pure
Souffla légèrement la frêle créature,
Qui, déployant soudain ses deux ailes de feu,
Partit, et s'éleva joyeuse et louant Dieu.

AUGUSTE BRIZEUX

2. Au fil de l'eau: avec le courant.
3. A son passage: au moment où il passe.
4. Un rameau: petite branche d'arbre.
5. Le saule: *willow* (*tree*).
10. Qui partait par volée: *which broke out, which pealed forth.*
11. Encaissé: qui a des bords escarpés.
20. L'anguille (f.): *eel.*
23. Le moucheron: *gnat.*
28. Diaphane: qui laisse passer la lumière; transparent.

1. Quelle époque de l'année le poète décrit-il dans ces vers?
2. Que font les deux enfants pour se divertir?
3. Quels bruits troublent le calme de cette vallée paisible?
4. Décrivez la rivière.
5. Qu'est-ce qui prouve que les deux enfants sont en vacances?
6. Quels poissons voient-ils dans l'eau?
7. Quoi d'autre les intéresse?
8. Racontez l'incident de la demoiselle.

1. *What does the poet tell us of the river, its banks, and the surrounding country?*
2. *How does the poet convey to us that the weather was very still?*
3. *How were the children amusing themselves at the bridge?*

4. *Why did they find the shoals of minnow interesting?*
5. *What do we learn here about the eel's habits?*
6. *What bird is apparently the natural enemy of the dragon-fly? What does the dragon-fly do for self-preservation?*
7. *Why was the boy going to kill the dragon-fly?*
8. *Describe how Marie set the creature free.*

14. VILLE DE FRANCE

Le matin, je me lève, et je sors de la ville.
Le trottoir de la rue est sonore à mon pas,
Et le jeune soleil chauffe les vieilles tuiles,
Et les jardins étroits sont fleuris de lilas.

Le long du mur moussu que dépassent les branches,
Un écho que l'on suit vous précède en marchant,
Et le pavé pointu mène à la route blanche
Qui commence au faubourg et s'en va vers les champs.

Et me voici bientôt sur la côte gravie
D'où l'on voit, au soleil et couchée à ses pieds,
Calme, petite, pauvre, isolée, engourdie,
La ville maternelle aux doux toits familiers.

Elle est là, étendue et longue. Sa rivière
Par deux fois, en dormant, passe sous ses vieux ponts;
Les arbres de son mail sont vieux comme les pierres
De son clocher qui pointe au-dessus des maisons.

Dans l'air limpide, gai, transparent et sans brume
Elle fait un long bruit qui monte jusqu'à nous:
Le battoir bat le linge et le marteau l'enclume,
Et l'on entend des cris d'enfants, aigres et doux...

Elle est sans souvenirs de sa vie immobile,
Elle n'a ni grandeur, ni gloire, ni beauté;
Elle n'est à jamais qu'une petite ville;
Elle sera pareille à ce qu'elle a été.

Elle est semblable à ses autres sœurs de la plaine,
A ses sœurs des plateaux, des landes et des prés;

La mémoire, en passant, ne retient qu'avec peine,
Parmi tant d'autres noms, son humble nom français;

Et pourtant, lorsque, après un de ces longs jours graves
Passés de l'aube au soir à marcher devant soi,
Le soleil disparu derrière les emblaves
Assombrit le chemin qui traverse les bois,

Lorsque la nuit qui vient rend les choses confuses
Et que sonne la route dure au pas égal,
Et qu'on écoute au loin le gros bruit de l'écluse,
Et que le vent murmure aux arbres du canal,

Quand l'heure, peu à peu, ramène vers la ville
Ma course fatiguée et qui va voir bientôt
La première fenêtre où brûle l'or de l'huile
Dans la lampe, à travers la vitre sans rideau,

Il me semble, tandis que mon retour s'empresse
Et tâte du bâton les bornes du chemin,
Sentir, dans l'ombre, près de moi, avec tendresse,
La patrie aux doux yeux qui me prend par la main.

HENRI DE RÉGNIER, *La Sandale ailée*
(*Mercure de France*, éditeurs)

8. Le faubourg: *outlying quarter* (*of a town*).
11. Engourdie: *sleepy, listless*.
14. *Par deux fois* . . .: la première fois en suivant son cours normal; la seconde fois, refoulée par la marée.
15. Le mail: promenade publique.
19. Le battoir: morceau de bois aplati, avec lequel on bat le linge.
19. Une enclume: masse de fer sur laquelle les forgerons battent le fer.
31. Les emblaves: champs où l'on a semé le blé.
35. L'écluse: *lock, sluice-gate*.
42. La borne: pierre qui indique les distances kilométriques.

1. Pourquoi le poète sort-il de bonne heure?
2. Comment savons-nous que la rue est déserte?
3. Quel changement remarque-t-on quand on arrive au faubourg?
4. D'où le poète aime-t-il à contempler la ville?
5. Qu'est-ce qui montre que la ville est très ancienne?
6. Quels bruits montent de la ville?
7. Expliquez: *Elle sera pareille à ce qu'elle a été*. (v. 24.)

8. Pourquoi est-il difficile de retenir les noms des petites villes françaises?
9. *Ces longs jours graves.* (v. 29.) Pourquoi *longs* et *graves*?
10. A quelle heure le poète revient-il de sa promenade?
11. Qu'est-ce qui indique que la rue est mal éclairée?
12. Quels sont les sentiments qu'éprouve le poète quand il arrive aux premières maisons de la ville?

1. *What leads us to believe that the poet is describing his native town?*
2. *What sort of rambles does he seem to like?*
3. *At what time does he set out on this occasion? What sort of morning is it? What is the season?*
4. *What makes us think there are few people about?*
5. *What is the roadway like in the town? How does it change once the outskirts are reached?*
6. *Where does the poet go in order to get a good view of the town?*
7. *What sounds come up from the town on the morning air?*
8. *What is the river like? What other reach of water is there in or near the town?*
9. *What reveals at a glance that the town is very old?*
10. *What sort of past has it had?*
11. *What are the* sisters *mentioned in the seventh stanza?*
12. *At what time does the rambler return? How does he feel?*
13. *Describe the sights and sounds of the darkening country-side.*
14. *What sort of houses are there on the outskirts of the town?*
15. *What sentiment does the poet experience as he re-enters the town?*

15. WATERLOO

Le soir tombait; la lutte était ardente et noire.
Il avait l'offensive et presque la victoire;
Il tenait Wellington acculé sur un bois.
Sa lunette à la main, il observait parfois
Le centre du combat, point obscur où tressaille
La mêlée, effroyable et vivante broussaille,
Et parfois l'horizon, sombre comme la mer.
Soudain, joyeux, il dit: Grouchy! — C'était Blücher!
L'espoir changea de camp, le combat changea d'âme,
La mêlée en hurlant grandit comme une flamme.
La batterie anglaise écrasa nos carrés.

La plaine où frissonnaient nos drapeaux déchirés
Ne fut plus, dans les cris des mourants qu'on égorge,
Qu'un gouffre flamboyant, rouge comme une forge;
Gouffre où les régiments, comme des pans de murs,
Tombaient, où se couchaient comme des épis mûrs
Les hauts tambours-majors aux panaches énormes,
Où l'on entrevoyait des blessures difformes!
Carnage affreux! moment fatal! L'homme inquiet
Sentit que la bataille entre ses mains pliait.
Derrière un mamelon la garde était massée,
La garde, espoir suprême et suprême pensée!
— Allons! faites donner la garde, cria-t-il, —
Et lanciers, grenadiers aux guêtres de coutil,
Dragons que Rome eût pris pour des légionnaires,
Cuirassiers, canonniers qui traînaient des tonnerres,
Portant le noir colback ou le casque poli,
Tous, ceux de Friedland et ceux de Rivoli,
Comprenant qu'ils allaient mourir dans cette fête,
Saluèrent leur dieu, debout dans la tempête.
Leur bouche, d'un seul cri, dit: Vive l'empereur!

VICTOR HUGO, *Les Châtiments*

3. Acculé: mis dans l'impossibilité de reculer.
6. La broussaille: arbustes, ronces, épines qui croissent dans un bois.
16. Un épi: tête d'une tige de blé, qui renferme le grain.
21. Un mamelon: colline arrondie.
24. La guêtre: partie du vêtement, couvrant le bas de la jambe.
24. Le coutil: (*material*) *twill.*
27. Le colback: *busby, bearskin.*

1. Pourquoi semblait-il certain que Napoléon remporterait la victoire?
2. Avec quoi observait-il la bataille?
3. Expliquez l'expression: *vivante broussaille.* (v. 6.)
4. *L'espoir changea de camp.* (v. 9.) Pourquoi?
5. Pourquoi la plaine est-elle *un gouffre flamboyant*? (v. 14.)
6. Pourquoi le poète compare-t-il les tambours-majors à des épis mûrs? (v. 16.)
7. Quels soldats faisaient partie de la garde?
8. Expliquez: *qui traînaient des tonnerres.* (v. 26.)
9. Expliquez: *ceux de Friedland et ceux de Rivoli.* (v. 28.)
10. Pourquoi Napoléon était-il *leur dieu*? (v. 30).

1. *What stage had the battle reached by the evening?*
2. *What part of the battlefield occupied Napoleon's attention?*
3. *What is the meaning of* effroyable et vivante broussaille*?* *(v. 6.) State briefly why these words aptly describe the fray.*
4. *What did the Emperor see on the horizon?*
5. *How did the arrival of Blücher affect the tide of battle?*
6. *What is it that the poet describes as* un gouffre flamboyant, rouge comme une forge*? (v. 14.)*
7. *Quote words which describe the swiftness of the slaughter.*
8. *What figures stood out in the midst of the fighting?*
9. *Where was the Guard?*
10. *Explain the meaning of* espoir suprême et suprême pensée. *(v. 22.)*
11. *Why does the poet bring in the names of Friedland and Rivoli?*
12. *What is there about the march-past of the Guard which reminds one of Roman times?*

16. FIN D'AUTOMNE

L'automne va finir; au milieu du ciel terne,
Dans un cercle blafard et livide que cerne
Un nuage plombé, le soleil dort: du fond
Des étangs remplis d'eau monte un brouillard qui fond
Collines, champs, hameaux dans une même teinte.
Sur les carreaux la pluie en larges gouttes tinte;
La froide bise souffle; un sourd frémissement
Sort du sein des forêts; les oiseaux tristement
Mêlant leurs cris plaintifs aux cris des bêtes fauves,
Sautent de branche en branche à travers les bois chauves,
Et semblent aux beaux jours envolés dire adieu.
Le pauvre paysan se recommande à Dieu,
Craignant un hiver rude; et moi dans les vallées,
Quand je vois le gazon sous les blanches gelées
Disparaître et mourir, je reviens à pas lents,
M'asseoir le cœur navré près des tisons brûlants,
Et là je me souviens du soleil de septembre
Qui donnait à la grappe un jaune reflet d'ambre,
Des pommiers du chemin pliant sous leur fardeau,
Et du trèfle fleuri, pittoresque rideau
S'étendant à longs plis sur la plaine rayée,
Et de la route étroite en son milieu frayée,

Et surtout des bleuets et des coquelicots,
Points de pourpre et d'azur dans l'or des blés égaux.

THÉOPHILE GAUTIER

1. Terne: qui n'a pas d'éclat; contraire de brillant.
2. Blafard: pâle, d'un blanc terne.
2. Cerner: entourer.
3. Plombé: couleur de plomb.
6. Le carreau: vitre, verre de fenêtre.
7. La bise: vent du nord.
9. Les bêtes fauves: les daims, les cerfs.
10. Chauve: qui n'a pas de cheveux.
16. Le tison: morceau de bois dont une partie a été brûlée.
20. Le trèfle: *clover.*
21. Rayé: *striped, streaked.*

1. Quelle époque de l'année le poète décrit-il?
2. Qu'est-ce qui montre que la saison a été pluvieuse?
3. Pourquoi le paysage a-t-il cette teinte monotone? (v. 5.)
4. Quels bruits se font entendre?
5. Expliquez: *les bois chauves*. (v. 10.)
6. Que signifient, pour le poète, les cris plaintifs des oiseaux?
7. Que fait le poète quand il revient de la promenade?
8. Quels souvenirs lui sont agréables?
9. Expliquez: *la plaine rayée*. (v. 21.)
10. Que sont les *points de pourpre et d'azur*? (v. 24.)

1. *Describe the sun and sky which the poet sees.*
2. *What sort of country-side surrounds his home?*
3. *What is the origin of the mist? What is its effect on the landscape?*
4. *What sounds come from the woods?*
5. *What lament do the birds seem to be making?*
6. *What does the poet hear when he is indoors?*
7. *What has happened to the greensward?*
8. *What memories of summer come back to the poet as he sits by his fire?*
9. *How does he picture the clover-field?*
10. *For what flowers has he a special affection? Why?*

17. OCEANO NOX

Oh! combien de marins, combien de capitaines
Qui sont partis joyeux pour des courses lointaines,
Dans ce morne horizon se sont évanouis!

Combien ont disparu, dure et triste fortune!
Dans une mer sans fond, par une nuit sans lune,
Sous l'aveugle océan à jamais enfouis!

. . . . .

On s'entretient de vous parfois dans les veillées.
Maint joyeux cercle, assis sur des ancres rouillées,
Mêle encor quelque temps vos noms d'ombre couverts
Aux rires, aux refrains, aux récits d'aventures,
Aux baisers qu'on dérobe à vos belles futures,
Tandis que vous dormez dans les goëmons verts!

On demande: — Où sont-ils? sont-ils rois dans quelque île?
Nous ont-ils délaissés pour un bord plus fertile? —
Puis votre souvenir même est enseveli.
Le corps se perd dans l'eau, le nom dans la mémoire.
Le temps, qui sur toute ombre en verse une plus noire,
Sur le sombre océan jette le sombre oubli.

Bientôt des yeux de tous votre ombre est disparue.
L'un n'a-t-il pas sa barque et l'autre sa charrue?
Seules, durant ces nuits où l'orage est vainqueur,
Vos veuves aux fronts blancs, lasses de vous attendre,
Parlent encore de vous en remuant la cendre
De leur foyer et de leur cœur!

Et quand la tombe enfin a fermé leur paupière,
Rien ne sait plus vos noms, pas même une humble pierre
Dans l'étroit cimetière où l'écho nous répond,
Pas même un saule vert qui s'effeuille à l'automne,
Pas même la chanson naïve et monotone
Que chante un mendiant à l'angle d'un vieux pont!

Où sont-ils, les marins sombrés dans les nuits noires?
Ô flots, que vous savez de lugubres histoires!
Flots profonds, redoutés des mères à genoux!
Vous vous les racontez en montant les marées,
Et c'est ce qui vous fait ces voix désespérées
Que vous avez le soir quand vous venez vers nous!

VICTOR HUGO, *Les Rayons et les Ombres*

2. Courses: voyages, traversées.
6. Enfoui: plongé, enseveli.
7. S'entretenir: converser.

7. La veillée: temps qui s'écoule depuis le repas du soir jusqu'au coucher.
12. Les goëmons: plantes marines. On dit aussi *les algues, le varech.*
28. Un saule: *willow.*

1. Qu'est-ce qui inspire ces sombres méditations?
2. Qui est désigné par *vous*, au vers 7?
3. Que font les pêcheurs et leurs familles après le repas du soir?
4. Expliquez: *vos noms d'ombre couverts.* (v. 9.)
5. Comment comprenez-vous *vos belles futures*? (v. 11.)
6. Comment explique-t-on l'absence prolongée des marins?
7. Pourquoi les pêcheurs et les paysans oublient-ils bientôt les morts?
8. Expliquez: *la cendre... de leur cœur.* (v. 24.)
9. Pourquoi les noms de ces marins sont-ils oubliés?
10. Que croit entendre le poète dans la rumeur de la marée montante?

1. *Can you account for the sombre tone of this poem?*
2. *Why is the horizon described as* morne*? (v. 3.)*
3. *In what circumstances does the poet imagine many of these men perished?*
4. *When and where do the people at home talk about the lost men-folk?*
5. *What other things do they discuss and do in the course of the evening gossip?*
6. *How do some explain the sailors' prolonged absence?*
7. *According to the poet, why is it that people so soon forget the dead?*
8. *Why does the poet couple together* le sombre océan *and* le sombre oubli*? (v. 18.)*
9. *When is the memory of the sailors finally lost?*
10. *How is the memory of men saved from oblivion? What means does the poet mention?*
11. *What does the poet hear in the moaning and raving of the seas?*

18. LA MORT DU LOUP

Nous avons tous alors préparé nos couteaux,
Et, cachant nos fusils et leurs lueurs trop blanches,
Nous allions pas à pas en écartant les branches.
Trois s'arrêtent, et moi, cherchant ce qu'ils voyaient,

J'aperçois tout à coup deux yeux qui flamboyaient,
Et je vois au delà quatre formes légères
Qui dansaient sous la lune au milieu des bruyères,
Comme font chaque jour, à grand bruit sous nos yeux,
Quand le maître revient, les lévriers joyeux.
Leur forme était semblable et semblable la danse;
Mais les enfants du loup se jouaient en silence,
Sachant bien qu'à deux pas, ne dormant qu'à demi,
Se couche dans ses murs l'homme, leur ennemi.
Le père était debout, et plus loin, contre un arbre,
Sa louve reposait comme celle de marbre
Qu'adoraient les Romains, et dont les flancs velus
Couvaient les demi-dieux Rémus et Romulus.
Le Loup vient et s'assied, les deux jambes dressées,
Par leurs ongles crochus dans le sable enfoncées.
Il s'est jugé perdu, puisqu'il était surpris,
Sa retraite coupée et tous ses chemins pris;
Alors il a saisi, dans sa gueule brûlante,
Du chien le plus hardi la gorge pantelante,
Et n'a pas desserré ses mâchoires de fer,
Malgré nos coups de feu, qui traversaient sa chair,
Et nos couteaux aigus qui, comme des tenailles,
Se croisaient en plongeant dans ses larges entrailles,
Jusqu'au dernier moment où le chien étranglé,
Mort longtemps avant lui, sous ses pieds a roulé.
Le Loup le quitte alors et puis il nous regarde.
Les couteaux lui restaient au flanc jusqu'à la garde,
Le clouaient au gazon tout baigné dans son sang;
Nos fusils l'entouraient en sinistre croissant.
Il nous regarde encore, ensuite il se recouche,
Tout en léchant le sang répandu sur sa bouche,
Et, sans daigner savoir comment il a péri,
Refermant ses grands yeux, meurt sans jeter un cri.

ALFRED DE VIGNY

3. Écarter: séparer, pousser de côté.
7. La bruyère: *heather*.
9. Le lévrier: chien à hautes jambes, propre à la chasse du lièvre.
16. Velu: couvert de poils longs et serrés.
17. Couver: On dit qu'une poule couve ses œufs. Ici, *couver* veut dire plutôt *abriter*.
19. Crochu: *hooked*.
24. Desserrer: relâcher ce qui est serré; ouvrir, séparer.
26. Des tenailles: instrument de fer composé de deux pièces croisées, et qui sert à arracher les clous.

32. Clouer: fixer avec des clous.
33. Le croissant: *crescent.*

1. Combien de chasseurs y a-t-il? Où chassent-ils? Quand?
2. Expliquez: *leurs lueurs trop blanches.* (v. 2.)
3. Combien de loups y a-t-il? Que font-ils?
4. A quoi ressemblent les louveteaux?
5. Pourquoi jouent-ils en silence?
6. A quoi pense le poète en voyant la louve?
7. Décrivez comment les chasseurs attaquent la famille de loups.
8. Expliquez: *comme des tenailles.* (v. 26.)
9. Que fait le loup du chien qui l'attaque?
10. Pourquoi le poète admire-t-il le loup?

1. *How many hunters were there? In what sort of country were they hunting?*
2. *What precautions did they take when they got near the wolves?*
3. *What evidence is there that there was a bright moon?*
4. *What was the first sign of the wolves?*
5. *How many wolves were there?*
6. *Why does the poet bring greyhounds* (lévriers) *into the picture?*
7. *Why were the cubs playing silently?*
8. *What attitude did the male wolf take up when he detected the hunters' presence?*
9. *Why did he not take to flight?*
10. *What sort of reception did he give the dog? What proved his determination to settle with this enemy at least?*
11. *How did the hunters attack?*
12. *What nobility did the wolf show in his dying moments?*
13. *Describe the dead beast.*

19. L'ANCIENNE GARE DE CAHORS*

Voyageuse! ô cosmopolite! à présent
Désaffectée, rangée, retirée des affaires,
Un peu en retrait de la voie,
Vieille et rose au milieu des miracles du matin,
Avec ta marquise inutile,
Tu étends au soleil des collines ton quai vide
(Ce quai qu'autrefois balayait
La robe d'air tourbillonnant des grands express)

* Cahors: ville située à 570 kil. au sud de Paris, sur la ligne Paris-Toulouse-Espagne.

Ton quai silencieux au bord d'une prairie,
Avec les portes fermées de tes salles d'attente,
Dont la chaleur de l'été craquèle les volets...
Ô gare qui as vu tant d'adieux,
Tant de départs et tant de retours,
Gare, ô double porte ouverte sur l'immensité charmante
De la Terre, où quelque part doit se trouver la joie de Dieu
Comme une chose inattendue, éblouissante;
Désormais tu reposes et tu goûtes les saisons
Qui reviennent portant la brise ou le soleil, et tes pierres
Connaissent l'éclair froid des lézards; et le chatouillement
Des doigts légers du vent dans l'herbe, où sont les rails
Rouges et rugueux de rouille,
Est ton seul visiteur.
L'ébranlement des trains ne te caresse plus:
Ils passent loin de toi sans s'arrêter sur ta pelouse,
Et te laissent à ta paix bucolique, ô gare enfin tranquille
Au cœur frais de la France.

VALÉRY LARBAUD, *Les Poésies de A. O. Barnabooth*
(Gallimard, éditeur)

2. Désaffectée: *disused, out of use.*
2. Rangée: *put away, set aside.*
3. La voie: la voie ferrée, la ligne de chemin de fer.
5. La marquise: espèce de toit qui couvre les quais.
8. Tourbillonnant: de *tourbillon*, vent impétueux qui souffle en tournoyant.
19. Le chatouillement: *tickling.*
21. Rugueux: dont la surface n'est pas lisse, unie.
23. L'ébranlement: du verbe *ébranler*. Le tonnerre ébranle les fenêtres.

1. Pourquoi le poète appelle-t-il la gare *voyageuse, cosmopolite*? (v. 1.)
2. Pourquoi cette gare est-elle abandonnée?
3. Expliquez: *ta marquise inutile, ton quai vide*. (vv. 5-6.)
4. Comment savez-vous que cette gare se trouvait autrefois sur une des grandes lignes?
5. Quelles tristes réflexions cette gare inspire-t-elle?
6. Pourquoi une gare est-elle une *double porte*? (v. 14.)
7. Que voit et qu'entend celui qui visite maintenant cette gare?
8. Pourquoi voit-on à peine les rails?
9. Expliquez: *ta pelouse*. (v. 24.)
10. Comment comprenez-vous *ta paix bucolique*? (v. 25.)

1. *Is there any indication in the poem as to why this station is now disused?*
2. *How do we know that it used to be on the main line?*
3. *Why does the poet address the station as* ô cosmopolite*? (v. 1.)*
4. *Why does it look so charming on this occasion?*
5. *What thoughts come to the poet's mind as he views the deserted platforms?*
6. *What are the rails like now? Why does one see so little of them?*
7. *What things does the poet mention which show that Nature has now invaded the place?*
8. *Why does the poet describe a station as* une double porte*? (v. 14.)*
9. *What thrill does the poet feel at the thought of travel?*
10. *Why is the peace of this station described as* bucolique*? (v. 25.)*

20. SAINTE-HÉLÈNE

Évanouissement d'une splendeur immense!
Du soleil qui se lève à la nuit qui commence,
Toujours l'isolement, l'abandon, la prison,
Un soldat rouge au seuil, la mer à l'horizon,
Des rochers nus, des bois affreux, l'ennui, l'espace,
Des voiles s'enfuyant comme l'espoir qui passe,
Toujours le bruit des flots, toujours le bruit des vents!
Adieu, tente de pourpre aux panaches mouvants,
Adieu, le cheval blanc que César éperonne!
Plus de tambours battant aux champs, plus de couronne,
Plus de rois prosternés dans l'ombre avec terreur,
Plus de manteau traînant sur eux, plus d'empereur!
Napoléon était retombé Bonaparte.
Comme un romain blessé par la flèche du parthe,
Saignant, morne, il songeait à Moscou qui brûla.
Un caporal anglais lui disait: halte-là!
Son fils aux mains des rois! sa femme aux bras d'un autre!
Plus vil que le pourceau qui dans l'égout se vautre,
Son sénat qui l'avait adoré, l'insultait.
Au bord des mers, à l'heure où la bise se tait,
Sur les escarpements croulant en noirs décombres,
Il marchait, seul, rêveur, captif des vagues sombres.
Sur les monts, sur les flots, sur les cieux, triste et fier,
L'œil encore ébloui des batailles d'hier,
Il laissait sa pensée errer à l'aventure.
Grandeur, gloire, ô néant! calme de la nature!

Les aigles qui passaient ne le connaissaient pas.
Les rois, ses guichetiers, avaient pris un compas
Et l'avaient enfermé dans un cercle inflexible.
Il expirait. La mort de plus en plus visible
Se levait dans sa nuit et croissait à ses yeux
Comme le froid matin d'un jour mystérieux.

VICTOR HUGO, *Les Châtiments*

1. Évanouissement (m.): disparition, effacement.
14. Le parthe: *Parthian.*
18. Le pourceau: porc, cochon.
18. Un égout: conduit pour l'écoulement des eaux sales.
18. Se vautrer: se rouler.
20. La bise: vent du nord.
21. Crouler: *to crumble.*
21. Décombres: ruines, débris.
28. Le guichetier: geôlier, gardien d'une prison.
31. Croissait: du verbe «croître», *to grow.*

1. De qui s'agit-il?
2. Quelle est la splendeur à laquelle le poète fait allusion? (v. 1.)
3. Décrivez la vie de l'Empereur exilé, et l'île où il est emprisonné.
4. Quels souvenirs lui reviennent souvent à l'esprit?
5. *Plus de manteau traînant sur eux.* (v. 12.) Quel manteau? traînant sur qui?
6. Expliquez: *Napoléon était retombé Bonaparte.* (v. 13.)
7. Pourquoi songe-t-il à Moscou?
8. Quels affronts l'Empereur doit-il subir maintenant?
9. Napoléon se promène. Que voit-il? Quels sont ses sentiments?
10. *Les aigles qui passaient ne le connaissaient pas.* (v. 27.) Expliquez.
11. Expliquez: *un cercle inflexible.* (v. 29.)

1. *What is this island like? Under what conditions does Napoleon live?*
2. *What two things in particular bring home to him the full tragedy of his fate?*
3. *What do the receding ships symbolize?*
4. *What sounds does the prisoner hear which are in keeping with the monotony of the view?*
5. *How does the poet convey the idea of Napoleon's former power in Europe?*

6. *What pictures rise in the Emperor's mind when he thinks of his military career?*
7. *What indignities has he suffered since his fall?*
8. *When and where does he walk? What does he often do in the course of his walk?*
9. *What is the* cercle inflexible *mentioned in v. 29?*
10. *How does the poet represent the idea of death dawning in Napoleon's mind?*

SECTION III

Sentences and Phrases on Grammatical Points

(The numbers at the head of each exercise refer to the paragraphs of the Grammar Section.)

1. THE ARTICLE

(§§ 1–5)

1. To a lady; to a gentleman; to some foreigners. 2. A doctor's address. 3. Of extraordinary size; with remarkable courage. 4. Do you like music? 5. Dogs and cats are interesting animals. 6. He is learning Italian. 7. I speak French and German. 8. Doctor Brun; little Alfred. 9. 2 francs a kilogramme. 10. 15 francs a bottle. 11. 75 centimes each. 12. Twice a week. 13. 80 kilometres an hour. 14. His teeth are clean. 15. I admired her white hands, her clear complexion. 16. Raise your arm. 17. He had his hands in his pockets. 18. He has brown eyes and black hair. 19. You have ink on your forehead. 20. He took my arm. 21. The old man was scratching his head. 22. He was sitting with his head bowed and his hands on his knees. 23. The lady with the red hat. 24. The gentleman with spectacles. 25. In London; from Paris. 26. The South of France; in the North of England. 27. To France; in France. 28. He has come back from Italy. 29. I have relatives in Canada. 30. He is starting for Madrid to-morrow morning.

2. THE ARTICLE (*contd.*)

(§§ 6–8)

1. Some paper; some ink; some string (*ficelle*, f.); some books. 2. We eat fish, meat, vegetables. 3. Have you bread? 4. Has he any matches? 5. He hasn't any tobacco; I have no matches. 6. She has no more money. 7. I have scarcely any work to do. 8. Large houses and pretty gardens. 9. Some young girls; some little children. 10. There are other shops. 11. You may take those post cards; I have others. 12. Give me some of your wine.

13. Take some of this omelet. 14. Enough coffee; enough cups. 15. So many children and so much work. 16. He has as much money as his father. 17. Fewer clients and less work. 18. Several ladies. 19. A few visitors. 20. Most of the pupils read well. 21. I have something interesting to tell you. 22. He is a doctor. 23. My brother is a sailor. 24. I am an Englishman. 25. His wife is a Frenchwoman. 26. What a pretty house! 27. He beckoned me to approach. 28. That put an end to his hopes. 29. I feel inclined to go out. 30. I am cold, hungry and thirsty. 31. I am right; you are wrong. 32. He was afraid.

3. NOUNS AND ADJECTIVES
(§§ 9–18)

1. Ladies and gentlemen, I have the honour... 2. My grandfather feared my grandmother. 3. The actor and the actress. 4. The hero and the heroine. 5. A handsome man; handsome men. 6. An old miser; old misers. 7. The New Year. 8. A small round table. 9. An old Spanish custom. 10. A long and difficult task. 11. This has not the smallest importance. 12. A better school. 13. The best pupils. 14. You write better than I. 15. It is John who writes best. 16. His oldest suit. 17. Her most charming smile. 18. His most devoted friends. 19. A most interesting novel. 20. The finest hotel in London. 21. The last house in the street. 22. He is as tall as I. 23. He is not so gay as his brother. 24. She is more intelligent than you think. 25. Strong as a lion. 26. He gets lazier and lazier. 27. Half an hour; an hour and a half. 28. She is quite small. 29. She started out all alone. 30. His old regiment. 31. A certain time; certain death. 32. My dear friend; a very dear dress. 33. My own hands; clean hands.

4. NUMERALS, TIME, DATES, etc.
(§§ 19–28)

1. *Write down in French:* 21, 34, 70, 71, 79, 80, 81, 98, 100, 300, 425; 1,000; 10,000; the 8th, 11th, 21st. 2. The first five pages. 3. The other three. 4. Nineteen out of twenty. 5. A fortnight. 6. A few hundred books. 7. Thousands of bees. 8. Half dead with fright (*frayeur*, f.). 9. He arrived at a quarter past seven. No, at a quarter to eight. 10. What is the time? It is five minutes past eleven—Really! my watch says (*marque*) five minutes to

eleven. 11. At about 9 p.m. 12. How old are you?—I am only eighty-two. 13. A man of about fifty. 14. This wall is 3 metres high. It is 50 cm. thick. 15. This fine room is 6 metres long by 4 wide. 16. The price of this book is (of) 12 francs. 17. How far are you from the station? 18. How far is it from here to Paris? 19. Our village is situated (at) 15 kilomètres from Bordeaux. 20. *Write in French a list of the days of the week, and of the months of the year.* 21. March 1st; on June 10th; Monday, October 31st. 22. New Year's Day. 23. What is the date to-day?—It is the 15th. 24. What day is it to-day? It is Wednesday to-day. 25. A few days ago. 26. In the year 1930. 27. Every day; every other day. 28. Come and see us on Monday. 29. Last Saturday; next Wednesday. 30. I usually go there on Sundays. 31. I have worked all day. 32. The child has eaten nothing all day. 33. Many years ago. 34. I will see you in a quarter of an hour's time. 35. I can go there in twenty minutes. 36. We started out on a cold wet morning.

5. PERSONAL PRONOUNS
(§§ 29–33)

1. I see her. 2. Will he punish us? 3. We have beaten them. 4. I have sent it to him. 5. He had put them there. 6. He gave it to me. 7. I have a lot of them. 8. Show it to him. Do not show it to him. 9. Offer them to her. Do not offer them to her. 10. Send it to me. Do not send it to me. 11. Take us there. Do not take us there. 12. He is dressing. 13. Are you dressing? 14. Stand up. Do not stand up. 15. I will introduce you to her. 16. We ran to him. 17. He came to me. 18. I think of her sometimes. 19. I was thinking about it this morning. 20. They made fun of him. 21. He approached me. 22. Who won?—They. 23. He is stronger than I. 24. It is I; it is she; it is they. 25. *I* said nothing. 26. What do *they* know about it? 27. He and I are old friends. 28. There is only he who refuses. 29. Every man for himself. 30. What does one do?—One stays at home. 31. How many brothers have you?—I have three. 32. Have you been to Biarritz?—Yes, I went last year. 33. She is pretty, but I am not.

6. RELATIVE PRONOUNS
(§§ 34–38)

1. The gentleman who is speaking. 2. The lady you are looking at. 3. The glasses which are on the tray. 4. The book

you are reading. 5. The man I am speaking of is dead. 6. She is an old lady whose son I know well. 7. I perceived a villa, the shutters of which were closed. 8. The penknife which I use (*se servir de*). 9. The man to whom I was speaking. 10. The ball with which we were playing. 11. A lake in the middle of which there was an island. 12. The window out of (*par*) which I was looking. 13. The ladder by means of which he had got in. 14. The street in which (=where) I live. 15. The day on which I met him. 16. The hour when lions go to drink. 17. Where I work there are several foreigners. 18. Do you know what surprises me? 19. I do not know what this man is saying. 20. What they were talking of did not interest me. 21. I don't tell you all I know. 22. All you see belongs to me. 23. I wonder what he is doing. 24. He did his correspondence (*son courrier*), after which he went out.

7. DEMONSTRATIVE ADJECTIVES AND PRONOUNS (§§ 39–41)

1. On that day; that morning. 2. He who is speaking. 3. Which lady? The one we met this morning. 4. Those who work are happy. 5. Which book?—The one you were reading; the one we were talking about yesterday. 6. All who were present. 7. I like your dress, but I detest Claire's. 8. My roses are finer than my neighbour's. 9. I haven't an overcoat; I will wear John's. 10. What pretty shoes! I like these very much.—Do you? I prefer those. 11. Look at this. 12. That does not concern (*regarder*) you. 13. He is a very nice (*gentil*) lad. 14. Who is that gentleman?—He is a master. 15. What are those birds?—They are pigeons. 16. It is difficult to avoid mistakes.—Yes, it is difficult. 17. It is impossible to save him.—Yes, we see that it is impossible. 18. This word is difficult to explain. 19. What is certain is that he has never written.

8. INTERROGATIVES AND POSSESSIVES (§§ 42–44)

1. What man? What is the address? 2. Bring me that book. —Which one? 3. Which of the brothers is the elder (*l'aîné*)? 4. Who has told you that? 5. Whom do you know? 6. What is in that box? 7. What did he say? 8. What are you talking

about? 9. What are you writing with? 10. What is a fox? 11. What is this? 12. I have lost my key. What am I to do? 13. I did not know what to say to him. 14. His aunt; her aunt; his son; her son. 15. Have you any news of Joan? Have you any news of her? 16. It is *my* book. 17. Yes, auntie. No, Captain. 18. Your hair is prettier than hers. 19. My house is smaller than his. 20. This walking-stick is mine.

9. INDEFINITE ADJECTIVES AND PRONOUNS (§§ 45–57)

1. It is said that he is very ill. 2. He knows nobody and nobody knows him, at least he never speaks to anybody. 3. Nothing pleases him; he does nothing; he sits in his chair without saying anything. 4. I see no reason to refuse. 5. Not one of us has met him. 6. Without any doubt. 7. Not one moved. 8. Each clerk (*employé*) received a box; each of these boxes contained a hundred cigarettes. 9. Everybody knows it. 10. They are both very young. 11. They all say the same thing. 12. Whenever I speak to her she blushes. 13. Such a man; such men. 14. Such a beautiful house. 15. Only ten pupils! where are the rest? 16. Keep them; I have others. 17. Which of these two boxes?—Either. 18. I like both houses.—I like neither. 19. I did not see anybody else. 20. We English like tea. 21. Some time afterwards. 22. We have a few flowers. 23. Some of these houses are very old. 24. There is somebody in the kitchen. 25. Have you anything to say? 26. Whoever refuses is arrested. 27. It isn't the same dress?—Yes, it is the same one. 28. Anybody can do that. 29. Hit it with anything. 30. Choose any card. 31. Which of these three cards?—Any one. 32. Some one or other sent it to me. 33. He was complaining of (*se plaindre de*) something or other. 34. I escaped somehow or other. 35. Nowhere have I seen such lovely flowers.

10. VERB FORMS (§§ 58–60; 63–66)

A. *Translate:* I have eaten—He had played—We shall have disappeared—You would have understood—She had arrived—They had gone out—She will have departed—They would have remained—He has not refused—Have they not gone out?

B. Give the 1st person singular and plural and the 3rd person plural of the tenses indicated:

(*pres.* =present indicative; *imp.* =imperfect indicative; *perf.* =perfect; *p. hist.* =past historic; *fut.* =future.)

avoir, *perf.*, *fut.*, *p. hist.*
être, *perf.*, *fut.*, *p. hist.*
porter, *p. hist.*, *fut.*
finir, *pres.*, *imp.*
vendre, *perf.*, *p. hist.*
dormir, *pres.*, *perf.*
ouvrir, *pres.*, *perf.*
conduire, *pres.*, *perf.*, *p. hist.*
craindre, *pres.*, *imp.*, *perf.*, *p. hist.*
apercevoir, *pres.*, *perf.*, *p. hist.*, *fut.*
aller, *pres.*, *perf.*, *fut.*
s'asseoir, *pres.*, *perf.*, *p. hist.*, *fut.*
battre, *pres.*, *perf.*, *p. hist.*
boire, *pres.*, *imp.*, *perf.*, *p. hist.*
connaître, *pres.*, *perf.*, *imp.*, *p. hist.*
courir, *pres.*, *perf.*, *p. hist.*, *fut.*
croire, *pres.*, *perf.*, *p. hist.*
cueillir, *pres.*, *perf.*, *fut.*
dire, *pres.*, *imp.*, *perf.*, *p. hist.*
écrire, *pres.*, *perf.*, *p. hist.*
envoyer, *pres.*, *fut.*
faire, *pres.*, *p. hist.*, *fut.*
fuir, *pres.*, *imp.*, *p. hist.*
haïr, *pres.*, *imp.*
lire, *pres.*, *imp.*, *perf.*, *p. hist.*
mettre, *pres.*, *perf.*, *p. hist.*
mourir, *pres.*, *perf.*, *p. hist.*, *fut.*
naître, *perf.*, *p. hist.*
plaire, *pres.*, *imp.*, *perf.*, *p. hist.*
pouvoir, *pres.*, *perf.*, *p. hist.*, *fut.*
prendre, *pres.*, *imp.*, *perf.*, *p. hist.*
rire, *pres.*, *perf.*, *p. hist.*
savoir, *pres.*, *perf.*, *p. hist.*, *fut.*
suivre, *pres.*, *perf.*, *p. hist.*
se taire, *pres.*, *perf.*, *p. hist.*
tenir, *pres.*, *perf.*, *p. hist.*, *fut.*
vaincre, *pres.*, *perf.*, *p. hist.*
valoir, *pres.*, *perf.*, *fut.*
venir, *pres.*, *perf.*, *p. hist.*, *fut.*
vivre, *pres.*, *perf.*, *p. hist.*
voir, *pres.*, *perf.*, *p. hist.*, *fut.*
vouloir, *pres.*, *perf.*, *p. hist.*, *fut.*
commencer, *pres.*, *imp.*, *p. hist.*
nager, *pres.*, *imp.*, *p. hist.*
mener, *pres.*, *fut.*
appeler, *pres.*, *fut.*
jeter, *pres.*, *fut.*
répéter, *pres.*, *fut.*
employer, *pres.*, *fut.*

11. REFLEXIVE AND PASSIVE

(§§ 67–74)

1. You are mistaken. 2. What is your name? 3. Are you making fun of me? 4. Stand up! no, sit down! 5. Let us walk a little. 6. Do not complain. 7. Let us not fight. 8. He has washed, but he has not dressed. 9. They had run away. 10. She would not have bathed. 11. We are going to sit down. 12. After resting for an hour, she came down. 13. Do you remember the old house? 14. They will defend themselves. 15. They often see each other. 16. The door opens; the door closes. 17. The room fills; the room empties. 18. The motor-car stopped. 19. We shall meet one day. 20. How is that said in French? 21. That expression is not used. 22. I was surprised to find him

at my house. 23. She got annoyed with (*contre*) me. 24. He lost his temper and struck him. 25. His house is situated at the foot of a hill. 26. Our soap is sold everywhere. 27. She sits down. 28. She is sitting in an arm-chair. 29. We were sitting in the garden. 30. I am going to bed. 31. I am in bed, and I won't come down. 32. She was kneeling. 33. A lamp was hanging from a beam (*une poutre*). 34. I am beaten; we have all been beaten. 35. We found him by the roadside; he was injured. 36. He was killed by the natives. 37. They had been punished. 38. You will be rewarded. 39. She would have been saved. 40. I am offered a good post. 41. She is not allowed to go out. 42. We were told to stay here. 43. You are forbidden to run. 44. You were seen in the park last night. 45. That is sold everywhere.

12. PARTICIPLES
(§§ 75–79)

1. A table strewn with papers. 2. A well-known story. 3. Those trees will be cut down. 4. She has been killed in an accident. 5. They had already arrived. 6. She has stayed at home. 7. We have played. 8. She has read the novel. 9. I have the books; she sent them to me yesterday. 10. Where are the children? Have you seen them? 11. I was looking for the tie she had sent me. 12. How many glasses have you broken? 13. Oysters! I have swallowed thousands of them! 14. She had dressed for the dance. 15. They had remembered (*se souvenir de*) my address. 16. Then she remembered (*se rappeler*) the number. 17. The enemy had taken possession of the country. 18. She had wondered several times why he no longer wrote. 19. They had said to themselves, "Nobody will see us." 20. She has broken her arm. 21. We have washed our hands. 22. It was the excursion he had promised himself. 23. Sparkling eyes and a smiling mouth. 24. There were many children in the yard, playing and shouting at the top of their voices (*à tue-tête*). 25. The little girl was by the door, listening to what her parents were saying. 26. On hearing the news he set out at once. 27. How can one get in?—By paying. 28. He hurt himself while playing football. 29. In doing this, he dropped his glass. 30. We found them in the garden playing tennis. 31. While eating, he read through his correspondence (*son courrier*). 32. They were listening to the orchestra, at the same time sipping (*déguster*) their coffee. 33. One day a peasant, working in a field,... 34. An Englishman, spending his holidays in France,...

13. IMPERSONAL VERBS. AGREEMENT OF SUBJECT AND VERB. INVERSION

(§§ 80–82)

1. There has been an accident. 2. There had been riots (*émeute*, f.). 3. There will be a large crowd. 4. There would be difficulties. 5. There would have been a battle. 6. What is the weather like this morning?—It is fine.—Good! I thought the weather was going to be bad. 7. It is cold—On the contrary, I think it is warm. 8. It is better to tell the truth. 9. It would be better to inform him at once. 10. What is it all about?—It is a question of a watch which has been stolen. 11. It seems to me that he is right. 12. I have 50 francs left. 13. I have nothing left. 14. I have only three left. 15. My friend and I have been to Paris. 16. You and I are old friends, aren't we? 17. You and your brother will come and see us to-morrow. 18. It was I who rang. 19. Has your sister gone away? 20. Is the school large? 21. "You!" he exclaimed. 22. "Who goes there?" the sentinel shouted. 23. "Go away," he repeated. 24. Perhaps you know the reason. 25. Scarcely had they started playing when the others arrived.

14. TENSES: PRESENT, IMPERFECT, PAST HISTORIC, PERFECT, PAST ANTERIOR

(§§ 83–88)

1. What are you writing? 2. When do you see him? 3. I am just writing a few letters. 4. How long have you been working here?—I have been working here for three months. 5. How long had you been waiting?—I had been waiting for half an hour. 6. The children were playing and shouting. 7. He used to spend his holidays in France. 8. He kept repeating it (=he repeated it at every instant). 9. He bought a newspaper every morning. 10. Each evening, at six o'clock, he would go to the café. 11. The house was very old; it was situated near the cross-roads (*le carrefour*). 12. My room overlooked the village square. 13. The road led to a lonely farm. 14. I was working in the garden when he arrived. 15. He got up, went to the door, opened it and looked at the dark landscape. The night was calm; nothing was heard (*se faire entendre*) save the faint rustling (*le bruissement*) of the trees. After a while he closed the door and went back to his chair by the fireside. 16. My uncle stayed there five years.

17. What have you been doing this morning?—I have been working. 18. Did you see them in town this evening? 19. I went to see them yesterday. 20. Where did they go last year?—They went to Paris. 21. Didn't you wake up in time? 22. When he had sold his sheep, he went home. 23. As soon as they had left the house I sent for a policeman. 24. As soon as they had gone, I went to bed. 25. Scarcely had he started to work when someone knocked at the door.

15. FUTURES. SI
(§§ 89–92)

1. Will he not be ready? 2. We shall see (use *aller*). 3. You will take (use *aller*) the second street on the right. 4. He will be coming, won't he?—No, he says he won't come. 5. I asked him to close the window, but he wouldn't do it. 6. Shall I post these letters? 7. When he returns, I will give him your letter. 8. When shall I come?—When you like. 9. I shall have a bath as soon as I get home. 10. As long as I live, I shall never forget that scene. 11. I will come out with you as soon as I have finished my meal. 12. He said he would pick the apples when he had time. 13. They said they would come when they had finished their game. 14. We were about to leave the house. 15. I wonder whether he will arrive in time. 16. I did not know whether he would be able to find his way. 17. If he works, he will succeed. 18. If he worked, he would succeed. 19. If he had worked, he would have succeeded. 20. Should you (=if you) miss that train, there is another at 10.20. 21. If you had come earlier, you would have seen Jean-Paul. 22. If I had woken up at 7 o'clock, I should have got up at once.

16. THE INFINITIVE
(§§ 93–102)

1. He accused them of stealing his apples. 2. Help me to carry this suitcase. 3. I dare not refuse. 4. I have finished watering those plants. 5. She began to cry. 6. Warn him to start early. 7. It is better to leave him alone (*tranquille*). 8. He stopped eating. 9. I am afraid of frightening them. 10. He seemed to think we were laughing at him. 11. I do not encourage you to repeat it. 12. I have undertaken to repair it. 13. I desire to speak to him. 14. He ordered me to empty my pockets. 15. They hoped to win. 16. I advise you to keep silent.

17. They have invited me to take tea at their house. 18. We have decided to sell our furniture. 19. Hurry up and get (*prendre*) your ticket. 20. He succeeded in selling his house. 21. Tell him to wait downstairs. 22. Go and pick some plums. 23. Nothing prevents your going there. 24. He was trying (*chercher*) to break the chain. 25. I tried (*essayer*) to console him. 26. He ran and opened the gate. 27. She was surprised to see me at the dance (*bal*, m.). 28. I had difficulty in finding a room. 29. She avoided speaking to me. 30. I came down to see who was there. 31. I apologize for having come so early. 32. I am learning to drive a motor-car. 33. We prefer to wait.

17. THE INFINITIVE (*contd.*) (§§ 93–102)

1. He hastened to fetch a bottle of wine and some glasses. 2. I hesitate to tell him the news. 3. Be careful not to walk on the flower-beds (*parterre*, m.). 4. We shall not fail to inform you. 5. He has gone up to dress. 6. He was thinking of returning to France. 7. He threatened to strike us. 8. He offered to take me to the theatre. 9. Come and see me one of these days. 10. I have forgotten to close the windows. 11. I have given up writing to them. 12. They were talking of renting (*louer*) a house in the country. 13. He sent me to buy a newspaper. 14. I am anxious to see this film. 15. He forgave me for writing (=having written) the poem. 16. They were getting ready to go out. 17. Allow me to congratulate you. 18. One gets used to sleeping in (*sous*) a tent. 19. I beg you to excuse me. 20. He promised to send me his photograph. 21. He thought he saw (=to see) a light. 22. I refuse to do it. 23. He did not expect to find his brother there. 24. I regret I cannot (=not to be able to) help you. 25. I thank you for sending (=having sent) me the books. 26. I was amusing myself making a wooden seat (*siège*, m.). 27. He resolved to quit. 28. I remember writing (=having written) to them a few months ago. 29. He spends his time reading and gardening. 30. Try (*tâcher*) to get there in time. 31. He attempted to scale (*escalader*) the wall. 32. She wastes her time gossiping (*bavarder*) with the neighbours.

18. THE INFINITIVE (*contd.*) (§§ 93–102)

1. When do you expect (*compter*) to go to Paris? 2. We have just seen your mother. 3. I stood (*rester*) for some time, looking

at this beautiful landscape. 4. He had just come in. 5. A promise to pay?—No, a refusal to pay. 6. I am ready to start. 7. We are forbidden to bathe. 8. I shall have the opportunity of seeing them. 9. He claims to have written a novel. 10. This news was scarcely calculated to cheer us. 11. I was pleased to see them. 12. The children were watching him work. 13. I was obliged to get rid of the dog. 14. The police obliged me to get rid of it. 15. He was the last to go in and the first to come out. 16. I asked to see the ring. I asked him to show it to me. 17. Is this house to be sold? 18. He stopped to look at the goldfish (*le poisson rouge*). 19. An enemy to be feared. 20. So to speak. 21. I did it to help them. 22. He is too old to work. 23. She was not rich enough to have a motor-car. 24. So you haven't anything to do? You are lucky. I have plenty to do. 25. He said it without smiling. 26. After working for two hours. 27. After starting out at 8 o'clock, we had to wait an hour at the station. 28. After settling herself (*s'installer*) by the window, she found that she hadn't her spectacles. 29. He began by telling me that... 30. In the end he burst out laughing (use *finir*). 31. Before writing to him. 32. I didn't go in for fear of waking him. 33. By dint of working, poor men sometimes become rich.

19. INFINITIVE WITH FAIRE, VOIR, ENTENDRE, LAISSER (§§ 103–106)

1. He took me inside. 2. Show this gentleman up to my office. 3. He remarked that the room was rather small. 4. Don't keep him waiting. 5. That makes me smile. 6. This cry made us start (*tressaillir*). 7. We are having a garage built. 8. He has had his bicycle repaired. 9. She has had two frocks made. 10. I had my foot dressed (*panser*) by a doctor. 11. He has his hair cut every fortnight. 12. I made him recommence his work. 13. He makes them pick up the dead leaves. 14. I will get my gardener to cut off the branch. 15. I saw him come out. 16. We saw him pick up the watch. 17. I heard him call. 18. We have heard him play that piece (*morceau*, m.). 19. Don't let the dog eat my hat. 20. He made himself respected by his men. 21. They are letting themselves be beaten by an inferior team (*équipe*, f.).

20. VOULOIR, SAVOIR, POUVOIR, DEVOIR, FALLOIR (§§ 107–111)

1. I wish to see him. 2. He says he won't pay. 3. She was unwell (*souffrante*); she wouldn't come out. 4. I wanted to see his father. 5. I should like to go to Italy. 6. I wish I knew his address. 7. I should like to have seen that film. 8. We should have liked to accompany them. 9. Will you give me their address? 10. Kindly inform us as soon as possible. 11. What does he mean? 12. I don't harbour any grudge against him. 13. Can you drive a car?—No, but I can ride a horse. 14. Can you play to-day? 15. May I ask you for a little service? 16. May he succeed! (*See* §*112*.) 17. If he doesn't come to-day, he may come to-morrow. 18. Could you go out when you liked?—Yes, we could go out every day. 19. He said he might come next week. 20. You could write that later. 21. She could have stayed here. 22. He might have written sooner. 23. She might have been seventeen or eighteen. 24. Men must work and women must weep. 25. I am to see him this evening. 26. I had to go to town every day. 27. I was to meet him at the station. 28. I have had to sell my car. 29. He must have seen us. 30. He had to sell his furniture. 31. You ought to write to them more often. 32. I ought to have refused. 33. What do you require, sir? —I want a pair of gloves. 34. You have to sign here. 35. He must have gone out. 36. I had to feed the chickens every morning. 37. We had to cut the rope. 38. We shall have to stay here. 39. He would have to pay.

21. THE SUBJUNCTIVE

A. (§§ 61, 65)

Give the 1st person singular and plural of the present subjunctive of porter, choisir, entendre, dormir, ouvrir, conduire, craindre, recevoir, battre, connaître, courir, croire, devoir, dire, écrire, lire, mettre, prendre, suivre, tenir, voir, aller, avoir, être, faire, pouvoir, savoir, vouloir.

Give in full (*a*) *the imperfect subjunctive of* avoir, être, fermer, vendre, savoir; (*b*) *the perfect subjunctive of* voir, arriver, se lever; (*c*) *the pluperfect subjunctive of* mettre, aller.

B. (§§ 112–115)

1. Let him take his share. 2. Let him say what he thinks. 3. Although he is rich... 4. Although he has failed... 5. Although

she knew the truth... 6. In order that you may know. 7. He shut the gate, so that the dog should not follow him. 8. The rabbits run away before I can shoot (*tirer*). 9. I knew it before he wrote. 10. I shall see him before I go. 11. I shall stay here until he tells me to go away. 12. He worked until it was too dark to see. 13. I shall wait until he comes back. 14. We shall not start until we have received his telegram (*dépêche*, f.). 15. Unless he is ill. 16. Unless the weather were fine. 17. Unless he has missed the train. 18. Provided he knows the way. 19. He won't come in for fear you may scold (*gronder*) him. 20. They got in without his noticing them.

22. THE SUBJUNCTIVE (*contd.*) (§§ 116–121)

1. He wants me to wait. 2. I wanted him to go and see them. 3. She desires you to write your name on this card. 4. I prefer that you stay here. 5. I am surprised you have not met him. 6. I was afraid he might arrive too late. 7. I regret that your mother is unwell (*souffrante*). 8. I am glad he has succeeded. 9. It is curious that she is so stubborn (*entêtée*). 10. It was a pity that he had lost the address. 11. I hope that your health is good. 12. I doubt that she is very rich. 13. It is possible that we have lost it. 14. Do you think he is clever?—No, I don't think he is very clever. 15. See that the doors and windows are closed. 16. He ordered them to be thrown out. 17. It is one of the best films I have ever seen. 18. Whoever he is... 19. Whatever they have said. 20. Whatever his reasons are. 21. However generous they may be.

23. GOVERNMENT OF VERBS (§§ 122–127)

1. We were looking at the picture. 2. I asked him for a pencil. 3. I am waiting for the bus (*l'autobus*). 4. He listens to the music. 5. I have paid for the tickets. 6. I am looking for a knife. 7. They lived in (*habiter*) a little town near Toulouse. 8. I send them money from time to time. 9. He offered them cigarettes. 10. He promised them a reward. 11. I will lend him my bicycle. 12. She likes you (*tr.* you please her). 13. He resembles his mother. 14. He succeeded his father. 15. Answer my question. 16. The soldiers must obey the officers. 17. I wasn't expecting this result. 18. I buy my tea from a neighbour.

19. He borrows money from his parents. 20. I snatched the revolver from him. 21. They stole her jewels from her. 22. I advised him to rest. 23. He ordered them to sit down. 24. Tell them to wait. 25. I begged him to excuse me. 26. He prevented them from beating me.

24. GOVERNMENT OF VERBS (*contd.*) (§§ 128–130)

1. I perceived the ruse (*la ruse*). 2. Did they suspect it? Nobody suspected it. 3. We do without serviettes. 4. I use your excellent soap. 5. Do you remember his visit?—Yes, I remember it. 6. You have mistaken the door. 7. He got hold of (*s'emparer de*) a big stick. 8. She took pity on the children. 9. I thank you for your kind invitation. 10. He rewarded them for their services. 11. That depends on the weather. 12. You must take advantage of this opportunity. 13. I apologize for my absence. 14. She entered the church. 15. He took some apples out of a basket. 16. He picked up a photograph from the table. 17. He was reading out of a huge Bible. 18. He was drinking coffee out of a glass. 19. The children clapped their hands. 20. She was dressed in white. 21. The king disguised himself as a shepherd. 22. We are starting for Spain to-morrow. 23. He turned to me and said, "Very well." 24. I passed their house this morning. 25. A pigeon has fallen down the chimney. 26. I recognized him by his voice.

25. GOVERNMENT OF VERBS (*contd.*) (§§ 131–132)

1. She ran out of the shop. 2. I ran downstairs. 3. The soldiers swam across the river. 4. They hurried away. 5. He perceived that he was no longer liked. 6. I was present at that meeting (*réunion*, f.). 7. You must change the order of the words. 8. I am going to change my dress. 9. The flat (*appartement*, m.) consists of three rooms. 10. His work consists in filling bottles. 11. We play football every week. 12. She plays the piano very well. 13. You are going to miss the train. 14. He doesn't lack courage. 15. He was thinking of the happy days of his youth. 16. What do you think of my car? 17. We do not answer for his debts (*dette*, f.). 18. This old knife serves to open the tins (*boîte*, f.). 19. This room serves as kitchen and dining-room. 20. I use this powder; it is the powder my mother used.—That

is curious; I use it too. 21. What is the use of complaining? 22. He was anxious to show me his greenhouse (*serre*, f.). 23. I think he takes after his mother.

26. ADVERBS
(§§ 133–137)

1. He no longer writes to me. 2. It is hardly possible. 3. He never struck him any more. 4. Without saying anything. 5. If ever he comes here... 6. Not at all; not yet; not a drop of water. 7. I don't even know him. 8. He certainly isn't here. 9. No more sweets, no more cakes! 10. I told him not to go there. 11. He decided never to say anything. 12. It is a long time since we wrote to them. 13. Be careful he doesn't catch you. 14. It is more difficult than you think. 15. You're not going away?—Yes, I am. 16. Is he here?—I think so. 17. John won't bathe either.—Neither shall I.

27. ADVERBS (*contd.*)
(§§ 138–142)

1. Happily; truly; absolutely; evidently; brilliantly; enormously; deeply; precisely; briefly. 2. He works more quickly than I, but not so quickly as you. 3. He writes as slowly as his brother. 4. These two pupils speak the most fluently (*couramment*). 5. I could see better. 6. It is John who plays best. 7. He did his best. 8. You would do better to stay here. 9. This powder smells nice. 10. That boy works hard. 11. Go straight on. 12. On seeing me, he stopped short. 13. He is rather shy (*timide*). 14. He advanced little by little. 15. That is pretty nearly the same thing. 16. How young he is! 17. You don't know how pleased I am. 18. He crossed the street as though to speak to me. 19. What! you refuse? 20. You don't know how weak he is. 21. Thank you very much. 22. He has a great many sheep, but I have more. 23. More than a thousand francs. 24. Less than three weeks. 25. He earns (*gagner*) more than I and less than you. 26. Little money; a little money.

28. ADVERBS (*contd.*). CONJUNCTIONS. INTERJECTIONS
(§§ 143–147)

1. The day before yesterday; the day after to-morrow; the morrow; the next morning. 2. The day before the battle. 3. He will arrive soon. 4. We started too soon. 5. You must not

leave so early.
man (*le laitier*)
9. Sometimes h
went out. 11.
before. 13. In
from time to t
16. Henceforth
home late. 18.
I met him, he g
and there; som
anywhere. 23.
else. 25. Wher
to see. 27. An
29. Of course w
the time?

1. A letter-b
man in the blac
stop thief! 6. A
by a dog. 8.
were laden with
tone. 12. The
the station? 1
spring; in wint
same time. 18.
boys came to
21. One does th
front of the Tow
there before him
26. One of them
are old soldiers.
the river. 30. H
31. He has been
for you, we sho
seven hours. 3
of five. 37. In
the enemy. 39.
the window. 4

30. PREPOSITIONS (*contd.*)
(§ 149)

1. What were they talking about? 2. At about seven o'clock. 3. He was about to run away. 4. I have written to him about his book. 5. After six weeks he could walk. 6. He was running along the hedge. 7. Because of the rain. 8. Beyond the hills. 9. He is six months older than I. 10. He is back (*de retour*) by now. 11. One by one; step by step. 12. Learn this poem by heart. 13. Do you know him?—Only by sight. 14. I was walking down the street. 15. Have you any news of him? 16. From to-morrow you will start work at eight o'clock. 17. The finest hotel in the town. 18. That takes place in June. 19. In my opinion. 20. He had an umbrella in his hand. 21. They lived next door. 22. A musician friend of mine. 23. What has become of him?—I don't know what has become of him. 24. Must one walk on this side?—No, on the other side. 25. On my arrival. 26. Do not lean out. 27. Outside the town. 28. She wore an apron over her dress. 29. The train doesn't leave until ten o'clock. 30. King Charles climbed up an oak-tree. 31. With all my heart. 32. She is annoyed with you.

SECTION IV

English Prose Passages for Translation

(The numbers in the footnotes refer to the paragraphs of the Grammar Section.)

1. JOHN ANNOUNCES HIS FATHER'S DEPARTURE

JOHN: Good morning, Mr. Martin, how are you?

MR. MARTIN: Very well thanks, and you? What brings you here so early? I hope you are not bringing bad news.

JOHN: Oh no, only Father asked me to come and see[1] you before breakfast to tell you that he will not be able to play[2] golf to-day. He has just[3] received a letter from the Company and he has to[4] start for Italy this morning. He doesn't seem very pleased. He says he is tired of travelling; he would sooner[5] lead a quiet life at home. I can't[6] understand that. I should very much like to go to[7] Italy. They say that some[8] of the cities are marvellous. It must be a much more interesting country than England.

MR. MARTIN: Yes, my young friend, I dare say that at your age your father had those ideas. When one is very young one imagines[9] that all countries are more beautiful and interesting than one's own.[10] It is because one doesn't know[11] them. When a man has travelled for fifteen or twenty years, he knows that people and affairs are everywhere the same. We[12] travellers always come back to[7] England with [13] the hope that we shall not have to leave it any more.

JOHN: I suppose you are right, sir. Well, I must get back as quickly as possible, because Father wants me to[14] help him pack[15] his trunk. He will be back again in[16] a fortnight's time. Good-bye, sir.

1. §94(b). 2. §132; jouer. 3. §101(f). 4. Use *devoir*. 5. Use *aimer mieux*. 6. Unnecessary to translate "can." 7. §5. 8. §53. 9. *se figurer*. 10. §44(b). 11. *savoir* or *connaître*? 12. *nous autres*. 13. *dans*. 14. Subjunctive necessary. §116. 15. *faire*. 16. *en* or *dans*? §148.

2. THE SHADOW ON THE WALL

(*Narrative tense: Past Historic*)

When, after[1] a few minutes, I opened my eyes again, I saw something which I shall never forget. At the far end[2] of the room, on the white-washed wall, I distinctly saw a motionless shadow; it was that[3] of a young girl. The profile was[4] so pure and charming that I felt all my sadness and fatigue melt into a delightful feeling of admiration.

I gazed at the wall for a few seconds, then I looked round to see the girl who cast such a beautiful[5] shadow. There was nobody in the room except the old woman busy laying[6] the table.

I looked at the wall again, but the shadow was no longer there. I thought for a few moments, then I said to my hostess:

"Tell me, who was in the room just now?"

She declared she had seen nobody. I ran and opened[7] the door. The ground was covered with snow, but I could see no[8] footprint.

I asked again:

"Are you sure there isn't a woman in the house?"

"There is only myself."

"But what was that shadow?" I cried.

The old woman came close to me and looked at me attentively with her dim, tired eyes.

"I see now who you are," she said. "All the men of your family imagine they see a woman that nobody else[9] sees. It is a punishment from God."

1. *au bout de.* 2. *au fond.* 3. §40. 4. *en* necessary in this phrase. 5. §51. 6. busy (doing) = *occupé à (faire)*. 7. §94(b). 8. *aucun.* §47. 9. §45.

3. BLUEBEARD CATCHES ANOTHER![1]

(*Narrative tense: Past Historic*)

Her husband came home that same evening. He told her that he had received letters on the way, informing him that the business for which[2] he was going to the city had just[3] been completed to his advantage. She did her best[4] to show him that she was delighted at[5] his prompt return.

The next morning he asked her for the keys, and she gave

them to him, but with[5] so trembling a hand that he guessed without difficulty what[6] had happened.

"How is it,"[7] he asked, "that the key of the small room is not with the others?"

"I must have[8] left it upstairs on my table," she answered.

"Do not fail to[9] let me have it before the evening," said Bluebeard.

When at last she brought the key, Bluebeard, having examined it carefully, asked:

"Why is there blood on this key?"

"I don't know," answered the poor woman, half dead[10] with[5] fright.

"You don't know?" went on Bluebeard. "Well, I[11] do. You have been into the small room, although I forbade[12] you to do so.[13] To-morrow you shall go and keep company with the ladies you saw in there."

The poor woman threw herself at her husband's feet, weeping and asking his forgiveness. She would have softened a rock, beautiful and distressed as she was, but Bluebeard's heart was harder than a rock.

1. *en* necessary in this phrase. 2. §35. 3. §101(f). 4. To do one's best = *faire de son mieux.* 5. Preposition? 6. §37. 7. *D'où vient que* (+ indicative). 8. Use *devoir*; §110. 9. *manquer de.* 10. §22. 11. Emphasize. 12. Mood? §115. 13. Say: "to do it."

4. LETTER FROM AN AMERICAN GIRL[1]

I love doing things which other people don't do. When I read the account of your wonderful voyage, I felt I ought[2] to do something[3] extraordinary myself. You know that a man is supposed to have more courage than a woman, and I am hardly a woman yet, being[4] only twenty, but I am sure I have more courage than most[5] men. I have just[6] arrived on foot from Los Angeles, having covered the distance of two thousand miles[7] and crossed a desert. I am not afraid of travelling at night; in fact the darker[8] the night, the more[8] I love to be alone. I don't know what[9] it is to be afraid. One day I hope to go to[10] Africa. I don't know what I shall do there, but I shall find something to do which other people are afraid of doing.

Now won't[11] you take me with you when you start[12] for those lovely coral islands of the Pacific, where the natives feed on coco-nuts and put flowers in their fuzzy hair? I should make an excellent cabin-boy. Try to write to me soon; I shall be longing[13] for your answer.

1. Say: "a young American" (f.). 2. §110. 3. §7(b). 4. §24. 5. §7(a). 6. §101(f). 7. *mille* (=mile) takes the plural form; *mille* (=1,000) is invariable. 8. *plus . . . plus . . .* §142; plus. 9. §37. 10. §5. 11. *vouloir*. 12. Tense? §89(a). 13. to long for = *attendre avec impatience*.

5. THE OLD FATHER

(Narrative tense: Past Historic)

The next morning, before[1] ten o'clock, the old peasant got out of the local train at Bionville. As soon as he set foot[2] on the platform, he looked for his son among the porters busy[3] opening doors and removing luggage from the guard's van. He wanted to see his son again, but he dreaded meeting him in this place and in front of so many people.

Not seeing Jules on the platform, Biget went out of the station and began to wander about the town. It had been raining for[4] several hours and the streets were almost deserted. He had been told[5] that his daughter kept the Café du Faucon, but the passers-by whom he asked did not know[6] it. After walking[7] for more than[8] an hour, he at last discovered the café in a dirty narrow street right[9] at the end of the town.

It was a low, wretched house with only one window. The old peasant was ashamed that his daughter lived[10] in such a place, she who had been brought up in a large farm-house with[11] spacious rooms.

He opened the door, went in and found himself in a long room furnished with[12] small tables and stools. There was nobody there. He struck one of the tables with his fist and almost at once another door opened[13] and a young woman appeared, blinking her eyes and rubbing her hands on her dirty apron. Although the room was[14] badly lighted, she recognized the visitor.

"Oh, it's Dad!" she said. "Here's a surprise! It's such a long time since[15] I saw you."

1. *devant* or *avant*? 2. to set foot = *poser le pied*. 3. busy (doing) = *occupé à (faire)*. 4. Tense? §84(a). 5. Use *on*. 6. *savoir* or *connaître*? 7. Say: "After having walked." §102(c). 8. *que* or *de*? §142; plus. 9. *tout*. 10. Mood? §117. 11. §4(b). 12. Preposition? 13. Reflexive. 14. Mood? §115. 15. §137.

6. HOW ONE SHOULD EAT OYSTERS

(*Narrative tense: Past Historic*)

We went aboard the steamer and after walking[1] round the deck several times, we sat down on a bench and watched the sailors ship the luggage.

A few minutes later the siren went[2] and the steamer, leaving the jetty, moved away over a sea as smooth as a marble table. We watched the coast recede,[3] happy and proud like all people who[4] have travelled little.

We chatted for some time, then my father got up and said to my mother: "I am going to buy some oysters from[5] that old sailor over there. Come[6] with me; the old fellow will open them for you and you can eat them at once. John and Marie, you will[7] stay here; oysters aren't good for children."

My parents walked away towards the old ragged sailor. Close to him stood two gentlemen and two smart-looking ladies. As[8] he opened[9] the oysters with his big knife, he passed them to the gentlemen, who afterwards handed them to the ladies. They ate in[10] a delicate manner, holding the shell on a handkerchief and pushing forward their lips so as not to spot their dresses; then they drank the liquid with a little quick movement and threw the shell into the sea.

In trying to imitate the ladies, my father spilt all the water down[11] his jacket, which he had cleaned that morning[12] with petrol. How annoyed Mother was![13]

"They are the most disgusting things I have[14] ever eaten," she declared when she came back to us.

1. Say: "after having walked." §102(c). 2. Use *retentir*. 3. §94(c). 4. Say: "like all those who." 5. Preposition? §126. 6. 2nd singular. 7. Say: "you are going to stay." 8. *à mesure que*. 9. Tense? 10. Preposition? 11. *sur*. 12. §39. 13. Word order? §141; comme. 14. Mood? §120.

7. AT THE SEA-SIDE

(*Narrative tense: Perfect*)

Last year we spent our holidays on the coast of Normandy. —At Deauville?—No, prices are too high in fashionable resorts like Deauville. A friend of mine[1] had spoken to me of a little village where there were only two or three hotels and a few fishermen's cottages, and we decided to go there for the first fortnight in[2] August.

We were not disappointed. Sallens is a delightful place; the hotels are good, the beach is excellent and the surroundings are most picturesque; moreover it is a centre from which[3] one can make all sorts of pleasant excursions.

How did we spend the time? Well, in the morning we generally took a walk along the beach or in the country; in the afternoon we used to go by[4] car to another resort or to a neighbouring town.

You ought[5] to visit that coast, it is marvellous. I have never seen so many fine hotels and pretty villas. Among the visitors you[6] meet not only French and English people but also Americans, Italians and Spaniards. Everywhere you[6] see lovely children and pretty, well-dressed women. What it is to be[7] rich!...

Our hotel was comfortable and several of the people we met there were very nice. We made the acquaintance of a French doctor and his wife who were really charming people. This lady had been an[8] actress and she talked far more than her husband! She had a dog which she called Chouquet. At lunch and dinner she used to put this dog on a chair beside her and feed him with small pieces of meat. Sometimes the doctor would say to her jokingly:[9]

"I think Chouquet's menu is much better than ours."[10]

1. Say: "one of my friends." 2. *de.* 3. Say: "from where." 4. *en.* 5. §110. 6. *on.* 7. *Ce que c'est que d'être...* 8. §8. 9. Use a verb. 10. §44(b).

8. A VISITOR'S DEPARTURE

(*Narrative tense: Past Historic*)

When the meal was[1] over I got up to take leave of my hosts. They would like[2] to have kept me a little longer, to talk about their dear grandson, but night was falling and I was a long way from home; I had to[3] go.

The old fellow had got up at the same time:[4]

"My dear," he said to his wife, "go and get[5] me my overcoat; I want to go with him as far as the square."

The old lady very likely thought that her husband ought[6] not to go out on[7] such a chilly evening,[8] but she did not try to prevent[9] him. However, as she was helping him to put on his overcoat, she said to him quietly:

"You won't come back too late, will you?"

"Well, I don't know; one never knows what will happen," he replied with a smile.

It was nearly dark when we set out. We walked slowly along the narrow street which led to the square.

"You aren't cold, are you?" I asked.

"Not at all, sir," answered the old fellow. "It is certainly rather chilly this evening, but I am well wrapped up. Don't you worry, I am very fit. Your presence to-day has cheered me up wonderfully.[10] I am so glad you came[11]... And now I must go back or my wife will[12] be worried. Good-bye, sir. When you see[13] Maurice, you'll[12] tell him to come and see[14] us soon, won't you? Good-bye, sir."

1. Tense? 2. §107. 3. Use *falloir*. 4. §143; temps. 5. §94(b). Use the 2nd singular here. 6. *devait*. 7. Preposition? §28. 8. Say: "an evening so chilly." 9. *en* necessary (to refer to the underlying idea of "from doing it"). 10. Say: "in a wonderful way." 11. Mood? §117. 12. Use *aller* to express the future here. 13. Tense? §89(b). 14. §94(b).

9. MEMORIES

(*Narrative tense: Past Historic*)

I came across[1] Mme Sérine when I was at Royat, taking the waters. To-day half a century weighs on the beauty which so entranced me when I was sixteen, yet this faded beauty still has grace.

I met her one day as[2] I was walking in the park. I raised my hat and said, "Good morning, madam." She recognized me at once. We sat down together on a seat and talked for a long time. We found a thousand interesting things to tell each other. After that we met every day and our conversations helped us to while away pleasantly the long summer days.

"How beautiful you were,"[3] I said to her one day, "and how you used to be admired!"

"It is[4] true," she replied smiling; "I can say it now that I am an old woman. This memory consoles me for[5] growing old. But I should surprise you if I told you which,[6] of all the compliments I ever received, touched me most."

"I am curious to know,"[7] I said.

"Well, I will[8] tell you. One evening, very long ago, a young college boy felt so flurried[9] on meeting me that he answered

'Yes, sir,' to a question I asked him. There is no mark of admiration which has[10] so much pleased and flattered me as that *Yes, sir*, and the way in which it was said."

1. *retrouver*. 2. §36; Note. 3. Word order? §141; comme. 4. *il est* or *c'est*? §41(b). 5. *de*. 6. *celui*. 7. Say: "to know it." 8. Use *aller* to express the future here. 9. Say: "experienced such confusion." 10. Subjunctive.

10. A GIRL DESCRIBES A FRIEND'S VISIT

(*Narrative tense: Perfect*)

Last night[1] I was sitting by[2] the fire reading a novel, when somebody knocked at the door. My mother looked at the clock, then said to me: "I wonder who that can be. It certainly[3] isn't your[4] father; he doesn't get home until[5] a quarter to six and it is only twenty past five. Go and see[6] who it is; I am busy but you[7] are doing nothing."—"But, mother, I am just reading[8] a very interesting chapter of my novel; you could[9] go as well as I."—"Come,[10] my child, when I ask you to do something for me I want you to[11] do it at once." As she was finishing her sentence there was a second knock.[12] I got up from my arm-chair and ran to open the door. What a surprise! It was Madeleine! I said to her: "How sorry I am[13] to have kept you waiting.[14] If I had known it was you, I should have come to the door at once. I was reading a novel and I didn't want to leave it. Isn't it cold to-night?"

When we entered[15] the drawing-room, Madeleine shook hands with my mother, who exclaimed: "My poor child, your hands are frozen![16] Come and warm[6] yourself by the fire."

1. Say: "yesterday evening." 2. *auprès de*. 3. Word order? §135(a). 4. 2nd singular. 5. §115; "Not until." 6. §94(b). 7. Emphasize. 8. Use *être en train de*. 9. Tense? §109(a). 10. *Allons*. 11. Subjunctive necessary. §116. 12. Turn by using "to knock." 13. Word order? §141; comme. 14. To keep waiting = *faire attendre*. 15. Preposition required. 16. Construction? §4.

11. TREASURE TROVE

(*Narrative tense: Past Historic*)

On reaching his hotel, Marcel ran up[1] to his room and changed[2] his clothes with the haste of an assassin stripping off a blood-stained[3] shirt. In[4] less than[5] half an hour he was hurrying to the station, suit-case in hand.[6] He had constructed in his mind a very simple plan, which was certain to succeed by its very simplicity. He would go by rail to Neuville, which was only ten miles[7] from Clisson. There he would take a bus, which would set him down a few hundred[8] yards[7] from the mansion. When he had[9] taken possession of the box containing the jewels, he would return to Neuville and there take the train to Paris.

The box lay[10] just[11] where he had left it. He quickly placed it in the suit-case, and having glanced round him to make sure that nobody was watching him, he ran back[1] to the road.

When he reached Clisson, he went into the café to rest[12] and drink something to calm his nerves. By luck, one of the customers was about to start for Neuville and offered Marcel a seat in his motor-car. He was a commercial traveller[13] and he talked incessantly about his own business, which[14] did not displease Marcel, for he did not want this man to[15] ask him any embarrassing questions.

1. §131. 2. §132; changer. 3. Say: "stained with blood." 4. Preposition? 5. *de* or *que*? §142; plus. 6. §4(a). 7. Supply *à*. §23. 8. §21. 9. Tense? §89(b). 10. Use *se trouver*. 11. *exactement*. 12. Reflexive. 13. §8(a). 14. §37(a). 15. Subjunctive necessary; §116.

12. BEAUTY AND WIT

(Narrative tense: Past Historic)

One day when[1] the Princess had retired to a little wood close to the palace, there to weep over her misfortune, she saw coming[2] towards her a little man, very ugly but dressed in[3] magnificent clothes. He was[4] a prince of a neighbouring kingdom.

After paying[5] her the usual compliments, he said to her: "I do not understand, madam, how a person as beautiful as yourself can be as sad as you seem to be[6]; for although I may[7] boast of having seen an infinite number of fair ladies, I can say I have never seen any whose beauty is[11] comparable with yours."

"I should prefer," said the Princess, "to be as ugly as you and have wit, than have beauty and be as stupid as I am."[6]

"There is nothing, madam," went on the Prince, "that shows more clearly that one has wit than to believe that one hasn't any."

"I don't understand that," answered the Princess, "but I know I am very stupid and this knowledge makes[8] me very unhappy."

"If that be[9] the only thing which distresses you, madam," said the little man, "I can easily put an end to your trouble. I have the power to impart wit to the person I love most, and as you are that person, madam, I am willing to use my power, provided you are willing[10] to marry me."

1. §36; Note. 2. §94(c). 3. Preposition? 4. §41(a). 5. Say: "After having paid"; §102(c). 6. §33(d). 7. Mood? §115. 8. Verb? §103; Note. 9. Tense? §92. 10. Mood? §115. 11. Subjunctive.

Le dimanche en France

13. SUNDAY IN FRANCE

(*Narrative tense: Perfect*)

Although I do not write[1] very often I think of[2] you every day. Life is very pleasant here. In spite of all the work I have to do, I find time[3] to go out with my friends. Every week I play[4] football with the students. Last Sunday we went to play at Thiers, a little town about[5] fifty miles from here. You will[6] laugh when I tell you that we caught a train at half-past five in the morning! When we reached Thiers, we went and had[7] breakfast in a large café, after which[8] we went for a stroll in the town. At about ten o'clock we returned to the café, where we played[4] cards and billiards until lunch time.[9] It happened[10] that the owner of the café was the president of the Sports Club,[11] and he gave us a wonderful meal. I don't know what his idea was, but after lunch he invited everybody to drink liqueurs. He said they were very good for the digestion! You will not be surprised to learn that when the time[9] of the match came, half our players felt inclined to sleep! However, at two o'clock, we went down to the football ground, where there were already many spectators waiting[12] for the start of the match. It was a very funny game and, although we were beaten, we enjoyed ourselves very well.

1. Mood? §115. 2. Preposition? §132; penser. 3. *le temps*. 4. §132; jouer. 5. Supply *à*. §23. 6. Use *aller*. 7. §94(b). 8. §38. 9. *le temps* or *l'heure*? 10. *Il se trouvait que*. 11. *Club sportif*. 12. Say: "who were waiting."

14. A STRANGE ADVENTURE

(*Narrative tense: Past Historic*)

Night fell, the train travelled on[1] at full speed. The Countess tried to sleep, but she felt too enervated and unwell. Suddenly the idea occurred to her to count the gold coins her husband had given her as[2] she was starting out. She opened her bag and emptied the coins into her lap.

But as she was beginning to count them, a cold draught struck her[3] face. She looked up in surprise.[4] The door of the compartment had just[5] opened.[6] The Countess quickly threw a shawl over her money and waited. A few seconds went by,[7] then a man appeared, bare-headed, gasping, with his[3] right hand bleeding. He closed the door and sat down; then he bound up the injured hand with his handkerchief.

The young woman was[8] seized with terror. This man had certainly seen her counting[9] her gold and had come to rob and kill her.

When he had[10] bound up his hand, he looked at her and said: "Don't be afraid, madam, I am not a robber."

She said nothing. Suddenly the gold coins began to slip one by one from her dress on to the floor[11] of the compartment. The man looked at all these coins in astonishment,[4] then bent down to pick them up. The Countess covered her[3] face with her[3] hands.

"Listen to me, madam," said the stranger, "I am no robber, and the proof is[12] that I am going to pick up all this gold and give it back to you. I have done nothing[13] contrary to honour, but I am a hunted man and I want you to[14] help me to get over the frontier."

1. *rouler*. 2. Use *au moment où*. 3. §4. 4. Translate by a past participle. 5. §101(f). 6. Reflexive. 7. Use *s'écouler*. 8. Tense? §74(c). 9. §94(c). 10. Tense? §88. 11. *le tapis*. 12. *c'est*. 13. §7(b). 14. Subjunctive necessary; §116.

15. HE OUGHT TO HAVE[1] PAID

(Narrative tense: Past Historic)

One day Pépin, who sometimes earned a little money by clipping[2] dogs, saw a gentleman walking along the street followed by an ugly long-haired[3] water-spaniel.[4]

"There's my customer," he said to himself, and quickening his step, he overtook the gentleman.

"Excuse me, sir," he said, "I am a[5] dog-clipper and I see that your water-spaniel needs smartening up[6] a little. Would you like me to[7] clip him?"

"Smarten him up?" said the other. "Well, that can't do him

any harm. If he were clipped, he would look much more handsome, wouldn't he?"

So Pépin set to work, and the gentleman watched him skilfully remove the superfluous hair.

When the job was[8] finished, Pépin said to his customer:

"Well, sir, what do you think of[9] him now?"

"It[10] suits him very well."

"That will be six francs," went on Pépin. "Usually I charge[11] twelve francs, but to-day I am so pleased to have a customer that I am only charging half the ordinary price."

"It isn't dear," said the gentleman; "you've clipped him very well. Good morning!" and he walked away.

Pépin ran after him, crying: "I say,[12] sir, what about[13] the six francs?"

"Six francs!" exclaimed the gentleman, "*I*[14] don't owe you anything. This dog isn't mine; he has just [15] followed me along the street; it's the first time I have seen[16] him."

1. §110. 2. §79(b). 3. *à long poil.* 4. *barbet* (m.). 5. §8(a). 6. to smarten up =*rafraîchir.* 7. Subjunctive necessary; §116. 8. Tense? 9. §132; penser. 10. *Cela.* 11. *prendre.* 12. §147. 13. Say: "And the six francs?" 14. Emphasize. 15. §101(f). 16. Present in French.

16. HOW THEY DROWNED THE BUST

(*Narrative tense: Perfect*)

In this French school[1] it was the custom after the drawing examination to throw the bust into the Park[2] pool. This was what the pupils called "drowning[3] the bust." But to be able to do this, it was necessary for them to escape the vigilance of the authorities, which[4] was not easy.

One June afternoon[5] I witnessed a veritable battle for the possession of the bust. I was working quietly in my room, when suddenly I heard laughter and shouting[6] in the main quadrangle.[7] I went to my window and saw a group of about twenty pupils advancing towards the entrance door. They were laughing and joking among themselves,[8] and one of them[8] was carrying some large, heavy object wrapped in[9] paper. Near the door stood four masters, and it[10] was evident that they wished to prevent the pupils from taking the bust away. Suddenly they rushed towards the boys and attempted to seize the one[11] who was carrying the package. There was a scrimmage, and the boys finally ran away[12] to the other end of the quadrangle.

But just at that moment I saw a pupil run across the quadrangle with[13] a bust in his arms and dash through the door. The others, seeing their comrade escape, burst out laughing and straightway gave up their package to the masters: it was merely a large piece of wood wrapped in a lot of paper! So the bust was drowned after all!

1. *lycée* (m.). 2. the Park = *le jardin public.* 3. Infinitive. 4. §37(a). 5. Say: "One afternoon of June..." 6. Say: "laughs and shouts." 7. main quadrangle = *la cour d'honneur.* 8. §32(i). 9. *de.* 10. *il* or *ce*? §41(b). 11. §40(a). 12. Say: "finished by running away." 13. Do not translate "with." §4(a).

17. A KINDLY DOCTOR

(*Narrative tense: Past Historic*)

The doctor found the journey quite pleasant. The weather was[1] fine, although very cold; the sun glistened on the snow, and the hedges and woods were powdered with hoar-frost; the ground, as hard as iron, rang gaily under the horse's hoofs.

Soon, through the trees, he perceived smoke rising from a group of white house-tops: it was the village of Verneuil. Five minutes later he dismounted under the porch of an old manor-house, where lived a lady he had known for[2] many years. Although this lady enjoyed[3] excellent health,[4] she liked the doctor to[5] visit her occasionally, because he conversed well and brought her all the news.

This time his visit lasted longer than usual. The lady invited him to[6] have lunch with her, and they spent the afternoon chatting[7] by the fireside. It was striking six[8] by[9] the church clock when the doctor set off for the town.

He had been travelling for[2] a quarter of an hour, and had just started along[10] the narrow road which passes through the woods, when he heard behind him a sound of footsteps. He stopped, looked round and soon made out the figure of a man.

"What do you want?" asked the doctor when the man came up.

"There is a woman in the village who has been run over by a wagon. Will you come and[11] attend to her, sir?"

"Someone ought to have[12] told me that before I left[13] Verneuil," said the doctor. "Never mind, I'm quite willing to go back; show me the shortest way to get to her house."

1. §28. 2. §84(a). 3. §115. 4. §1. 5. §116. 6. Preposition? 7. *à causer.* 8. *Six heures sonnaient.* 9. *à.* 10. *s'engager dans.* 11. §94(b). 12. §110. 13. Subjunctive; §115.

18. A VICIOUS CIRCLE

(*Narrative tense: Past Historic*)

Sarrat was twenty-five. He was a[1] hairdresser. Facing his little shop, there was a large house containing numerous flats.[2] The caretaker of this building used to have his hair cut[3] at Sarrat's. He was[4] a pleasant and obliging old fellow, and it was said[5] that he was fairly well-to-do.

Now this caretaker had a very pretty daughter named Marcelle, and Sarrat, who used to see her go by several times each day, began to think it would be very nice to have a charming young wife. So one day he plucked up courage and called on the old man to make the proposal. He was[6] accepted on the spot and the wedding-day was soon fixed.

A few days before the ceremony Sarrat needed a little ready money and decided to borrow a hundred[7] francs from[8] his future father-in-law.

When he went to see him, the old fellow said that he had just[9] settled some accounts, but would lend him the money the next day.

That evening[10] Marcelle's brother called on Sarrat and asked him to lend him a hundred francs.

"Well," said Sarrat, "I am short of[11] money to-day, but if you come[12] and see[13] me to-morrow, I shall be able to lend you something."

The next day, in the caretaker's lodge, Sarrat said quietly to the old man: "I have come[14] for the hundred francs." The latter turned[15] to Marcelle and asked: "Have you got that money?" Marcelle, in her turn, said to her brother: "You haven't forgotten my hundred francs?" And the brother took Sarrat into a corner and whispered: "Can you lend me those hundred francs now?"

The marriage did not take place.

1. §8(a). 2. §6(b). 3. §104. 4. §41(a). 5. Use *on.* 6. Tense? §74(c). 7. §1. 8. Preposition? §126. 9. §101(f). 10. §39. 11. *à court de.* 12. Tense? §92. 13. §94(b). 14. Present in French. 15. *se tourner vers.*

19. A GIRL RELATES AN INCIDENT TO HER FRIEND

(*Narrative tense: Perfect*)

Last night[1] I went to the cinema with Madeleine. The films were good and we enjoyed ourselves very well. There was a Disney which made everybody laugh. It is the best I have[2] ever seen. French people, you know, are very fond of these films; my correspondent speaks of them every time[3] she writes to me.

But I must tell you something. When I got home at a quarter past ten, Father said to me: "Have you seen the dog?"—"No, why?" I asked. "Well," said Father, "I let him out[4] at half-past seven and we haven't seen him since. It is rather annoying, because I can't go to bed before he returns.[5] Will you go and see[6] if he is anywhere in the street?"

I put on my coat and went out. I couldn't see the dog anywhere. After whistling[7] him for[8] several minutes, I went back to the house. "Well," said Father, "you and your mother had better[9] go to bed. I will[10] read my newspaper until[11] the dog comes back."

I went to bed, but I did not sleep: I was thinking of[12] the dog.

Half an hour later, someone knocked at the door. After a few moments I heard a man say:[13] "Good evening, sir, I have brought back your pretty little dog. He followed us home and we gave him something to eat. My wife likes dogs and she insisted on[14] keeping him the whole evening.[15] I am afraid it is[16] very late, but I hope you will excuse us. Good evening."

My father was very annoyed but he didn't say anything impolite.[17] How stupid people are![18]

1. Say: "yesterday evening." 2. Mood? §120. 3. *toutes les fois que.* 4. to let out = *laisser sortir.* 5. Mood? §115. 6. §94(b). 7. Say: "After having whistled." §102(c). 8. *pendant* or *pour*? 9. Say: "would do better to." 10. Use *aller.* 11. *en attendant que* + subj. 12. Preposition? §132; penser. 13. Say: "who was saying." 14. *pour.* 15. *soir* or *soirée*? 16. See §117(a). 17. §7(b). 18. Word order? §141; comme.

20. A LITTLE GIRL'S SACRIFICE

(*Narrative tense: Past Historic*)

On leaving Mme Lumeau's flat, Henriette and the maid walked down towards the river, where they were going to take the river-steamer for Passy. When they reached the landing-stage, there was not a single boat in sight. The maid thought it would be better[1] to take the bus or a taxi, but Henriette insisted on[2] waiting for the boat.

She stood[3] for some time watching the fishermen, wondering why these men fished from morning till night, knowing well that they would catch nothing. Has anybody ever caught a fish in the Seine?

Suddenly she caught sight of a rough-looking[4] man who was leading a little dog by a piece of string. What a wretched little creature! It was thin, dirty, hideous to look at.[5]

Henriette watched the man slowly walk down to the landing-stage, dragging the dog after him.

"How that poor creature must have[6] suffered!" she said to herself. "I wonder what[10] that awful man is going to do with it.[7] He isn't going to drown it? Yes,[8] that is what he intends doing. But he mustn't do that! I don't want the dog to be[9] drowned!" And in spite of the maid who ran after her and called her back, she rushed down to the water's edge.

"Stop!" she cried, seizing the man's arm. "I don't want you to[9] hurt that poor dog. Why are you ill-treating it in[11] this way?"

"Because I can't afford to feed it," was the reply.

"Well, give it to me,[12] I'll[13] feed it; here are ten francs, it is all[14] I possess." And Henriette took the money out of[15] her purse and gave it to the man, who walked away whistling.

1. §94(a). 2. *pour.* 3. *rester*; §97. 4. *de mauvaise mine.* 5. Use *voir.* 6. §110. 7. with it = *en.* 8. Be careful! 9. Subjunctive necessary; §116. 10. §37(b). 11. Preposition? 12. §30(b). 13. Emphasize. 14. §37. 15. §130.

21. A CHEAP RING

(*Narrative tense: Past Historic*)

One evening Mr. Rollin had just[1] come out of his office, when he was[2] accosted by a man who looked like[3] a carpenter or a mason.

"I say, sir," began this individual, "I think I have[4] met you somewhere[5] before.[6] No? Well, that doesn't matter. Listen; I've got something[7] good to offer you. I am a[8] carpenter and I am working in a building quite near here. Just now, while removing a floor, I found this gold ring. I want to get rid of it, but I don't want to give it to the police. It is a magnificent ring; look at it yourself."

Saying this, he placed in Mr. Rollin's hand a ring of yellow metal which might[9] very well have passed for a gold ring of great value. Fortunately Mr. Rollin had already heard of these gentlemen who try to sell rings in the street. Moreover he had noticed a policeman coming slowly along the street and he knew he would have no difficulty in[10] getting rid of his man.

"I am quite willing to buy the ring," he said, "how much are you asking for it?"[11]

"Don't speak so loudly, sir," said the other, "that policeman might[9] hear you. I only ask twenty francs for it,[11] although it is[12] worth ten times as much."

The policeman was now[13] only a few steps away.[14]

"You say you have just[15] found it?" went on Mr. Rollin in a loud voice, looking in the direction of the policeman. The man understood perfectly what he meant and ran away as fast as he could.

1. §101(f). 2. Tense? §74(c). 3. to look like = *avoir l'air de*. 4. Turn by an infinitive; §95. 5. §144; part. 6. *déjà*. 7. §7(b). 8. §8(a). 9. §109(a). 10. *à* + infinitive. 11. *en*. 12. Mood? §115. 13. Use *ne...plus*. 14. *à quelques pas*. 15. §101(f).

22. AN AFTERNOON ON THE RIVER

(*Narrative tense: Perfect*)

Last Saturday, as the weather was very warm, we went boating[1] on the river. After lunch we went down to Sureau's[2] to hire a boat. We went up[3] the river as far as the Three Islands, where we landed to buy some cakes and lemonade at the little café kept[4] by Mrs. Barbin. However, as we were tired of rowing, we decided that we would go no farther, but would spend the afternoon in the garden of the café.

What a delightful spot! Lying[5] on the grass, in[6] the shade of trees, we listened to the radio and watched the boats go by. At about four o'clock we bathed. Roger, who can't[7] swim, had to stay near the bank where the water is shallow, but he enjoyed himself very well. After the bathe, we dressed[8] and went into the café to drink some more lemonade. How we perspired! I wonder if it is[9] wise to drink a lot of lemonade when one is very hot.

We started back[10] at six o'clock and reached Sureau's a little after seven. When I got home, my mother said to me: "What have you been doing? Your face is all red." I told her that I had had[11] a sun-bath. "You will have to put some cream on," she said.

I went up to my room and put a great deal of cream on my burning skin. When I came down, Mother looked at me and burst out laughing. I looked at myself in the mirror: what a complexion!

1. *faire une partie de canot.* 2. *chez Sureau.* 3. *remonter.* 4. Use *tenir.* 5. §73. 6. Preposition? 7. *savoir* or *pouvoir*? §108. 8. Reflexive. 9. *c'est* or *il est*? §41 (b). 10. *repartir.* 11. Use *prendre.*

23. THE ENEMY SOLDIERS

(*Narrative tense: Past Historic*)

Martha fetched the soldiers a jug of cider, then she had[1] her meal with her mother at the other end of the kitchen.

The men had finished eating and all six[2] were falling asleep round the table.

Martha said to the sergeant:

"Lie down in front of the fire, there is room for six men. Mother and I are going off to bed."

And the two women mounted the stairs and went into their room. They were heard[3] to lock their door and walk about for several minutes; then there was complete silence.[4]

The soldiers lay down on the flagstones, with their feet[5] to the fire, their heads supported by their rolled-up greatcoats.

They had been sleeping[6] for some time, when a shot rang out, so loud that one would have thought it was[7] fired close to the walls of the house. The soldiers sat up[8] at once. At the same time[9] Martha appeared at the bedroom door, bare-footed, and with a candle in her[10] hand.

"Here are the French," she said in[11] a scared voice; "there are at least two hundred of them.[12] If they find[13] you here, they will[14] burn the house. Go down quickly into the cellar and don't make any noise, because if any one hears[13] you, we are all lost."

"All right, all right," said the sergeant; "how does one get down there?"

1. *prendre.* 2. Say: "all the six." 3. Use *on.* 4. §1. 5. §4(a). 6. §84(a). 7. Do not translate "was." 8. *se redresser.* 9. §143; temps. 10. Not the possessive in French; §4(a). 11. Preposition? 12. Say: "they are at least two hundred." 13. Tense? §92. 14. Use *aller* to express the future here.

24. THE POPLAR TREE

(*Narrative tense: Past Historic*)

One summer morning[1] the two boys got up at five o'clock, intending to go for a long ramble in[2] the country. After breakfast they set out from the house and made for the river, which flowed in a lovely valley between wooded hills.

Towards ten o'clock they felt[3] tired and sat down on an old tree-trunk to rest.[3]

"I am afraid we shall be[4] late for lunch," said Robert.

"That is true," replied his brother. "If we go back[5] the same way,[6] we shall certainly not[7] be home by[8] twelve. There is only one thing to do, that is to cross the stream."

How were they to do this? Suppose[9] they constructed a raft? But how? They would need planks and empty barrels. No, it[10] was impossible; they would have to[11] discover another way.

Suddenly they thought of the little hatchets they carried at their belts. Although they seldom used[12] these hatchets, they carried them to look like[13] Redskins.

"Let us cut down a tree," said John. Accordingly they began to hack the trunk of a poplar which was not far from the water's edge. They attacked it on[14] the side facing the stream, so that[15] when it fell,[16] it would form a bridge. After[17] a quarter of an hour a crack was heard;[18] the poplar slowly bent and finally[19] came down with a loud crash.

Having crossed the stream, the boys made their way homewards. It was now terribly hot and they were both very thirsty. They walked on in silence, each busy with[20] his own thoughts.

"We've done something wrong,"[21] said Robert at last.

"What do you mean?" asked John, looking at his brother.

"We have just[22] cut down a tree which doesn't belong to us. We shall have to tell Father and he will be very annoyed with[23] us."

1. Say: "one morning of summer." 2. Preposition? 3. Reflexive. 4. Mood? §117(a). 5. Tense? §92. 6. Say: "by the same way." 7. Word order? §135(a). 8. *à*. 9. *Si*. §92. 10. *il* or *ce*? §41(b). 11. Use *falloir*. 12. Mood? §115. 13. Use *avoir l'air de*. 14. Preposition? 15. *de sorte que*. 16. Say: "in falling." 17. *Au bout de*. 18. Use *se faire entendre*. 19. Use *finir par*. 20. Preposition? 21. §7(b). 22. §101(f). 23. *contre*.

25. AN UNHAPPY DAY

(*Narrative tense: Perfect*)

What a day! This morning I began by[1] missing the train. When I arrived at school, the first person I saw was the Head Master[2] himself. He was walking along[3] the corridor, but on seeing me he stopped.[4] After looking[5] at me for a moment, he said: "You have just[6] arrived, I suppose. What day[7] is it?"—"It is Thursday, sir."—"How old are you?"—"I am fourteen, sir."—"You look[8] very tired this morning; you ought[9] to go to bed early. Why are you late?" I explained to him that I had had to do several things for my mother before leaving home, and that I had missed the train. "Well," said the Head Master, "you will not be punished this time, but in the future you will have to do your best[10] to get to school in time."[11]

I went at once to the Mathematics room.[12] On seeing me enter, Mr. Minten opened his eyes wide[13] and said: "My boy, it[14] is obvious that you slept last night with the windows closed. What are[15] thirteen times twelve?" I replied without hesitating: "A hundred and fifty-six, sir." The master looked at me less severely and said: "You are not as stupid as you look.[16] Show me your homework." I searched in my bag, but I couldn't[17] find my exercise-book in it. Then Mr. Minten lost patience and told me to[18] go to his room at four o'clock to do some mathematical problems.

When I came out at five o'clock it was foggy. I waited three-quarters of an hour for the train and did not get home until[19] seven. Tomorrow morning if I wake up[20] at six o'clock I shall get up at once.

1. Preposition? §102(d). 2. *Le directeur*. 3. *marcher dans*. 4. Reflexive. 5. Say: "After having looked." §102(c). 6. §101(f). 7. §26. 8. Use *avoir l'air*.

9. §110. 10. To do one's best = *faire de son mieux*. 11. §143; temps. 12. *la classe*. 13. To open one's eyes wide = *ouvrir de grands yeux*. 14. *il est* or *c'est*? §41(b). 15. *Combien font*... 16. *ne* required in this expression: §137. 17. Unnecessary to translate "could." 18. §127. 19. §115; "Not until." 20. Tense? §92.

26. A REVENGE

(*Narrative tense: Past Historic*)

That morning[1] Jeanne and Lucie had annoyed the dancing-teacher, who had complained to the Head Mistress. The latter[2] was shocked and decided to deprive the two pupils of the music competition which was to[3] take place in[4] the afternoon. Instead of attending the reception of parents and friends in the hall, they would have to[5] stay in the preparation-room and spend the afternoon writing[6] an essay.

An hour before[7] the beginning of the competition, the two girls crept into the hall, where, on a large table, were displayed the pastries intended for[8] the visitors' tea. For a few seconds they stood[9] open-mouthed before so many delicacies.

"Stand by the door," said Jeanne, "and warn me if anybody comes."

Then she went up to the table and began to bite each cake delicately underneath.[10]

"Let me do the same,"[11] whispered Lucie.

"No," said Jeanne, "I take upon myself alone the responsibility for this revenge; I don't want you to[12] bite any."

When Jeanne had finished[13] biting all the cakes the two girls went back to the preparation-room.

At about four o'clock the door suddenly opened[14] and in came the Head Mistress, pale, wild-eyed,[15] and with her hair[15] in disorder.

"Wretched girls," she cried, "you have done something[16] shameful, something abominable."

"Do not blame both of us," said Jeanne bravely. "It was[17] I who bit the cakes."

"You shall be punished as you deserve,"[18] went on the Head Mistress. "You shall be shut in your room for four days and you will not leave this establishment until[19] the end of the term; then you shall leave it for ever. There!"

1. §39. 2. §40(b). 3. §110. 4. §3(d). 5. Use *falloir*; §111. 6. *à écrire*. 7. *avant* or *devant*? §148. 8. *destiné à*. 9. *rester*. 10. *en dessous*. 11. §142; autant. 12. Sub-

junctive necessary; §116. 13. Tense? §88. 14. Reflexive. 15. Construction? §4. 16. §7(b). 17. *C'est.* 18. *le* necessary to complete the sense. 19. §115; "Not until."

27. A PAINFUL MEMORY

(*Narrative tense: Past Historic*)

On Sundays[1] I had to take the pupils for a walk[2] into[3] the country. I used to march through the streets with my division of youngsters, who, in spite of all my threats, held hands,[4] laughed and chattered incessantly. It[5] was horrible. I imagined that all the pretty girls were looking at me and making fun of me.

I was ashamed to show myself with certain of these pupils. There was one[6] especially, whom we called Bamban. He was dirty, ugly and bow-legged.[7] Although his mother washed[8] his[9] face and combed his hair[10] before he left[8] home, he was invariably in a disgusting condition when he joined us.

One fine Sunday, Bamban was late and we started off without him. When we had gone some distance I heard several pupils call out: "There's Bamban! He's running to overtake us."

"Double!" I shouted to the division and we all[11] began to run as hard as we could.

Scarcely had we reached[12] the meadows when Bamban came running up.[14] He was tired, pale, crestfallen; he was limping, his legs hurt him. At the sight of his poor face full of misery and suffering I was[13] ashamed of my cruelty and felt inclined to weep. I called him to me. "What is the matter?" I said to him gently. "Come and sit[15] by me. Would you like me to[16] buy you an orange?" He looked at me with eyes full of gratitude: "You are very kind, sir," he said.

Although that incident happened[8] fifteen years ago, I still sometimes think of[17] that boy's pale, tired face, and I feel the keenest remorse.

1. §26. 2. for a walk = *en promenade.* 3. Preposition? 4. To hold hands, *se tenir par la main.* 5. *ce* or *il*? §41(b). 6. Complete. 7. *bancal.* 8. Mood? §115. 9. Avoid the possessive; §4. 10. Say: "combed him." 11. Word order? §50. 12. Tense? §88. 13. Tense? 14. Say: "arrived running." 15. §94(b). 16. *Voulez-vous que...*; §116. 17. Preposition? §132; *penser.*

28. AN EXCURSION INTO THE MOUNTAINS[1]

(*Narrative tense: Perfect*)

How hot it is![2] It is never so hot in[3] England. I can't do anything between ten o'clock in[4] the morning and six in[4] the evening. If I want to play[5] tennis or go for a row, I get up at five. Yesterday I didn't work at all, but I must try to do something to-day . . . Haven't I a splendid view from my window? As soon as I get up in the morning I look out of[6] this window. At that time the atmosphere is clear and one enjoys a lovely view of the mountains. Have you ever been up[7] that very high mountain you see yonder? It is worth while. I went up in February. Do you want me to[8] describe that trip? . . . Well, Roucher and I met[9] at the café at eight in the morning and after breakfasting[10] we set off for the mountains. The sun was shining, but it was very cold. We reached the foot of the Black Rock at about eleven o'clock. We rested[11] for[12] a few minutes, then we began slowly to climb up the slope. Near the summit we were up to our knees in snow,[13] and as we were wearing ordinary shoes our feet were cold[14] and wet. At last we reached the Observatory and the keeper's hut. The old fellow invited us in[15] and prepared us a good lunch. After the meal we talked for a long time and did not start back until[16] three o'clock. When it began to get dark, we were still a long way from the town. We got home at seven o'clock and although we were[17] very tired, we were well pleased with our day. However, if you wish to go to the top of the Black Rock, I advise[18] you to do so when there is no[19] snow on the mountains.

1. Singular. 2. Word order? §141; comme. 3. §5. 4. *de*. 5. §132; jouer. 6. *par*. 7. Use *faire l'ascension de*. 8. Subjunctive necessary; §116. 9. Reflexive. 10. Say: "after having breakfasted." §102(c). 11. Reflexive. 12. *pendant* or *pour*? §148. 13. Say: "we were in snow up to the knees." 14. Construction? §4. 15. Use *entrer*. 16. §115; "Not until." 17. Mood? §115. 18. §127. 19. §6(b).

29. THE NEW BELL

(*Narrative tense: Past Historic*)

Although M. Corentin was[1] seventy-five he was still robust and cheerful. His hair was quite[2] white and his brow deeply wrinkled,[3] yet his face still had something[4] childlike about it.

He had been[6] priest of the parish of Lande-Fleurie for fifty years and he was beloved by[7] everybody because of his great charity.

One day, when[8] he was reading by the fireside, there was a knock[9] at the door.

"Come in," he called, without getting up from his arm-chair.

It was M. Thomas, one of his old parishioners. After shaking[10] hands with the priest and asking after his health, M. Thomas settled himself in an armchair on[11] the other side of the fireplace.

"I have come[12] to tell you, sir," he said after[13] a few moments, "that we have decided to make you a present to celebrate the fiftieth anniversary of your priesthood here. We have collected 500 francs and we wish you to[14] buy a new bell to replace the old one,[15] which, as you know, is cracked."

"But, my children . . . my children . . ." stammered the old priest, moved to tears.[16] He could[17] not find words to express his gratitude, so he joined his[18] hands and murmured a prayer in Latin.

"I will start for the city this very day," he declared at last. "The new bell must be[19] hung before next Sunday. I will walk to Saint-Benoît, which is only six miles away,[20] and from there I will go by train to Toulouse."

M. Thomas got up to go.

"No, my friend," said M. Corentin, "sit down." He went to the door:

"Lucie," he called, "bring me a bottle of our best white wine and two large glasses."

1. Mood? §115. 2. §18; tout. 3. Say: "had deep wrinkles." 4. §7(b). 5. Unnecessary to translate "about it." 6. §84(a). 7. Preposition?' 8. §36; Note. 9. Turn by using *frapper*. 10. Say: "After having shaken." §102(c). 11. Preposition? 12. Present tense in French. 13. *au bout de*. 14. Subjunctive necessary; §116. 15. Do not translate "one." 16. *jusqu'aux larmes*. 17. Unnecessary to translate "could." 18. §4. 19. Use *il faut que*. 20. *à six milles*.

30. BAD BUSINESS

(*Narrative tense: Past Historic*)

Delgal and Rouchon were old friends. They lived in Montmartre, a[1] working-class quarter in[2] the north-east of Paris. Both were poor, gay and quarrelsome. When they were without work they idled about the boulevards, selling newspapers and picking up cigarette-ends.

One day, when[3] they had some money, they bought a small keg of brandy, which they intended to retail on the fair-ground at Saint-Denis. They paid eighty francs for[4] the keg, and they were going to charge customers a franc a[5] glass.

Slowly they pushed their barrow up[6] the street. It was a very warm morning,[7] and they soon began to get tired.[8]

"I think I'll treat myself to[9] a glass," said Rouchon, when they stopped to rest.[8]

"That brandy belongs to both of us," said the other. "If you drink[10] a glass of it, you'll[11] pay me a franc." Rouchon paid the franc and swallowed the brandy.

Delgal looked at his friend for a moment, then he said: "I am going to do the same,[12] and I'll give you a franc." Thus the franc piece which he had just[13] received went back into Rouchon's pocket.

"It isn't dear," said Delgal; "we are only paying a franc a glass for[4] our brandy."

. . . .

That evening[14] the police were called to the fair-ground, where two men were fighting furiously. It was[15] obvious that they were both drunk. On a barrow close by stood an empty keg, and in a small box which served as[16] a till there was found a single franc piece.

1. §8(b). 2. *de.* 3. §36; Note. 4. §122. 5. §3(c). 6. *en montant.* 7. Say: "It was very warm that morning." 8. Reflexive. 9. Use *s'offrir.* 10. Tense? §92. 11. Use *aller.* 12. §142; autant. 13. §101(f). 14. §39. 15. *il était* or *c'était*? §41(b). 16. §132; servir.

31. A GIRL'S FIRST IMPRESSIONS OF FRANCE

(*Narrative tense: Perfect*)

I arrived here yesterday morning at half-past seven. Madame Crumois came to meet me at the station and took[1] me home in her car.

Although everybody is[2] very kind to[3] me, I am not very happy. Life is so different in France. I suppose I shall get used to it in the end.[4] At present I don't understand half that[5] is said[6] to me; people speak too quickly. They don't seem to ask themselves if I am understanding, they go on[7] talking!

This morning I went out all[8] alone to explore the town and make a few purchases. The shopkeepers were all very nice. They listened to me patiently, doing their best[9] to understand what I meant. This afternoon I went out for a walk with Madame Crumois. We went to a little village about two miles[10] from the town. As I was rather tired, I asked Madame if we could go into one of the little cafés to drink something and rest[11] a little. "I am quite willing,"[12] she said, "but I must tell you that in France ladies don't often go to cafés alone." So we entered[13] a "débit," as they call the village cafés, and sat down at a table. In one corner of the room two women were knitting, while[14] four or five small children were rolling about[15] the floor. The younger of the two women left her work and came to serve us. "Good afternoon, ladies," she said, "what do you require?" "Two coffees, please," answered Madame Crumois.

As I sipped[16] my coffee, I watched the children play and tried to understand what they were saying to one another.[17] It[18] was curious to hear tiny children say things which I[19] have taken[20] years to learn—and which I still say badly!

1. *emmener*. 2. Mood? §115. 3. *pour*. 4. Express this by *finir par*. 5. What is the full expression? 6. Avoid the passive. 7. *continuer*. 8. Agreement? §18; tout. 9. To do one's best = *faire de son mieux*. 10. *à* required. 11. Reflexive. 12. *Je veux bien*. 13. Preposition necessary. 14. *pendant que* or *tandis que*? §146. 15. *se rouler sur*. 16. Say: "while sipping." §79(c). 17. §52. 18. *ce* or *il*? §41(b). 19. Emphasize. 20. *mettre*.

32. TWO LORRAINERS MEET[1]

(*Narrative tense: Past Historic*)

The Director was sitting in his office. It was a large, cheerless room, with two windows hung[2] with green curtains; the wallpaper and the armchairs were of the same colour. The Director was a man of about forty-five[3] with[4] a grave, melancholy face and tired eyes.

"Will you see[5] Madame Blouet, sir?" asked a clerk, half opening the door.

The Director frowned and made a gesture of impatience.

"She is[6] an old lady," said the clerk; "shall I[7] send her away?"

"No, show her in,"[8] said the other in[9] a tone of resignation.

A moment later a little old woman entered[10] the office. She was poorly clad in[9] an old dress which had been black but which had now taken on a greenish hue.

"What can I do for you?" asked the Director.

"Sir," she began, somewhat out of breath, "I am the[11] widow and sister of men who have given good and loyal services to their country. I have sent in a request for assistance . . . I should like to know if I may hope for anything."

"Have you already been assisted?" asked the Director.

"No, sir. I am eighty-two and have never yet had to ask for charity."

Under their wrinkled lids the old woman's eyes had become moist. The Director looked at her attentively; the intonation of her voice seemed familiar to him.

"Are you from Lorraine, madam?" he asked with a smile.[12]

"Yes, sir. Did you recognize my accent? I thought I had[13] lost it; I haven't seen my native town for[14] many years."

"I will see what[15] can be done[16] for you," said the Director.

1. Reflexive. 2. *garni.* 3. Complete. 4. Say: "with (*à*) the face grave and melancholy." §4(b). 5. Use *recevoir* here. 6. §41(a). 7. Use *falloir*; §89(a). 8. Use *faire entrer*; §103. 9. Preposition? 10. Preposition necessary. 11. §8(a). 12. Say: "asked smiling." 13. Translate "I had lost" by an infinitive; §95. 14. *depuis.* 15. §37. 16. Avoid the passive.

33. THE LOST CHILD

(*Narrative tense: Past Historic*)

M. Godefroy, a Deputy[1] and a wealthy business man, lived in a beautiful flat in Paris. He had only one child, a little boy of four,[2] whom he loved with all his heart.

On Christmas Eve, at about four o'clock, he left the flat and drove off to the shopping quarter[3] to buy some toys. On returning home, he found the maid standing by the drawing-room door, pale-faced[4] and with tears in her eyes.[4]

"What is the matter?"[5] he asked. "Where is the child?"

The maid threw herself on her knees before M. Godefroy, crying in an agonized voice:

"Forgive me, sir, forgive me! Raoul is lost."

The father staggered back[6] like a soldier struck by a bullet:

"But how, where, when? Tell me quickly."

"At about a quarter to four . . . somewhere by[7] the Porte d'Asnières," stammered the unfortunate girl.

M. Godefroy rushed out of the house, jumped into his carriage and drove off at full speed to the offices of the Prefect of Police.

It was now after six o'clock and the offices were deserted. The door was opened by a porter. M. Godefroy immediately slipped a note into his[8] hand, saying: "I am a[9] Deputy. My child is lost in the city. I simply must[10] see the Prefect."

The old fellow, less for the tip than out of[11] pity for the poor father, led M. Godefroy to the Prefect's private apartments.

"I'll[12] telephone to the Superintendent[13] at Asnières," said the Prefect, who, being a[9] family man[14] himself, was deeply moved by M. Godefroy's distress.

Five minutes later he reappeared smiling and said: "He has been found."

1. §8(b). 2. Complete. 3. Say: "the quarter of the shops." 4. Construction? §4(a). 5. Idiom? 6. Say: "recoiled staggering." 7. *du côté de.* 8. Avoid the possessive; §4. 9. §8(a). 10. Say: "It is absolutely necessary that I see." 11. *par.* 12. Use *aller* to express the future here. 13. *le commissaire.* 14. *père de famille.*

34. JOURNEY TO PARIS

(*Narrative tense: Perfect*)

We caught[1] the 11 o'clock train at Victoria and reached Dover at a quarter to one. Before going aboard the steamer, we had to show our passports, but our suit-cases were not inspected.[2]

As soon as the heavy luggage had been taken aboard, the boat sailed,[3] and we were soon making for[4] the French coast, which could be distinguished[2] through the light mist.

When the steamer entered Calais harbour, we could see on the quay a large number of French porters, all dressed in[5] blue. Even before the boat was[6] moored, these porters were selecting their passengers and trying to make them[7] understand by means of gestures and signs that they wanted to take charge of their luggage.

One of these porters carried our suit-cases to the customs room and placed them on one of the long tables. After a few moments a customs officer came up to me and said: "Have you anything to declare? Have you any tobacco or cigarettes?" I told him that I had nothing to declare. He looked at me for a second, then he marked my suit-case with chalk.[8]

We couldn't go away at once, because the customs officer

left us to examine the luggage of several other travellers. When I saw he was free, I called him back and he marked my friend's case without saying anything. The porter then[9] carried both cases to the train.

We soon found a compartment in which there were only two passengers and we got into it. Having paid the porter, we settled ourselves in our corners and began to read the newspapers we had just[10] bought. After a quarter of an hour the train started and we were soon travelling[11] at full speed towards Abbeville, Amiens and Paris.

1. *prendre*. 2. Avoid the passive. 3. *partir*. 4. *se diriger vers*. 5. *de*. 6. Mood? §115. 7. *les* or *leur*? §104(a). 8. *à la craie*. 9. Word order? 10. §101(f). 11. *rouler*.

35. THE PIPE

(Narrative tense: Past Historic)

Every day Claude used to go and admire[1] the pipe in the shop window. The price of it was twelve francs. How could[2] he procure this money? His father gave[3] him very little pocket-money, and if he did not spend[3] anything at all, it would take[4] him weeks to save twelve francs.

One day he yielded to temptation and took ten francs out of[5] his grandfather's waistcoat, which was hanging on[6] the back of a chair. With the little money he already possessed, he now had the sum necessary to buy the pipe and some tobacco.

A quarter of an hour later he was lying in the meadow, in[7] the shade of the old walnut tree, filling the pipe. He began to smoke.

"It's delicious," he said to himself. "John was right, it's as sweet as honey."

After smoking[8] for a few minutes, however, he began to feel[9] ill and it was not long before[10] he was sick.

When he had recovered[11] somewhat, he went home, intending to drink some cold water and rest[9] awhile in his bedroom. He did not expect to find anyone in the house. Unfortunately his father had come home earlier than usual.

"What is the matter,[12] my lad? You are very pale," he said. "You have been smoking, haven't you? Where did you get the money from to buy tobacco?"

Just then[13] the grandfather came in. Claude looked at him with eyes full of distress and entreaty.

"You must blame me," said the old man, who had understood the situation perfectly. "It was[14] I who gave him the money, but I am very annoyed that he bought[15] tobacco."

1. §94(b). 2. Tense? §109(a). 3. Tense? 4. Use *falloir* ("weeks would be necessary"). 5. Preposition? §130. 6. *à*. 7. Preposition? 8. Say: "After having smoked." §102(c). 9. Reflexive. 10. to be long in (doing) = *tarder à (faire)*. 11. Tense? §88. 12. Idiom? 13. *Juste à ce moment-là.* 14. *C'est.* 15. Mood? §117.

36. "WHOSE TREE IS IT?"[1]

(*Narrative tense: Past Historic*)

One December[2] morning Bouin set out early from the farm, carrying on his shoulder a large axe. He was going to fell the old elm which stood[3] near the ditch separating[4] his ground from Loriot's.[5] He did not doubt that the tree was[6] his, although it grew[7] very near the boundary.

On reaching the spot, he laid his axe on the ground, took off his jacket, which he hung on[8] a hawthorn bush, and walked away a few paces[9] to look at the upper branches of the elm.

"Yes," he said to himself, "it is time to fell it. Several of the branches at the top[10] are dead; the trunk can't be very sound. Besides, the wood will bring me in something, especially if the clog-maker will[11] buy it. I'll get to work."

Scarcely had he started to attack the trunk when his neighbour Loriot appeared on[12] the other side of the ditch.

"What are you doing there, Bouin?" he said. "I don't want you to[13] cut down that tree."

"That doesn't concern[14] you," retorted Bouin. "I do what[15] I like on my own ground. It is[16] obvious that the tree is mine, since the foot of it is on[12] my side of the ditch."

"I don't think it is[17] on your side," went on the other. "Let us measure the distances."

They did so,[18] but could not agree. The argument went on.

"What is the good[19] of quarrelling about this old tree?" said Bouin at last. "It is half dead,[20] let us fell it together and share the wood."

"I am quite willing,"[21] replied Loriot, and they both set to work.

1. Say: "To whom is the tree?" 2. *de décembre.* 3. *se trouver.* 4. Say: "which separated." 5. §40(a). 6. *douter* used negatively requires *ne* before the

subjunctive dependent on it. 7. Mood? §115. 8. *à*. 9. *de quelques pas*. 10. *de la tête*. 11. *vouloir*. 12. Preposition? 13. Subjunctive necessary; §116. 14. *regarder*. 15. §37. 16. *c'est* or *il est*? §41(b). 17. Mood? §118. 18. *le*. 19. *À quoi bon* (+ infin.). 20. §22. 21. *Je veux bien.*

37. THE BARN-OWL

(Narrative tense: Past Historic)

One evening, coming home very late from the little square, I caught sight of the barn-owl perched on the gable of the old hotel. The moon was shining above the house-tops; it had been snowing and it was freezing very hard.[1]

On reaching our house, I was surprised[2] to find the door wide open. I went in, I called, but nobody answered. But imagine my surprise when, by[3] the glow of the fire, I saw my uncle lying[4] in his armchair with his hat on his head[5] and our neighbour's old gun between his knees. The poor man had been trying to shoot the barn-owl, which so[6] annoyed him by its screeching.[7]

"Uncle," I cried, "are you asleep?"

He raised his head a little, looked at me with drowsy eyes and said:

"My boy, I took aim at[8] him more than[9] twenty times, and each time he disappeared like a shadow, just as I was going to press the trigger."

Having said these words, he relapsed into a deep stupor. I called him and shook him in vain,[10] he did not stir. Then, seized with fear and alarm, I ran for the doctor. The street was now silent and deserted, and snow was beginning to fall again. In less than[9] three minutes I was[11] at the doctor's door.

"Who is there?" asked a gruff voice.

"I am sorry to disturb you, doctor," I said, "but I want you to[12] come to our house as quickly as possible; my uncle is very ill."

"I'll come down as soon as I have dressed,"[13] answered the good doctor.

After waiting[14] a quarter of an hour, I heard footsteps on the stairs. The next moment[15] the door opened and the doctor appeared.

1. to freeze very hard = *geler à pierre fendre*. 2. Tense? §74(c). 3. *à*. 4. §73. 5. §4(a). 6. *tant* or *tellement*. 7. *ses cris*. 8. to take aim at something = *coucher quelque chose en joue*. 9. *que* or *de*? §142; plus. 10. Use *avoir beau faire* (= to do something in vain). 11. Tense? 12. Subjunctive necessary; §116. 13. Tense? §89(b). 14. Say: "After having waited." §102(c). 15. §143; après.

38. ARRIVAL IN PARIS

(*Narrative tense: Perfect*)

We reached Paris at half-past five. Night was falling and it was horribly cold. On coming out of the Gare du Nord, we found ourselves in a little street which I did not know.[1] Almost immediately an old porter came up[2] to us and said: "What are you looking for, gentlemen? Do you want me to[3] get you a taxi?"—"I thought I should find some here," I replied. "No," said the old fellow, "they are on[4] the other side; follow me; let me carry your cases."

We soon found a taxi, but, on opening my wallet, I discovered that I had only ten-franc notes. My friend hadn't any change either.[5] I couldn't give the old man ten francs for the small services he had rendered us. What was I to do?

"That is very simple," said our guide. "The driver will[6] give me the tip and you will[6] pay him when you arrive[7] at your hotel."

The driver, a young man with[8] a friendly, smiling face, said: "All right; how much shall[9] I give him?" "Two francs," I said. So he gave the old fellow the two francs and we set off for the Hotel Clermont.

When we entered the hotel vestibule, I caught sight of Madame Roi who was reading a newspaper in the adjoining room. I half opened[10] the door and called her. As soon as she saw me she smiled and exclaimed: "You, sir! How are you? How pleased I am[11] to see you again! Have you had a good journey? I see you have brought[12] a friend." I introduced Roberts to her. "Delighted, sir," she said, shaking hands with him. "My friend doesn't speak French," I explained; "he must do his best[13] to learn it." "Of course," said Madame, "and when he speaks[7] it as well as you . . ." It is true that I speak French fairly fluently.

1. *connaître* or *savoir*? 2. *s'approcher*. 3. Subjunctive necessary; §116. 4. Preposition? §149; "On." 5. *non plus*. 6. Use *aller* to express the future here. 7. Tense? §89(b). 8. §4(b). 9. Use *falloir*. 10. *entr'ouvrir*. 11. Word order? §141; Comme. 12. Present in French. 13. To do one's best = *faire de son mieux*.

39. HOUSE FOR SALE[1]

(Narrative tense: Past Historic)

House for sale... The board had been there for[2] a long time. Why didn't the house sell?[3] That is what[4] I used to ask myself whenever[5] I went that way.[6] The owner was rarely to be seen;[7] he was always busy in his garden, raking[8] the paths, picking up dead leaves, pruning the trees or watering the plants, according to the season.

One day I took it into my head[9] to go and ask[10] the price of the house. I knocked at the door and waited. Nobody came. I knocked again. After[11] a few moments I heard a sound of clogs on the gravel walk. At last the door opened and the owner stood[12] before me. He was[13] a little old man with white hair.[14]

"What do you want?" he asked in[15] a rather rude tone.

"I have come[16] to enquire the price of the house, which is for sale, I believe."

"Yes, it is for sale," he said, "but it is too dear for you to[17] think of [15] buying it."

"What is the price, then?" I asked.

"No matter. In any case the price would be too high for you."

"That is strange," I said. "If you don't want to sell the house, why do you put up the board?"

"It is because my sons and their wives oblige me to[18] do it. They want me to[19] sell the house so that[17] they can have the money. But I won't sell it. Ah, sir! those people won't let me alone.[20] They come here every Sunday and it is always the same story: 'You must sell, Dad.' So I say to them: 'The board is there; what[21] more can I do?' "

1. §98(b). 2. §84(a). 3. Reflexive. 4. §37. 5. §143; fois. 6. *par là*. 7. Turn by the active with *on*. 8. busy (doing) = *occupé à (faire)*. 9. to take it into one's head to = *s'aviser de*. 10. §94(b). 11. *Au bout de*. 12. Tense? 13. §41(a). 14. §4(b). 15. Preposition? 16. Present in French. 17. *pour que* + subjunctive. 18. §101(c). 19. Subjunctive necessary; §116. 20. *tranquille*. 21. §7(b).

40. THE STROLLING MUSICIAN

(Narrative tense: Past Historic)

During the fine season the tourists used to have their meals out of doors in a sort of little courtyard planted with plane-trees. Beyond the iron gate was the main road, where motor-cars and pedestrians were continually passing by. Sometimes strolling musicians would come[1] into the courtyard and play a few old tunes. This year however there had been so many musicians that the visitors had got tired of them and were asking for a little quiet during their meals. So the proprietor had a notice hung[2] on the gate, forbidding[3] strangers to enter.

One day an old fellow came to the gate and began to play on[4] the mandolin. He was told[3] to go away, but he refused, saying that the road belonged to everybody and that he could[5] play outside the gate if he wished.[6] He played, but nobody listened to him and when he had finished[7] nobody looked in his direction.[8]

"What," he said, after waiting[9] for some time, "don't I receive anything, I who have played and sung for your pleasure? You[10] are rich, you can afford good meals, whereas I[10] haven't a sou in my pocket and haven't eaten anything all day."[11]

The guests went on[12] talking among themselves[13] without taking any notice of[14] the beggar.

"Mother," said one little boy at last,[15] "I want you to[16] give me some money for this poor old man."—"And I . . . And I," cried all the other children, getting up from their chairs. Then they ran to the gate and gave their money to the beggar, who thanked them with tears in his eyes.[17]

"God bless you,[18] children," he said in[19] a trembling voice. "May you[18] always be charitable towards[20] the unfortunate."

1. Tense? §84(c). 2. §104. 3. §127. 4. §132; jouer. 5. Tense? §109(a). 6. Tense? §92. 7. Tense? §88. 8. *de son côté*. 9. Say: "after having waited"; §102(c). 10. Emphasize. 11. *de la journée*. 12. *continuer de*. 13. §32(i). 14. Say: "without paying attention to." 15. Order: "said at last one little boy." 16. Subjunctive necessary; §116. 17. Construction? §4(a). 18. §112(a). 19. *de*. 20. §148; envers, vers.

SECTION V

Free Composition

NOTES AS TO METHOD

The Subjects Set for Composition and How to Treat Them

Pupils at your stage are not expected to write on difficult, abstract subjects. You are given simple and familiar topics for which no normally intelligent person should be short of ideas: home life, accounts of holidays or trips, street incidents, things read in popular books or seen on the films, and so on.

Now some ambitious young people want to write on everyday topics in an impressive manner: they despise the obvious and seek to state what they imagine to be unusual and profound. Others fancy themselves as humorists and do not grasp that what seems funny in English may mean nothing at all when translated literally into French. For the time being, when writing French, you will do well to keep to the beaten track and be content to say ordinary things in a plain way. If you manage to do this accurately, you will have accomplished a great deal.

Avoid translating English

Do not first think out what you would say in English on the subject and then attempt to translate. This usually results in very bad grammar and a heavy, un-French style packed with anglicisms. If you are inclined to this method, be well advised and abandon it forthwith.

Why Free Composition seems so Difficult

This exercise is difficult because you have both to find ideas and to express them correctly. The pupil sits before his blank sheet, racks his brains for something to say, finds some sort of idea and writes a sentence. Then: "What next? What can I say now?" Painfully he evolves another sentence. And so it goes on from line to line—and the page fills so slowly! Meanwhile he becomes more and more forgetful of his grammar and sprinkles his sentences with elementary blunders.

The Need for a Plan

A better way is to do one process at a time: explore the subject first, visualize the events, jot down the points to be touched upon and arrange them in a commonsense plan. Not only will this plan relieve you of the worry of finding the next thing to say, but it will also give you an idea of the amount of space to devote to each part of the composition. The pupil who writes without a plan frequently finds that he has to compress three-quarters of his story into the last quarter of his essay. By following the lines of a scheme sketched out beforehand, one is more likely to write something which is complete and well proportioned.

Making the Plan

You are given a simple subject: *Décrivez une excursion que vous avez faite.* You have no difficulty in recollecting some enjoyable trip. What are the various stages of an excursion? Jot them down in French: (1) *le jour et le lieu*; (2) *les préparatifs et le départ*; (3) *le voyage*; (4) *l'installation, le repas*; (5) *les occupations de l'après-midi*; (6) *le retour.* These are merely suggestions, but they show how you should note down at once the obvious main divisions of the subject. Normally these divisions will mark the paragraphs of your composition. If you have to write, say, from twenty to twenty-four lines, and you have six main points, you will be able to allot on an average three or four lines to each. The divisions, however, may be lengthened or shortened according to the matter to be put into them; for example, (5) above would be a longish paragraph of, say, five or six lines, whereas (1) would probably require only two lines.

You then consider separately each of these main points, and, as you visualize what you are going to describe, you jot down, always in French, words and phrases to remind you of these things:

(1) *le jour et le lieu.*

un dimanche de juillet—à Beaurivage, plage près d'un port de pêche—à 80 kilomètres de chez nous.

(2) *les préparatifs et le départ.*

debout de bonne heure—déjeuner à 7h. 30—maman emballe les provisions—nous cherchons la tente, les pliants (*deck-chairs*), les caleçons de bain—départ dans l'auto—papa conduit.

(3) *le voyage.*

temps splendide—nous filons à 80 kilomètres à l'heure—

beaucoup d'autos—tout le monde va au bord de la mer—on traverse plusieurs petites villes et beaucoup de villages—campagne délicieuse—enfin on aperçoit la mer.

(4) *l'installation, le repas.*

une belle plage; sable, dunes—on trouve un coin tranquille à l'abri du vent—on déballe les provisions—nous mangeons de bon appétit—conversation pendant le repas.

(5) *les occupations de l'après-midi.*

d'abord on se repose—maman lit un roman, papa lit le journal—plus tard nous nous déshabillons sous la tente et nous nous baignons—mer calme—un bain de soleil—on se promène.

(6) *le retour.*

on emballe tout—on va chercher l'auto—le voyage de retour—on arrive à la nuit tombante.

This is of course an elementary example, but one soon sees that all subjects lend themselves to this preliminary exploration. After a little reflection, you will find that four or five main points emerge, under which you may group a number of details. Thus, when you begin to compose, you have the substance of the essay before you and you can give close attention to accuracy of expression.

The Question of Vocabulary

When, under Examination conditions, you are sketching out your plan, words and phrases will probably occur to you which you can ill afford to lose. You should make a note of these and they will prove very useful when you come to write up the full composition.

Another point. So far as the subject allows, you should make use of commonplace material which you are confident you can write correctly: fragments of simple description, the ordinary exchanges of greetings and conversation when people meet, etc. Simple compositions are largely made up of such things.

The Writing of the Actual Composition

Play for safety by using words, expressions and constructions you are sure of. This will at first seem a restriction, but it will impress on you the need for extending your vocabulary and stock of expressions.

The simplest style is the best. Let your sentences be short and direct. The French do not like three or four clauses linked together with conjunctions and relative pronouns: they like the clear statement and the full stop.

TENSES IN FREE COMPOSITION

The Perfect

Happenings connected with your recent life, events forming a part of your immediate recollections, are related in the Perfect, not the Past Historic:

Nous avons vu Marguerite ce matin.
Je lui ai écrit la semaine dernière.
Ils ont passé quelques jours chez nous l'an dernier.

When writing letters, one always uses the Perfect.

Past Historic

If you have to relate something which occurred at a remote period of your life (e.g. "An adventure that befell you in your childhood"), you may quite well use the Past Historic.

In formal "book-style" narratives, use the Past Historic.

The Imperfect

Whether you are writing a narrative in the conversational style (Perfect) or the formal style (Past Historic), the Imperfect will be used for (1) description of conditions or states existing in the past (e.g. «Ma chambre donnait sur le jardin»; «J'étais très fatigué»); (2) actions which were already in progress (e.g. «Quand il arriva (est arrivé), ses cousins jouaient au tennis»); (3) actions which were repeated or habitual (e.g. «Il allait voir sa mère tous les jours»).

The Historic Present

The Present may be used instead of the Past to give greater vivacity to the narrative, especially when one is describing events following swiftly upon one another.

Si

If you have to write on a subject such as *Si j'étais riche ...*, remember the association of tenses:

Si j'étais riche, j'aurais une belle automobile.

LETTER-WRITING

Beginnings

To a stranger one begins: *Monsieur* (*Madame*).
To friends: *Mon cher ami* (*Henri*); *Ma chère amie* (*Henriette*).

Endings

There are several phrases which in French do the office of "Yours sincerely". Boys writing to each other may put one of these:

Bien cordialement à vous.
Bien amicalement.
Bien à vous.
Je vous serre cordialement la main.
Une bonne poignée de main.
Votre tout dévoué.

Girls may say:

A vous de tout cœur.
Bien affectueusement à vous.
Je vous embrasse de tout cœur.

When writing to grown-up strangers, one ends with one of the lengthy ceremonious expressions:

Veuillez agréer, Monsieur, l'expression de mes sentiments distingués (=Yours faithfully).

Veuillez recevoir, Monsieur (Madame), l'expression de mes sentiments respectueux.

There are others, but these are as widely used as any.

On the envelope, one always writes in full *Monsieur* (*Madame*, *Mademoiselle*).

Useful expressions for the body of the letter

To begin:

Je vous remercie de votre aimable (gentille) lettre.
Merci bien de votre aimable lettre.
Je m'empresse de répondre à votre gentille lettre.
J'ai été bien heureux d'avoir de vos nouvelles.
Je vous prie d'excuser mon long silence . . .

One usually ends with some friendly or courteous expression such as:

Veuillez me rappeler au bon souvenir de vos parents (=Remember me kindly to your parents).

Veuillez dire le bonjour de ma part à vos parents (=Please give my kind regards to your parents).

En attendant le plaisir de vous lire (=Hoping I shall have the pleasure of hearing from you soon).

SUBJECTS FOR FREE COMPOSITION

A. General

1. Vous êtes allé(e) en ville hier soir pour faire des courses. Racontez exactement ce que vous avez fait.
2. Un accident de la circulation.
3. Vous accompagnez un ami en visite chez des parents. Décrivez cette visite.
4. Un long voyage en chemin de fer.
5. Votre père rappelle un incident amusant de sa jeunesse.
6. La journée d'un facteur, ou d'un agent de police.
7. Une promenade en automobile.
8. Le dimanche d'un curé.
9. Un incident amusant qui s'est passé dans la rue.
10. Un film que vous avez vu.
11. Une dispute entre deux élèves.
12. Un dimanche pluvieux en Angleterre.
13. Faites un petit portrait de vous-même pour un(e) correspondant(e) qui ne vous a jamais vu(e).
14. Vous êtes dans une gare au moment de l'arrivée d'un grand express. Décrivez ce que vous voyez.
15. L'intrigue d'un roman que vous avez lu.
16. «Une petite ville que je connais.»
17. C'est dimanche. La famille est au salon. On annonce l'arrivée de plusieurs visiteurs. Décrivez ce qui se passe.
18. Décrivez les habitudes d'une personne que vous connaissez très bien.
19. «Si j'étais riche . . .»
20. Une anecdote qui prouve l'intelligence des bêtes.
21. A la recherche d'un trésor perdu.
22. Un jeune homme (une jeune fille) regrette sa vie d'écolier (d'écolière).
23. «Si mes parents étaient moins stricts . . .»
24. «Je l'ai échappé belle!» (Tell of your narrow escape.)
25. Une journée aventureuse de la vie d'un renard. (C'est le renard qui parle.)
26. Le petit Jean revient chez lui les mains sales, les vêtements déchirés. Imaginez une belle scène de famille.
27. Un vilain tour qu'on vous a joué.
28. Une journée au bord de la mer.
29. La vie du professeur.

30. Vous êtes allé(e) en soirée chez un(e) ami(e) et vous vous êtes bien amusé(e). Racontez ce qui s'est passé.
31. L'évasion d'un prisonnier de guerre.
32. Ali-Baba et les quarante voleurs.
33. Vous avez fait du «camping» pendant les grandes vacances. Racontez les événements d'une journée dont vous vous souvenez bien.
34. L'existence d'un naufragé dans une île déserte.
35. L'histoire de Cendrillon (*Cinderella*).
36. Une grosse déception.
37. Quelqu'un qui a perdu un objet de valeur finit par le retrouver.
38. A Paris par la voie des airs.
39. Une histoire émouvante racontée par un gardien de phare (*light-house keeper*).
40. Un incendie.

B. Autobiographies

1. Un vieux pêcheur raconte sa vie.
2. Autobiographie d'un vieux fauteuil.
3. Les aventures d'un billet de banque.
4. Une vieille femme parle de sa jeunesse.
5. Autobiographie d'un vieux parapluie, ou d'une vieille pipe.
6. Un éléphant du Jardin des Plantes décrit sa capture et sa vie de bête apprivoisée.

C. Dialogues

1. Conversation entre un paysan et son frère qui travaille à la ville dans une grande usine.
2. Discussion dans un wagon de chemin de fer entre un soldat et un matelot.
3. Jean (Jeanne) et sa mère font le tour des magasins quelques jours avant Noël. Imaginez leur conversation.
4. Un jour vous rencontrez un(e) ami(e) qui a habité longtemps la France. Vous l'interrogez au sujet de la France et des Français.
5. Votre maison est à vendre. Un acheteur se présente. Votre père lui fait visiter la maison. Imaginez la conversation.
6. Votre mère veut aller au cinéma, mais votre père ne veut pas. Vous écoutez ce qu'ils se disent.

D. Letters

1. Votre professeur vous a donné l'adresse d'un(e) jeune Français(e) qui veut correspondre avec un(e) Anglais(e). Écrivez-lui une première lettre.
2. Vous comptez faire du «camping» en France pendant les vacances. On vous a indiqué un bel emplacement. Écrivez une lettre au propriétaire, lui demandant la permission de vous servir de son terrain.
3. Vous allez passer une quinzaine de jours dans une ville d'eaux. Écrivez une lettre à la propriétaire d'un hôtel, lui indiquant l'époque de votre visite et lui demandant son tarif.
4. Un(e) jeune Français(e) vous a prié(e) de lui trouver un emploi en Angleterre. Vous lui avez trouvé une place. Écrivez une lettre, lui indiquant le genre de travail et les conditions.
5. Lettre à un(e) jeune ami(e) pour le (la) remercier de son invitation et lui annoncer votre arrivée.
6. Votre correspondant(e) désire savoir quelque chose des sports qu'on pratique dans les collèges anglais. Écrivez-lui une lettre pour le (la) renseigner.

SECTION VI

Grammar

THE ARTICLE

1. Un, une, des

à un enfant, à une jeune fille, à des amis.
l'adresse d'un professeur, d'une dame.

un grand courage, *great courage.*
une politesse parfaite, *perfect politeness.*

one (*a*) *hundred* = cent; *one* (*a*) *thousand* = mille.

2. Le, la, les

Contracted forms: la porte **du** jardin; les copies **des** élèves.
il parle **au** maître, **aux** dames.

NOTE: The pronouns *le, la, les* do not contract:
Je vous prie de le croire.
Ils m'invitèrent à les accompagner.

3. Examples showing the uses of the Definite Article

(*a*) Les chevaux et les vaches mangent de l'herbe.
Les enfants aiment les récits d'aventures.
L'acier est très dur.
Il apprend l'espagnol et l'italien.
But Il faut parler français.

(*b*) Name preceded by a title or an adjective:
le petit Paul, la belle Hélène.
le maréchal Foch, le président de Gaulle.

(*c*) Price:
2 francs le kilo. 7 francs la bouteille.
3 francs le mètre. 5 francs la pièce (*each, apiece*).

But one says:
Je gagne 25 francs **par** jour.

J'y vais deux fois **par** semaine (par jour, par mois, par an).
Nous roulions à 90 kilomètres **à** l'heure.

(*d*) Remember that usually no preposition is required when translating *in the morning* (*night*, *afternoon*, *evening*):

Le matin je travaille, l'après-midi je me repose.

4. Names of Parts of the Body

In some circumstances, e.g. when such nouns stand as subject, the possessive is used:

ses yeux se fermèrent; son pied lui faisait mal.

Also when the noun is qualified:

Je regardai son visage ridé, ses grosses mains rouges.

Otherwise French tends to use the definite article, indicating the possessor, where necessary, by the dative pronoun.

Examples:

Levez la main.
Il haussa les épaules.
Il a les pieds plats.
Il a les yeux gris.
Il avait une cicatrice (*scar*) au front.
Qu'avez-vous à la main?

With Pronoun:

Les épines (*thorns*) lui déchirèrent le visage et les mains.
Il leur sauva la vie.
Le bâton me fut arraché des mains.

With Reflexive:

Il se grattait la tête.
Elle se taillait les ongles (*nails*).
Je vais me faire couper les cheveux.

(*a*) Note also these examples, in which *with* is not translated:

Il marchait lentement, la tête baissée, les mains derrière le dos.
Il attendit derrière la porte, un bâton à la main.
Ils coururent à la porte, la bouche encore pleine et la serviette à la main.

(*b*) Note **au, à la, aux** in descriptive expressions:

la fillette aux cheveux courts, *the little girl with short hair.*

le monsieur au chapeau noir, *the gentleman in the black hat.*
la dame aux lunettes, *the lady with glasses.*

5. Geographical Names

L'Europe, l'Amérique; l'Espagne, l'Italie; la Normandie,
la Provence; la Seine, le Rhin; le Mont Blanc.

L'asie (f) — Asia
L'afric (f) — Africa

No article with the names of towns:

Il habite Londres (Berlin, Paris).
Nous arrivons à Paris.
Ils viennent de Lyon.

In some cases, *le (la)* forms part of the name, e.g. *Le Havre, La Rochelle*; one
says of course *du Havre, au Havre.*

Of with names of countries:

le Midi de la France; les régions industrielles de l'Angleterre.

In titles **de** alone is used:

la Banque de France; «Histoire de France»; la reine
d'Angleterre.

In or **to** with feminine names of countries (most are feminine)
is simply **en**:

Il est allé en Allemagne. Nous restons en Angleterre.

From is expressed by **de**:

Il est revenu d'Italie. On me l'a envoyé d'Amérique.

A few masculine names are: le Canada, le Japon, le Maroc, le Pays de
Galles, le Portugal.
One says: Il est allé au Canada. Il est revenu du Maroc.
There are a few plural names, such as *les Indes, les États-Unis*:

Beaucoup d'Anglais vont aux Indes.
Il va revenir bientôt des États-Unis.

Note **partir pour**:

Il va partir le mois prochain pour le Canada.

6. The Partitive Article

(*a*) du beurre, de la farine, de l'eau, des œufs.

The article may not be omitted:

On mange du lard et des œufs. *One eats bacon and eggs.*

Any, in questions, is represented by the partitive:

Avez-vous de l'argent? *Have you (any) money?*

(*b*) **De** alone is used:

After a negative:

J'ai du tabac. *but* Je n'ai pas (point) de tabac.
J'ai un canif. *but* Je n'ai pas de canif.
Vous avez des allumettes.
but Vous n'avez jamais d'allumettes.
Il y a des roses. *but* Il n'y a plus de roses.

NOTE: The full partitive is used with ne... que, *only, nothing but*:

Au petit déjeuner, on ne mange que du pain.

When an adjective stands before the noun:

des maisons; de grandes maisons; des maisons anciennes.
des palais; de beaux palais; des palais somptueux.
de la viande; d'excellente viande; de la viande coriace.
du papier; de votre papier; du papier blanc.

Remember this when using **autres**:

d'autres vêtements: j'en ai d'autres.

NOTE: One says *des petits enfants, des petits garçons, des jeunes filles, des jeunes gens*, since in these cases noun and adjective are used as one word.

7. **De** after words of quantity.

beaucoup, *much, many*	beaucoup de vin, de bouteilles
assez, *enough*	assez de place, de voyageurs
tant, *so much, so many*	tant de bruit, de voitures
autant, *as much, as many*	autant de travail, de leçons
moins, *less, fewer*	moins de tabac, de cigarettes

(*a*) **Plusieurs** does not require **de**:

plusieurs jours, plusieurs personnes.

La plupart (*most*) requires **des**:

la plupart des hommes, *most (of the) men.*

Bien added to the partitive gives the idea of *much, many*:

bien de la peine; bien des choses.

(*Contrast with* beaucoup de peine, beaucoup de choses.)

(*b*) Note the use of **de** after **quelque chose, rien, quoi, que:**

quelque chose d'intéressant, *something interesting.*
rien de plus simple, *nothing simpler.*
quoi de nouveau? *what is there new?*
que de clients! *what a lot of customers!*

8. Omission of the Article

(*a*) When stating simply a person's occupation, position or nationality:

Il est dentiste. Elle est veuve (*widow*).
Il est Anglais. Elle est Française.

One may also say:

C'est un dentiste. C'est une veuve.
C'est un Anglais. C'est une Française.

Note also:

Il a été élu conseiller.
Il deviendra général.
Elle vient d'être nommée directrice.

When the noun is qualified, the article is required:

Son père est architecte.
but Son père est un architecte renommé.

(*b*) Before a noun in apposition:

Il habitait Niort, petite ville de l'Ouest.
J'écrirai à M. Chauvin, président de notre société.

(*c*) Note these examples:

Quelle idée! *What an idea!* Quel homme charmant!
Cette boîte leur sert de table (*serves as*).
Je n'ai ni couteau ni fourchette.

(*d*) Common expressions which do not contain the article:

avoir besoin (de), *to need*
avoir chaud, *to be warm*
avoir envie (de), *to be inclined* (*to*)
avoir faim, *to be hungry*
avoir froid, *to be cold*
avoir honte (de), *to be ashamed* (*of*)
avoir lieu, *to take place*
avoir peur (de), *to be afraid* (*of*)
avoir pitié (de), *to have pity* (*on*)
avoir raison, *to be right*
avoir soif, *to be thirsty*
avoir soin (de), *to take care* (*of*)
avoir sommeil, *to be sleepy*
avoir tort, *to be wrong*
faire attention (à), *to pay attention* (*to*)
faire cadeau (de), *to make a present* (*of*)
faire fortune, *to make one's fortune*
faire mal (à), *to hurt*

faire peur (à), *to frighten*
faire plaisir (à), *to give pleasure* (*to*)
faire signe (à), *to beckon*
faire semblant (de), *to pretend* (*to*)
rendre visite (à), *to visit*
demander grâce (à), *to ask pardon*
mettre fin (à), *to put an end* (*to*)
prendre congé (de), *to take leave* (*of*)
prendre feu, *to catch fire*
trouver moyen (de), *to find a means* (*to*)

NOUNS

9. Plural Form

Types to note:

-eau, -eaux	le veau, les veaux
-eu, -eux	le feu, les feux
-al, -aux	l'animal, les animaux
-ou, -ous	le trou, les trous

Exceptions:

le bijou, *jewel*	les bijoux	le genou, *knee*	les genoux
le caillou, *pebble*	les cailloux	le hibou, *owl*	les hiboux
le chou, *cabbage*	les choux	le joujou, *plaything*	les joujoux

Miscellaneous:

l'œil, les yeux
le ciel, les cieux
le travail, les travaux
monsieur, messieurs
madame, mesdames
mademoiselle, mesdemoiselles
le gentilhomme, les gentilshommes
le grand-père, les grands-pères
la grand'mère, les grand'mères
la pomme de terre, les pommes de terre
le timbre-poste, les timbres-poste

10. Feminine Forms

Common nouns which have the same form for both genders:

le (la) camarade, *comrade*
le (la) compatriote, *fellow-countryman* (*woman*)
le (la) concierge, *caretaker*
le (la) propriétaire, *owner*
le (la) domestique, *servant*
un (une) élève, *pupil*
un (une) enfant, *child*
un (une) esclave, *slave*

Types:

le marchand, la marchande
un ouvrier, une ouvrière
le berger, la bergère
le danseur, la danseuse
le citoyen, la citoyenne
le Parisien, la Parisienne
le Breton, la Bretonne
le paysan, la paysanne

Miscellaneous:

le maître, la maîtresse	le compagnon, la compagne
le prince, la princesse	le mari, la femme
le duc, la duchesse	le roi, la reine
le nègre, la négresse	le neveu, la nièce
l'acteur, l'actrice	le serviteur, la servante
l'empereur, l'impératrice	le cheval, la jument
le veuf, la veuve	le héros, l'héroïne

11. Indications as to Gender

(*a*) Masculine:

Names of males:	le fils, le lion *Except the following, which are always feminine, even when applied to a male person:* la connaissance (*acquaintance*), la dupe (*dupe*), la personne (*person*), la sentinelle (*sentinel*), la victime (*victim*)
Days, months, seasons:	dimanche (prochain), décembre (dernier), le printemps
Points of the compass:	le nord, le sud
Trees, shrubs:	le chêne, le laurier *Exceptions:* la vigne (*vine*), la ronce (*bramble*), une aubépine (*hawthorn*)
Decimal weights and measures:	le kilogramme, le mètre
Metals:	le fer, le cuivre (*copper*)

Nouns ending in

-acle	le spectacle, le miracle
-age	le voyage, le village *Exceptions:* la page, la cage, la plage (*beach*), une image
-ail	le travail, le détail
-eau	le tableau, le manteau *Exceptions:* une eau, la peau (*skin*)
-ège	le collège, le cortège (*procession*)
-eil	le soleil, le sommeil
-ice	le service, un exercice *Exceptions:* la malice, la police
-ment	le gouvernement, un instrument *Exception:* la jument (*mare*)

-oir	le trottoir, le peignoir (*dressing-gown*)
-our	le retour, le four (*oven*) *Exceptions:* la tour (*tower*), la cour

(*b*) **Feminine:**

Names of females:	la femme, la fille
Fruits:	la pomme, la poire *Exceptions:* le raisin (*grape*), le melon, le citron (*lemon*), un abricot
Arts and sciences:	la peinture, la chimie, la géographie *Exception:* le dessin (*drawing*)
Most abstract nouns:	la vertu, la sagesse *Exceptions:* l'amour, le charme, le courage, le crime, le mérite, le mensonge (*lie*), l'orgueil (*pride*), le vice

Nouns ending in

-ade	la promenade, la salade
-aille	la bataille, la paille (*straw*)
-ance	la naissance, la confiance
-ée	la fumée, une armée *Exceptions:* le musée, le lycée.
-elle	la femelle, la ficelle (*string*)
-ence	la différence, la prudence *Exception:* le silence
-esse	la tristesse, la paresse
-ette	la fillette, la brouette (*wheelbarrow*) *Exception:* le squelette, *skeleton*
-eur (*abstract nouns*)	la grandeur, la lenteur *Exceptions:* le bonheur, l'honneur, le malheur, le labeur
-ie	la bougie, la sortie *Exceptions:* le génie (*genius*), un incendie (*fire*), le parapluie (*umbrella*)
-ière	la bière, la soupière *Exception:* le cimetière
-ille	la grille, la famille
-ine	la bottine, la cuisine
-ion	la direction, une observation *Exceptions:* le million, le camion (*lorry*), un avion (*aeroplane*)
-ise	la brise, une église

-çon, -son	la leçon, la façon, la saison, la raison *Exceptions:* le soupçon (*suspicion*), le maçon (*mason*), le poison, le poisson
-té, -tié	la fierté, la santé, la moitié, une amitié *Exceptions:* le côté, l'été, le pâté (*pie*)
-tude	la multitude, une habitude
-ue	la rue, la boue
-ure	la ceinture (*belt*), la serrure (*lock*) *Exception:* le murmure

12. Nouns of like form but of different gender and meaning

le livre, *book*	la livre, *pound*
le manche, *handle* (*e.g. of a broom*)	la manche, *sleeve*
	la Manche, *English Channel*
le page, *page-boy*	la page, *page* (*of a book*)
le poêle, *stove*	la poêle, *frying-pan*
le poste, *post, situation*	la poste, *post-office*
le somme, *nap*	la somme, *sum*
le tour, *turn, trick*	la tour, *tower*
le vapeur, *steamer*	la vapeur, *steam*
le vase, *vase*	la vase, *slime, ooze*
le voile, *veil*	la voile, *sail*

NOTE:

le lieu, *place*	la lieue, *league*
le sort, *fate*	la sorte, *sort, kind*
le parti, *party* (*legal, political*)	la partie, *part, portion*
	la part, *share*

Note on **gens** (*people, folk*).

An adjective preceding *gens* is feminine:

les bonnes gens, les vieilles gens. (*Note:* tous les gens.)

When the adjective follows, the agreement is masculine:

des gens charmants, polis, bien élevés.

13. Common Nouns beginning with *h* aspirate

la hache, *axe*	la hanche, *hip*
la haie, *hedge*	la hardiesse, *boldness*
la haine, *hatred*	le haricot, *bean*
le haillon, *rag*	le hasard, *chance*
la halte, *halt*	la hâte, *haste*
le hameau, *hamlet*	la hauteur, *height*

le hennissement, *neighing*	la Hollande, *Holland*
le héros, *hero*	la honte, *shame*
la herse, *harrow*	la houille, *coal*
le hêtre, *beech*	la houle, *swell* (*sea*)
le hibou, *owl*	le hurlement, *howl*, *yell*
le hochement, *nod*	la hutte, *hut*

ADJECTIVES

14. Plurals to note

un homme loyal	des hommes loyaux
un livre nouveau	des livres nouveaux
un cahier bleu	des cahiers bleus

15. Feminine Forms

Types:

	oisif	oisive	*idle*
	fier	fière	*proud*
	pareil	pareille	*like*
	muet	muette	*mute*
But	complet	complète	*complete*
	discret	discrète	*discreet*
	inquiet	inquiète	*anxious*
	secret	secrète	*secret*
	ancien	ancienne	*ancient*
	cruel	cruelle	*cruel*
	paresseux	paresseuse	*lazy*
	trompeur	trompeuse	*deceiving*
But	meilleur	meilleure	*better*
	supérieur	supérieure	*superior*
	inférieur	inférieure	*inferior*
	intérieur	intérieure	*internal*

Miscellaneous:

bas	basse	*low*	long	longue	*long*
gras	grasse	*fat*	bref	brève	*brief*
gros	grosse	*big*	sec	sèche	*dry*
las	lasse	*weary*	blanc	blanche	*white*
épais	épaisse	*thick*	franc	franche	*frank*

faux	fausse	*false*	frais	fraîche	*fresh, cool*
bon	bonne	*good*	doux	douce	*gentle, sweet*
gentil	gentille	*nice*	public	publique	*public*
sot	sotte	*foolish*	favori	favorite	*favourite*
			aigu	aiguë	*sharp*

Beau, nouveau, vieux

Remember the forms **bel, nouvel, vieil,** required before a masculine noun beginning with a vowel or *h* mute:

un bel homme	de beaux hommes
le nouvel ordre	les nouveaux ordres
le vieil arbre	les vieux arbres

16. Position of Adjectives

(*a*) These common adjectives are generally placed before the noun:

beau	*beautiful*	haut	*high*	meilleur	*better, best*
bon	*good*	jeune	*young*	moindre	*smaller, smallest*
cher	*dear*	joli	*pretty*	petit	*small*
gentil	*nice*	long	*long*	pire	*worse, worst*
grand	*great*	mauvais	*bad*	vieux	*old*
gros	*big*	méchant	*wicked*	vilain	*ugly*

(*b*) Other adjectives are usually placed after the noun. Adjectives of nationality, shape, colour, regularly follow the noun:

une vieille ville française, *an old French town.*
une table ronde, *a round table.*
un tapis vert, *a green carpet.*

Two adjectives qualifying one noun keep their usual position:

une jolie petite bête
le petit chapeau rouge
la route blanche et poudreuse

There are circumstances in which adjectives other than those noted above, §16(*a*), are placed before the noun, e.g. when the idea expressed by the adjective is contained in the noun:

une terrible catastrophe; le clair soleil.

Again, in complimentary expressions:

vos respectables parents; ta charmante cousine.

Also when the adjective is used in a figurative sense:

une étroite amitié; une riante campagne.

Prase McClarkey

(*c*) Common adjectives whose meaning varies according as they are placed before or after the noun:

	BEFORE	AFTER
ancien	*former:* un ancien élève	*ancient:* une maison ancienne
certain	*some (indefinite):* certaines personnes; une certaine prudence	*certain:* une preuve certaine
cher	*dear (beloved):* mon cher enfant	*dear (price):* un article cher
grand	*great:* un grand homme d'État	*tall:* un monsieur grand
pauvre	*poor (pitiable):* pauvre garçon!	*poor (without money):* des parents pauvres
propre	*own:* ses propres mots	*clean:* les mains propres

17. Comparison; Superlative

beau	plus beau	le plus beau
beaux	plus beaux	les plus beaux
belle	plus belle	la plus belle
bon	meilleur	le meilleur
petit	plus petit / moindre	le plus petit / le moindre
mauvais	plus mauvais / pire	le plus mauvais / le pire

One should note the correct use of these alternative forms (*plus petit, moindre,* etc.):

Le plus petit des enfants (*smallest in size*).
Le moindre détail (*the least considerable*).
Le plus mauvais chapeau (*worst in quality*).
La pire cruauté (*worst, in the moral sense*).

Do not confuse *meilleur* (adjective) and *mieux* (adverb):

C'est un meilleur élève.
Vous parlez mieux que lui.

Examples:

Jeanne est la plus jolie de toutes les sœurs.
Elle mit sa plus belle robe.
Ce vieillard était son serviteur le plus dévoué.
Je lui ai prêté mes livres les plus intéressants.

After a superlative *in* is translated by **de**:

Dubois est le meilleur élève de la classe.
C'est le plus grand magasin de la ville.

Other useful expressions:

Il est plus habile que moi.
Ils sont aussi riches que nous.
{ Elle n'est pas si intelligente que sa sœur.
{ Elle est moins intelligente que sa sœur.
Vous êtes plus âgé que moi de deux ans (*by two years*).
Il est plus grand que vous de 5 centimètres (*by 5 centimetres*).
Ils sont plus riches que vous **ne** croyez (*than you think*).
Elle est moins stupide qu'elle **n'**en a l'air (*than she looks*).
Il est fort comme un bœuf (*as strong as an ox*).
Elle devient de plus en plus paresseuse (*she gets lazier and lazier*).

C'est **très** amusant.
Cette histoire est **fort** intéressante.
Ce qu'il dit est **bien** vrai.
Je vous serais **infiniment** obligé.
Il est **extrêmement** poli.
C'est une tâche des plus difficiles (*a most difficult task*).
C'est un homme des plus charmants (*a most charming man*).

18. Points concerning Agreement

Compound adjectives of colour are invariable:

Il a les yeux bleus.
but Il a les yeux bleu clair (*light blue*).

Demi and **nu** are invariable before a noun:

une demi-heure *but* une heure et demie
Il va nu-pieds et nu-tête. *but* Il avait les pieds nus.

Tout (= *quite, altogether*) before an adjective, agrees only when the adjective is feminine and begins with a consonant:

tout petit	toute petite	tout étonnée
tout petits	toutes petites	tout étonnées

des vêtements tout faits (*ready-made*)
des idées toutes faites
Elle était toute pâle de frayeur (*fright*).

NUMERALS, DATES, etc.

19. Cardinals

21, vingt et un	81, quatre-vingt-un
22, vingt-deux	90, quatre-vingt-dix
23, vingt-trois	91, quatre-vingt-onze
31, trente et un	100, cent
41, quarante et un	101, cent un
51, cinquante et un	300, trois cents
61, soixante et un	350, trois cent cinquante
71, soixante et onze	1000, mille
72, soixante-douze	10.000, dix mille
80, quatre-vingts	1.000.000, un million (de)

20. Ordinals

{le premier	le (la) neuvième
{la première	la (la) onzième
le (la) cinquième	la (la) vingt et unième
le (la) huitième	le (la) vingt-deuxième

les quatre premières pages, *the first four pages*
neuf sur dix, *nine out of ten*
en premier lieu, *in the first place*
en second lieu, *in the second place*

21. Collectives

une huitaine de jours, *a week*
une quinzaine de jours, *a fortnight*
une douzaine d'œufs, *a dozen eggs*
une vingtaine de bambins, *a score of youngsters*
une trentaine de soldats, *about* 30 *soldiers*
une cinquantaine de personnes, *about* 50 *people*
une centaine de livres, *about* 100 *books*
quelques centaines de francs, *a few hundred francs*
un millier d'hommes, (*about*) 1,000 *men*
des milliers d'abeilles, *thousands of bees*

22. Fractions, multiplication

La moitié de, *half*. Il ne vaut pas la moitié de cette somme.

Note also:
Une poire **à moitié** pourrie (*half-rotten*).
Il était **à demi** mort de frayeur (*half-dead with fright*).
Un demi-kilo; une demi-heure.

Un tiers, *a third*; les deux tiers, *two thirds.*
Un quart, *a quarter*; un quart d'heure, un quart de siècle.
Les trois quarts, *three quarters.*
Un cinquième; un sixième; sept huitièmes, etc.

Une fois, deux fois, *once, twice.*
Dix fois plus nombreux, *ten times more numerous.*
Trois fois sept font vingt et un.

23. Dimensions

Cet objet est haut (large, long, épais) de 15 centimètres.
Cette tour a 40 mètres de haut.
Cette planche a 20 centimètres de large.

Quelles sont les dimensions de cette pièce?—Elle a 4 mètres de long sur 3 m. 75 de large.
Cette table est plus longue que l'autre de 10 centimètres.

Combien (*or* Quelle distance) y a-t-il d'ici à Paris?
D'ici à Paris il y a 160 kilomètres.
Ce village se trouve **à** 15 kilomètres de Lyon.
La distance est **de** 40 kilomètres.

Le prix de ce fusil est **de** 12.000 francs.

24. Age

Quel âge a-t-il?—Il a vingt-deux ans.
Mon frère est âgé de dix-sept ans.
Un homme d'environ cinquante ans.

25. Kings

François premier; Henri deux; George cinq.

26. Dates, days

En l'an 1830.
Mil neuf cent trente-cinq, *or* dix-neuf cent trente-cinq.
Janvier, février, mars, avril, mai, juin, juillet, août, septembre, octobre, novembre, décembre.

Le premier juin; le deux juin; le trente et un décembre.
Il arrivera le 12 décembre (*on December* 12).
Dimanche (*Sunday*), lundi, mardi, mercredi, jeudi, vendredi, samedi.
Venez me voir lundi (*on Monday*).
Nous y allons le dimanche (*on Sundays*).
Le mardi, 25 juillet (*Tuesday, July* 25).

Quel jour sommes-nous? Nous sommes aujourd'hui vendredi.
Quel jour du mois sommes-nous?
Nous sommes aujourd'hui le onze.
Le combien est-ce aujourd'hui?
C'est aujourd'hui le sept.
D'aujourd'hui en huit, *to-day week.*
Il y a trois jours, *three days ago.*
Tous les jours, *every day.*
Tous les deux jours, *every other day.*
De jour en jour, *from day to day.*
La récolte est bonne cette année.
J'ai travaillé toute la journée (matinée, soirée).
Je n'ai rien mangé de la journée (*all day*).
Il y a bien des années, *many years ago.*

Il partira **dans** trois jours.
On traverse l'Atlantique **en** cinq heures.

27. Time of Day

Il est midi (minuit) et demi.
Il est trois heures et demie.
Il est six heures et quart.
Il est neuf heures moins un (le) quart.
Il est sept heures dix.
Il est onze heures moins vingt.
A environ dix heures.
Vers (les) sept heures, *about* 7 *o'clock.*
Il est près de cinq heures.
A onze heures précises, *at exactly* 11 *o'clock.*
Quelle heure avez-vous?

28. Weather

Quel temps fait-il?—Il fait beau (temps).
Le temps est beau.

Par un temps splendide, *in splendid weather.*
Par une nuit d'orage, *on a stormy night.*

PRONOUNS

Q. – p103

29. Pronoun Objects

Direct Object	*Indirect Object*	*Reflexive*
Il **me** regarde.	Il **me** parle.	Je **me** baigne.
Il **te** regarde.	Il **te** parle.	Tu **te** baignes.
Il **le (la)** regarde.	Il **lui** parle.	Il **se** baigne.
Il **nous** regarde.	Il **nous** parle.	Nous **nous** baignons.
Il **vous** regarde.	Il **vous** parle.	Vous **vous** baignez.
Il **les** regarde.	Il **leur** parle.	Ils **se** baignent.

30. Position

(*a*) Pronoun Objects are placed before the verb (before the auxiliary in a compound tense), except when the verb is in the imperative affirmative.

Je les regarde,
Nous recevra-t-il?
Il les a vus.
Les a-t-il vus?

Pronouns governed by an infinitive stand before that infinitive:

Je voudrais le voir.
Je vais lui parler.

Order observed when two pronouns stand before the verb:

me				
te	**le**			
se	**la**	**lui**		
nous	**les**	**leur**	**y**	**en**
vous				

Examples:

Je le lui ai dit.	Je ne le lui ai pas dit.
Je les y trouverai.	Je ne les y trouverai pas.
Il me l'a donné.	Il ne me l'a pas donné.
Il y en a.	Il n'y en a pas.
Elle s'en va.	Elle ne s'en va pas.
Je vais le lui rendre.	Je ne vais pas le lui rendre.

p 228 : Verbs which take indirect object in English but not in French

(*b*) Pronoun Objects with the Imperative

With the affirmative the pronouns follow the verb, and in the order usual in English; with the negative the pronouns precede, the order being that of the normal sentence.

Examples:

Prêtez-le-lui.	Ne le lui prêtez pas.
Rendez-les-leur.	Ne les leur rendez pas.
Racontez-le-nous.	Ne nous le racontez pas.
Expliquez-le-moi.	Ne me l'expliquez pas.
Parlez-lui-en.	Ne lui en parlez pas.
Donnez-m'en.	Ne m'en donnez pas.
Allez-y.	N'y allez pas.
Vas-y.	N'y va pas.

The **reflexive pronoun** behaves exactly as any other object pronoun:

Assieds-toi.	Ne t'assieds pas.
Asseyons-nous.	Ne nous asseyons pas.
Asseyez-vous.	Ne vous asseyez pas.
Va-t'en.	Ne t'en va pas.
Allons-nous-en.	Ne nous en allons pas.
Allez-vous-en.	Ne vous en allez pas.

31. Cases in which a Disjunctive (or Strong) Pronoun must be used

The disjunctive pronouns are:

moi	**nous**
toi	**vous**
{**lui**	{**eux**
{**elle**	{**elles**
{**soi**	

They combine with *même* to form **moi-même**, myself, **nous-mêmes**, ourselves, etc.

(*a*) With verbs of motion (including *penser*, *songer*, *réfléchir*):

Je courus à lui.	*I ran to him.*
Il vint à moi.	*He came to me.*
Il songeait à elle.	*He was thinking of her.*
Nous pensions à vous.	*We were thinking of you.*

Referring to an object, *to it* or *to them* is translated by **y**:

Voilà la maison; j'y vais.
Il y a cette visite; j'y pense toujours.
Il aperçut une ferme; il y courut.

(*b*) Note these examples:

Je vous présenterai à elle.	*I will introduce you to her.*
Il s'est adressé à moi.	*He addressed himself to me.*
D'autres se joignirent à eux.	*Others joined them.*

(*c*) Note **de** + pronoun after reflexive verbs:

Il s'approcha de moi.	*He approached me.*
Ils se moquent d'elle.	*They make fun of her.*
Personne ne s'occupait de lui.	*Nobody troubled about him.*

When objects are referred to, the pronoun is **en**:

Quant au danger, il s'en moque.
Je distinguai la maison; je m'en approchai lentement.

32. Common uses of the Disjunctive Pronouns

(*a*) **With prepositions:**

Avec moi; sans eux; après elle; chez lui.

(*b*) **Standing alone:**

Qui a gagné?—Eux.
Qui va jouer?—Lui et moi.

(*c*) **In comparisons:**

Nous sommes moins riches qu'eux.

(*d*) **After** ***c'est***:

C'est moi (toi, lui, elle, nous, vous).
but Ce sont eux; ce sont elles.

(*e*) **For emphasis:**

Moi, je n'en sais rien.
Lui ne dit jamais rien.

(*f*) **With** ***ne. . . que*** **(=only):**

Il n'y a que lui qui refuse.

(*g*) **In a composite subject:**

Vous et moi (nous) allons jouer ensemble.
Lui et son frère remportent tous les prix.

(*h*) **In one or two other cases where the subject is separated from the verb:**

Eux seuls savaient où la clef était cachée.
Lui aussi nous a rendu service.

(*i*) **L'un d'eux, f. l'une d'elles,** *one of them.*
Plusieurs d'entre eux, *several of them.*
Ils parlaient entre eux, *among themselves.*

33. (*a*) **Soi** (*oneself*) is used only after **on, chacun, personne, tout le monde:**

On a souvent besoin d'un plus petit que soi.
Chacun pour soi, Dieu pour tous.
Personne n'y travaille pour soi.
Tout le monde rentrera chez soi.

(*b*) **Y:**

Êtes-vous allés à Vincennes?—Oui, nous y sommes allés hier.
Je n'y comprends rien. *I can't make it out.*

(*c*) **En:**

Avez-vous des frères?—Oui, j'en ai trois.
Voyez-vous des poissons?—Oui, j'en vois beaucoup.
A quelle heure êtes-vous sortis du cinéma?—Nous en sommes sortis à cinq heures.
S'il en est ainsi, *if it be so.*
J'en suis sûr. *I am sure (of it).*
je n'en ai pas ✓
je n'ai pas ✗
Je n'en sais rien. *I do not know.*
Je vous en remercie. *I thank you for it.*
Je m'en souviens. *I remember it.*

(*d*) **Le:**

Est-il rentré?—Oui, je le crois (*I think so*).
Vous savez qu'il est mort?—Oui, je le sais. (*Yes, I know.*)
Je m'en irai, si vous le désirez (*if you so desire*).
Du moins, son père me l'a dit (*told me so*).
Vous le savez? Eh bien, dites-le-moi. (*You know? Well, tell me.*)
Vous êtes son frère?—Oui, je le suis. (*Yes, I am.*)
Son oncle est riche, mais ses parents ne le sont pas (*are not*).
Lui est avare; moi, je ne le suis pas (*I am not*).

Relative Pronouns

34. Qui, que:

Le monsieur qui parle. La personne que j'écoute.
La plante qui croît. La fleur que j'ai cueillie.

Dont (*whose, of whom, of which*):

La personne (la chose) dont je parle.
Je connais une dame dont la fille est en Angleterre.

C'est un monsieur dont je connais bien les fils. (*Note the order.*)
Elle se dirigea vers la maison, dont la porte était ouverte.
La façon (la manière) dont il joue...

Note especially:

Les choses dont je me souviens (se souvenir de).
Les instruments dont je me sers (se servir de, *to use*).
Les livres dont vous avez besoin (avoir besoin de).

Qui with prepositions means *whom*, and may refer only to persons:

Quel est ce monsieur à qui vous parliez?
C'est le pharmacien chez qui je travaille.
C'est un homme sur qui vous pouvez compter.

35. Lequel, laquelle, etc.:

Remember the contracted forms:

auquel	**auxquels**	**auxquelles**
duquel	**desquels**	**desquelles**

Used with prepositions, these pronouns refer to animals or things:

Les poules auxquelles elle donnait à manger.
La feuille sur laquelle j'écrivais.
Les outils (*tools*) avec lesquels il travaillait.
Les ruses au moyen desquelles il réussit (*by means of which*).

With **parmi** (*among*) they may refer to persons:

Les indigènes (*natives*) parmi lesquels je vivais...

36. Où, meaning *in which, on which,* etc.:

Voici la rue où il demeure (*in which*).
Le banc où j'étais assis (*on which*).

NOTE:

le jour où, *the day on which*; *but* un jour que, *one day when* (*as*).
au moment où, à l'instant où, *at the moment* (*instant*) *when, just as.*
L'heure où les ouvriers quittent leur travail.
L'année où nous sommes allés en Bretagne.

Where, beginning a statement, is translated by **là où:**
Là où j'habitais, il y avait beaucoup de sangliers (*wild boar*).

Wherever = partout où:
Partout où je voyage, je trouve la même chose.

37. Ce qui, ce que (*what = that which*):

Nous allons voir ce qui se passe (*what is going on*).
Je sais ce que vous allez dire (*what you are going to say*).
Faites bien attention à ce que je vais dire (*to what I am going to say*).
Ce dont nous parlions était loin d'être amusant (*what we were talking of*).
Ce dont j'ai besoin. . . *what I need.*

Tout ce qui, tout ce que are important expressions:

Tout ce qui est sur la table, *all that is on the table.*
Tout ce que vous dites, *all you say.*

(*a*) Note the use of *ce qui*, referring to the sense of a foregoing phrase:

Mon oncle se mouchait à grand bruit, ce qui agaçait ma pauvre tante. *My uncle used to blow his nose loudly, which annoyed my poor aunt.*

(*b*) **Ce que** also occurs in indirect questions:

Qu'allez-vous faire? Je demande ce que vous allez faire.
Qu'est-il devenu? J'ignore ce qu'il est devenu. *I don't know what has become of him.*

38. Quoi does not refer to a noun:

Sur quoi, il s'éloigna à grands pas.	*Whereupon he strode away.*
Après quoi nous sommes rentrés.	*After which we went home.*
Ils n'ont pas de quoi vivre.	*They have not the wherewithal to live.*
Donnez-moi de quoi écrire.	*Give me writing materials.*
Il n'y a pas de quoi.	*Don't mention it.*

Demonstrative Adjective and Pronouns

39. Adjective:

ce livre	**cette** boîte	**ces** livres
cet arbre		**ces** arbres
		ces boîtes

ce livre-**ci**; cette chaise-**là**.
ce soir, *this evening*; ce soir-là, *that evening.*
ce jour-là, *that day*; ce matin-là, *that morning.*

40. Demonstrative Pronouns:

celui	**celle**
ceux	**celles**

(*a*) Quel homme? Celui qui parle. Celui que vous écoutez. Celui dont nous parlions.
Quelle dame? Celle qui parle. Celle que vous écoutez. Celle dont nous parlions.
Quel couteau (Quelle fourchette)? Celui (Celle) qui est sur le buffet. Celui (Celle) que vous avez à la main. Celui (Celle) dont vous vous servez.
Quels livres? Ceux qui sont sur la table. Ceux que vous lisez. Ceux dont vous admirez la reliure (*binding*).

Tous ceux qui (que), toutes celles qui (que) are important expressions:

Tous ceux qui sont venus, *all* (*those*) *who came.*
Toutes celles que vous avez vues, *all* (*those*) *whom you saw.*

Je n'aime pas son costume, je préfère celui de Jean (*I prefer John's*).
Notre maison est plus grande que celle de mon oncle (*than my uncle's*).
Je ne trouve pas mes gants; je vais prendre ceux de mon frère (*my brother's*).

(*b*) **Celui-ci, celui-là, etc.**

These may stand alone as subject (which *celui*, *celle*, etc., never do):
Voici deux vestons; celui-ci est à 55 francs, celui-là à 80.
Laquelle de ces maisons préférez-vous? J'aime mieux celle-là, mais celle-ci est très jolie.
Nos chaises sont plus belles que celles-là.

Celui-là, celui-ci often translate *former*, *latter*:

Marseille et le Havre sont deux grands ports de mer, celui-là sur la Méditerranée, celui-ci sur la Manche.

(*c*) **Ceci, cela** mean *this* (*thing*), *that* (*thing*), not referring to a noun:

Qui a fait cela? *Who has done that?*
Voulez-vous signer ceci? *Will you sign this?*
Qu'est-ce que c'est que cela? *What is that?*
Cela m'est égal. *It is all the same to me.*
Cela ne fait rien. *That does not matter.*

41. Common constructions in which **ce** occurs.

(*a*) Definitions:

C'est un professeur. (*One may also say:* Il est professeur.)
C'est un brave homme. *He is a good fellow.*
Quelle est cette auto? C'est une Renault.
Ce sont des canards sauvages. *They are wild duck.*

(*b*) When **être** + adjective is not followed by a phrase:

C'est difficile.
C'est tout à fait étonnant.
Ce doit être amusant.
Vous avez raison, c'est évident.

But when **être** + adjective is followed by **que** or **de** + phrase, *it is* must be translated by **il est**:

Il est évident qu'il ne le fera pas. Oui, c'est évident.
Est-il possible qu'il revienne aujourd'hui? Oui, c'est possible.
Il sera difficile de le persuader. Oui, ce sera difficile.

Thus **ce** refers to an idea already expressed (**ce** = *this*, i.e. what has been mentioned).

Note this other construction:

Est-ce difficile à faire? Oui, c'est difficile à faire.

Interrogative Adjective and Pronouns

42. Adjective:

quel(s) **quelle(s)**

Quel est cet homme? Quelle heure est-il?
Quel charme! Quelle force! Quels muscles!

Which one? which ones? implying choice is **lequel, laquelle** etc.:

Voici deux sacs à main. Lequel préférez-vous? (*which one?*)
Sa sœur me plaît beaucoup. Laquelle? (*which one?*)
Va chercher mes souliers. Lesquels? (*which ones?*)

43. Interrogative Pronouns

(*a*) **Applying to persons:**

Subject Qui *or* qui est-ce qui, *who:*

Qui le dit? Qui est-ce qui le dit? *Who says it?*

Object Qui *or* qui est-ce que, *whom*:

Qui regardez-vous? Qui est-ce que vous regardez? *Whom are you looking at?*

With prepositions *whom* is **qui**:

A qui est ce portefeuille? *To whom does this wallet belong?*
De qui parlez-vous? *Of whom are you speaking?*
Avec qui étiez-vous? *With whom were you?*

(*b*) **Applying to things:**

Subject Qu'est-ce qui, *what*:

Qu'est-ce qui vous fait mal? *What is hurting you?*

Object Que *or* qu'est-ce que, *what*:

Que dites-vous? Qu'est-ce que vous dites? *What do you say?*

(*c*) With prepositions *what* is **quoi**:

Avec quoi peut-on ouvrir cette boîte? *With what can one open this box (tin).*
De quoi vous plaignez-vous? *Of what are you complaining?*
A quoi pensez-vous? *What are you thinking about?*

(*d*) Other useful expressions:

Que sont ces taches? *What are these stains?*
Qu'est-ce que le caoutchouc? *What is rubber?*
Qu'est-ce que c'est que le caoutchouc? *What is rubber?*
Qu'arrive-t-il? *What is happening?*
Que se passe-t-il? *What is going on?*
Que faire? *What am I (is he, etc.) to do?*
Je ne sais que faire. *I do not know what to do.*
Il ne savait que répondre. *He did not know what to reply.*
Que vous faut-il? *What do you require?*

44. Possessive Adjective and Pronoun

(*a*) **Adjective:**

Remember that **mon, ton, son** are used before feminine nouns beginning with a vowel or *h* mute:

mon amie; ton histoire; son armoire.

Son, sa, agree with the noun, not the possessor:

Il écrit à son fils.	Elle écrit à son fils.
Il est dans sa chambre.	Elle est dans sa chambre.

Points to note:

Non, ma tante, *no, auntie.* Oui, mon capitaine, *yes, Captain.*
Un de mes amis, *a friend of mine.*
Un médecin de mes amis, *a doctor friend of mine.*
Au sujet de son fils, *about his son.* À son sujet, *about him.*
Avez-vous des nouvelles de Jean? *Have you any news of John?*
Avez-vous de ses nouvelles? *Have you any news of him?*

(*b*) **Pronoun:**

le mien	la mienne	les miens	les miennes
le tien	la tienne	les tiens	les tiennes
le sien	la sienne	les siens	les siennes
le (la) nôtre		les nôtres	
le (la) vôtre		les vôtres	
le (la) leur		les leurs	

The article contracts: **du** mien; **des** nôtres, etc.
The pronoun agrees of course with the noun referred to:

Vous avez de belles roses; vous allez voir les miennes.
Elle dit que mon chapeau est plus joli que le sien (*hers*).

Note:

Il n'est pas des nôtres.
He is not one of us (*of our number, of our people*).

Indefinite Adjectives and Pronouns

45. Personne:

Personne n'est venu. *Nobody has come.*
Je n'ai vu personne. { *I have seen nobody.* / *I have not seen anybody.* }
Je ne l'ai dit à personne. *I have not told anybody.*
Qui veut y aller? Personne. *Who wishes to go there? Nobody.*
Sans rencontrer personne, *without meeting anybody.*
Personne d'autre, *nobody else.*

46. Rien:

Rien ne paraît plus simple. *Nothing appears simpler.*
Il n'a rien dit. { *He has said nothing.* / *He has not said anything.* }

Qu'est-ce qu'il a dit? Rien. *What did he say? Nothing.*
Il s'éloigna sans rien dire.
He walked away without saying anything.

47. Aucun, nul, pas un require **ne** before the verb:

Aucun de nous ne le connaît. *Not one of us knows him.*
Je ne connais aucun de ses amis.
I don't know (a single) one of his friends.
Je n'ai aucune confiance en lui. *I have no confidence in him.*
Aucun bruit ne se fait entendre. *No sound is heard.*
Quelle raison donne-t-il? Aucune.
What reason does he give? None.
Sans aucune garantie, *without any guarantee.*
Nul ne sait, *none knows.*
Je ne suis nullement responsable. *I am in no way responsible.*
Pas un ne s'échappa. *Not one escaped.*

48. On:

On sonne. *Someone is ringing (the bell).*
Monsieur, on vous demande. *Sir, someone is asking for you.*
On dit que... *It is said that... they say that.*
A-t-on mis ma lettre à la poste? *Has my letter been posted?*
On vous a vu hier. *You were seen yesterday.*
On doit rester chez soi. *One must stay at home.*

One, as object, is translated by **vous**:
Ce qui vous surprend, c'est que... *What surprises one is that...*

49. Chaque

chaque personne chaque fleur

Chacun(e) is the pronoun:
Chacun de ces élèves; chacune de ces boîtes.
Chacun fera ce qu'il voudra. *Each will do as he likes.*
Il nous a envoyé à chacun un beau cadeau.
He sent us each a lovely present.
Chacun pour soi, *each for himself.*

50. Tout:

Tout homme, toute femme, *every man, every woman.*
Tout le monde est parti, *everybody has gone.*
(Dans le monde entier, *in the whole world.*)
Il veut tout voir. *He wants to see everything.*

Tout (les) deux; toutes (les) deux, *both.*
Ils travaillent tous, *they are all working.*
Toutes les fois que... *whenever.*
Tous les jours (mois, ans), *every day* (*month, year*).

51. Tel(s), telle(s) :

Un tel homme, *such a man.*
Une si belle église, *such a beautiful church.*
De telles histoires, *such stories.*
Monsieur un tel, *Mr. So and So.*
On y chasse des animaux sauvages, tels que l'ours et le chamois (*such as the bear and the chamois*).

52. Autre :

Où sont les autres? *Where are the rest?*
J'en ai d'autres (*not* des autres). *I have others.*
J'ai deux montres, mais elles sont cassées l'une et l'autre (*both*).
Voici deux raquettes; vous pouvez prendre l'une ou l'autre (*either*).
Ni l'un ni l'autre ne dit la vérité (*neither*).
Je ne les connais ni l'un ni l'autre (*neither*).
Ils s'accusent l'un l'autre (*each another*).
Les singes se grattaient les uns les autres (*were scratching one another*).
Ils se jetaient des cailloux les uns aux autres (*at one another*).
Les armées se rapprochaient l'une de l'autre.
Nous autres Français, *we French people.*
Personne d'autre, *nobody else.*
Quelqu'un d'autre, *somebody else.*
Nous allons choisir autre chose.
We are going to choose something else.

53. Quelque :

Il y a quelque mystère. Après quelque temps.
J'ai tué quelques lapins. *I have killed a few rabbits.*
Quelque chose d'intéressant, *something interesting.*
Avez-vous quelque chose à déclarer? (*anything*).
Quelques mots, *a few words.* Peu de mots, *few words.*
Je l'ai déjà vu quelque part (*somewhere*).

Quelqu'un, *somebody, someone*:

Il y a quelqu'un dans la maison.

Quelques-un(e)s, *some, a few*:

Quelques-uns des magasins sont fort beaux.
Some of the shops are very fine.

Plusieurs, *several*:

Plusieurs dames; plusieurs messieurs.

54. Même:

Est-ce la même auto? Oui, c'est la même.
Is it the same car? Yes, it is the same one.
Tous ces messieurs, même (*even*) les plus graves, éclatèrent de rire.
A l'instant même où... *At the very moment when...*
Leur mère est la bonté même. *Their mother is kindness itself.*

55. N'importe qui, n'importe quoi, etc.:

N'importe qui vous le dira. *Anybody will tell you.*
Chantez n'importe quoi. *Sing anything.*
On peut l'acheter dans n'importe quelle librairie (*any bookshop*).
Quelle carte? N'importe laquelle (*any one*).

56. Je ne sais qui, etc.:

Je ne sais qui me l'a dit. *Someone or other told me.*
Il avait peur de je ne sais quoi.
He was afraid of something or other.
Il a donné je ne sais quelle raison.
He gave some reason or other.
J'en suis sorti je ne sais comment. *I got out somehow or other.*

57. Renderings of *any*:

A-t-il de l'argent? *Has he any money?*
Il n'en a pas. *He hasn't any.*
Je n'ai vu personne. *I haven't seen anybody.*
Sans aucune difficulté. *Without any difficulty.*
Ils font tout ce qu'ils veulent. *They do anything they like.*
Avez-vous besoin d'autre chose? *Do you need anything else?*
Les cochons mangent n'importe quoi. *Pigs eat anything.*
N'importe qui peut vendre des cigarettes.
Anybody may sell cigarettes.

VERBS

58. Compound tenses with *avoir*

J'ai pris.	*I have taken.*
J'avais pris.	*I had taken.*
J'eus pris.	*I had taken.*
J'aurai pris.	*I shall have taken.*
J'aurais pris.	*I should have taken.*

59. Verbs conjugated with *être*

(*a*)

aller, *to go*	*rester, *to remain*
arriver, *to arrive*	*retourner, *to return*
*descendre, *to descend*	*sortir, *to go out*
entrer, *to enter*	tomber, *to fall*
*rentrer, *to re-enter*	venir, *to come*
*monter, *to go up*	devenir, *to become*
mourir, *to die*	parvenir, *to reach, succeed*
naître, *to be born*	revenir, *to come back*
partir, *to depart*	

Nous sommes arrivé(e)s.	*We have arrived.*
Nous étions arrivé(e)s.	*We had arrived.*
Nous fûmes arrivé(e)s.	*We had arrived.*
Nous serons arrivé(e)s.	*We shall have arrived.*
Nous serions arrivé(e)s.	*We should have arrived.*

NOTE: The verbs marked * are sometimes used transitively with *avoir*:

Nous sommes descendus. *We came down.*
Le garçon a descendu les bagages.
The waiter has brought the luggage down.
Elle est montée dans sa chambre. *She has gone up to her room.*
J'ai monté votre malle. *I have taken up your trunk.*
J'ai rentré les bicyclettes. *I have put the bicycles inside.*
Elle avait sorti un petit revolver.
She had taken out a little revolver.

(*b*) **Reflexive verbs** are always conjugated with *être*. In no circumstances may the reflexive pronoun be associated with *avoir* as auxiliary.

Je me suis assis.	*I have sat down.*
Je m'étais assis.	*I had sat down.*
Je me fus assis.	*I had sat down.*
Je me serai assis.	*I shall have sat down.*
Je me serais assis.	*I should have sat down.*

60. The Passive is made up of *être* + the past participle, which always agrees with the subject.

Nous sommes battu(e)s.	*We are beaten.*
Nous étions battu(e)s.	*We were beaten.*
Nous fûmes battu(e)s.	*We were beaten.*
Nous avons été battu(e)s.	*We have been beaten.*
Nous serions battu(e)s.	*We should be beaten.*
Nous aurions été battu(e)s.	*We should have been beaten.*

These are not all the possible forms, but it will be obvious from these examples that any tense of the passive may be made up without difficulty.

61. Form of the Subjunctive

(*a*) **Present Subjunctive**

In nearly all cases the 3rd person plural of the present indicative provides the stem:

finir	ils finissent	**je finisse**
servir	ils servent	**je serve**
vendre	ils vendent	**je vende**

The endings are:

-e	je finisse
-es	tu finisses
-e	il finisse
-ions	nous finissions
-iez	vous finissiez
-ent	ils finissent

It is as well to remember the 1st and 2nd plural as having the same form as the imperfect indicative. This rule provides for a number of verbs which have an irregular present indicative:

Examples:

appeler,	*to call*	j'appelle,	nous appelions,	vous appeliez
boire,	*to drink*	je boive,	nous buvions,	vous buviez
prendre,	*to take*	je prenne,	nous prenions,	vous preniez
recevoir,	*to receive*	je reçoive,	nous recevions,	vous receviez

The present subjunctive of the following must be learnt specially:

aller, avoir, être, faire, pouvoir, savoir, valoir, vouloir. (*See Verb Tables.*)

(*b*) **Imperfect Subjunctive**

This is an extension of the Past Historic. It is thus always one of three types, according as the Past Historic of the verb is in **-ai, -is, -us**:

je donnasse	je vendisse	je reçusse
tu donnasses	tu vendisses	tu reçusses
il donnât	il vendît	il reçût
nous donnassions	nous vendissions	nous reçussions
vous donnassiez	vous vendissiez	vous reçussiez
ils donnassent	ils vendissent	ils reçussent

Je tinsse (*tenir*) and je vinsse (*venir*) are the only imperfect subjunctives of unusual form.

(*c*) The **Perfect** and **Pluperfect Subjunctive** are formed by putting the auxiliary into the subjunctive form:

Vous avez vu.	Il faut que vous ayez vu.
J'avais vu.	Bien que j'eusse vu.
Il est parti.	Avant qu'il soit parti.
Elle était partie.	Bien qu'elle fût partie.

62. Imperatives

Usually the present indicative forms *minus* the pronouns:

donne	donnons	donnez
vends	vendons	vendez
finis	finissons	finissez
mets	mettons	mettez

Irregular:

être :	sois	soyons	soyez
avoir :	aie	ayons	ayez
savoir :	sache	sachons	sachez
aller :	va (vas-y)	allons	allez
s'en aller:	va-t'en	allons-nous-en	allez-vous-en.

The 3rd person is expressed by **que** + subjunctive:

Qu'il vienne. *Let him come; may he come.*
Qu'ils s'en aillent. *Let them go away; may they go away.*

63. (*a*) **Negation**

In compound forms the negation goes with the auxiliary:

Je n'ai pas compris. N'ai-je pas compris?
Nous ne serons pas battus. Ne serons-nous pas battus?

(*b*) **Interrogative**

Remember: donne-t-il? y a-t-il?
One says: Est-ce que je donne? *rather than* Donné-je?
One must say: Est-ce que je vends (pars, reçois, *etc.*).
One does say however: Ai-je? Suis-je? Sais-je? Dois-je?

64. Preliminary notes to Verb Tables

Endings common to all verbs:

Future	*Imperfect and Conditional*	*Pres. Subjunctive**
-ai	-ais	-e
-as	-ais	-es
-a	-ait	-e
-ons	-ions	-ions
-ez	-iez	-iez
-ont	-aient	-ent

*Except *avoir* and *être*

The Past Historic is always one of three types,† likewise the Imperfect Subjunctive, which is formed from it.

Past Historic			*Imperf. Subjunctive*		
-ai	-is	-us	-asse	-isse	-usse
-as	-is	-us	-asses	-isses	-usses
-a	-it	-ut	-ât	-ît	-ût
-âmes	-îmes	-ûmes	-assions	-issions	-ussions
-âtes	-îtes	-ûtes	-assiez	-issiez	-ussiez
-èrent	-irent	-urent	-assent	-issent	-ussent

†*Je vins, je tins* are the only exceptions to this generalization.

The Imperfect Indicative has the same stem as the plurals of the Present Indicative: nous recevons, je recevais; nous buvons, je buvais.

The Conditional (or Future in the Past) has the same stem as the Future: je verrai, je verrais.

65. Verb Tables (See overleaf.)

Infinitive	Participles	Present Indicative	Past Historic	Future
avoir, être				
avoir, *to have*	ayant eu	ai, as, a, avons, avez, ont	eus	aurai
être, *to be*	étant été	suis, es, est, sommes, êtes, sont	fus	serai
donner, finir, vendre				
donner, *to give*	donnant donné	donne, -es, -e, donnons, -ez, -ent	donnai	donnerai
finir, *to finish*	finissant fini	finis, -is, -it, finissons, -ez, -ent	finis	finirai
vendre, *to sell*	vendant vendu	vends, vends, vend, vendons, -ez, -ent	vendis	vendrai
Smaller Groups				
servir, *to serve*	servant servi	sers, -s, -t, servons, -ez, -ent	servis	servirai
ouvrir, *to open*	ouvrant ouvert	ouvre, -es, -e, ouvrons, -ez, -ent	ouvris	ouvrirai
conduire, *to lead, drive*	conduisant conduit	conduis, -s, -t, conduisons, -ez, -ent	conduisis	conduirai
craindre, *to fear*	craignant craint	crains, -s, -t, craignons, -ez, -ent	craignis	craindrai
recevoir, *to receive*	recevant reçu	reçois, -s, -t, recevons, -ez, reçoivent	reçus	recevrai
Common Irregular Verbs				
aller, *to go*	allant allé	vais, vas, va, allons, allez, vont	allai	irai
asseoir (*Refl.* s'asseoir, *to sit down*)	asseyant assis	assieds, -s, assied, asseyons, -ez, -ent	assis	assiérai

Present Subjunctive	Imperative	Remarks Verbs similarly conjugated
aie, aies, ait, ayons, ayez, aient	aie, ayons, ayez	
sois, sois, soit, soyons, soyez, soient	sois, soyons, soyez	
donne, -es, -e, donnions, -iez, -ent	donne, donnons, donnez	Large group
finisse, -es, -e, finissions, -iez, -ent	finis, finissons, finissez	Large group
vende, -es, -e, vendions, -iez, -ent	vends, vendons, vendez	Large group
serve, -es, -e, servions, -iez, -ent	sers, servons, servez	dormir, mentir, partir, sentir, sortir, se repentir
ouvre, -es, -e, ouvrions, -iez, -ent	ouvre, ouvrons, ouvrez	couvrir, offrir, souffrir
conduise, -es, -e, conduisions, -iez, -ent	conduis, conduisons, conduisez	Verbs in *-uire*, e.g. réduire, produire, traduire
craigne, -es, -e, craignions, -iez, -ent	crains, craignons, craignez	Verbs in *-aindre*, *-eindre*, *-oindre*
reçoive, -es, -e, recevions, -iez, reçoivent	reçois, recevons, recevez	apercevoir, concevoir, décevoir
aille, -es, -e, allions, -iez, aillent	va, allons, allez	Conjugated with *être*
asseye, -es, -e, asseyions, -iez, -ent	assieds, asseyons, asseyez	

Infinitive	Participles	Present Indicative	Past Historic	Future
Common Irregular Verbs (*continued*)				
battre, *to beat*	battant battu	bats, bats, bat, battons, -ez, -ent	battis	battrai
boire, *to drink*	buvant bu	bois, -s, -t, buvons, -ez, boivent	bus	boirai
connaître, *to know*	connaissant connu	connais, -s, connaît, connaissons, -ez, -ent	connus	connaîtrai
courir, *to run*	courant couru	cours, -s, -t, courons, -ez, -ent	courus	courrai
croire, *to believe*	croyant cru	crois, -s, -t, croyons, -ez, croient	crus	croirai
cueillir, *to gather*	cueillant cueilli	cueille, -es, -e, cueillons, -ez, -ent	cueillis	cueillerai
devoir, *to owe*	devant dû (*f.* due)	dois, -s, -t, devons, -ez, doivent	dus	devrai
dire, *to say*	disant dit	dis, -s, -t, disons, dites, disent	dis	dirai
écrire, *to write*	écrivant écrit	écris, -s, -t, écrivons, -ez, -ent	écrivis	écrirai
envoyer, *to send*	envoyant envoyé	envoie, -es, -e, envoyons, -ez, envoient	envoyai	enverrai
faire, *to do, make*	faisant fait	fais, -s, -t, faisons, faites, font	fis	ferai
falloir, *to be necessary*	fallu	il faut	il fallut	il faudra
fuir, *to flee*	fuyant fui	fuis, -s, -t, fuyons, -ez, fuient	fuis	fuirai
lire, *to read*	lisant lu	lis, -s, -t, lisons, -ez, -ent	lus	lirai

Present Subjunctive	Imperative	Remarks Verbs similarly conjugated
batte, -es, -e, battions, -iez, -ent	bats, battons, battez	Compounds: combattre, abattre, rabattre
boive, -es, -e, buvions, -iez, boivent	bois, buvons, buvez	
connaisse, -es, -e, connaissions, -iez, -ent	connais, connaissons, connaissez	paraître, and compounds of both
coure, -es, -e, courions, -iez, -ent	cours, courons, courez	Compounds, e.g. accourir, recourir
croie, -es, -e, croyions, -iez, croient	crois, croyons, croyez	
cueille, -es, -e, cueillions, -iez, -ent	cueille, cueillons, cueillez	recueillir, accueillir
doive, -es, -e, devions, -iez, doivent	dois, devons, devez	
dise, -es, -e, disions, -iez, -ent	dis, disons, dites	
écrive, -es, -e, écrivions, -iez, -ent	écris, écrivons, écrivez	décrire, souscrire
envoie, -es, -e, envoyions, -iez, envoient	envoie, envoyons, envoyez	renvoyer
fasse, -es, -e, fassions, -iez, -ent	fais, faisons, faites	
il faille		Used only in 3rd sing.
fuie, -es, -e, fuyions, -iez, fuient	fuis, fuyons, fuyez	s'enfuir
lise, -es, -e, lisions, -iez, -ent	lis, lisons, lisez	relire

Infinitive	Participles	Present Indicative	Past Historic	Future
Common Irregular Verbs (*continued*)				
mettre, *to put*	mettant mis	mets, -s, met, mettons, -ez, -ent	mis	mettrai
mourir, *to die*	mourant mort	meurs, -s, -t, mourons, -ez, meurent	mourus	mourrai
naître, *to be born*	naissant né	nais, -s, naît, naissons, -ez, -ent	naquis	naîtrai
plaire, *to please*	plaisant plu	plais, -s, plaît, plaisons, -ez, -ent	plus	plairai
pleuvoir, *to rain*	pleuvant plu	il pleut	il plut	il pleuvra
pouvoir, *to be able*	pouvant pu	peux (puis), -x, -t, pouvons, -ez, peuvent	pus	pourrai
prendre, *to take*	prenant pris	prends, -s, prend, prenons, -ez, prennent	pris	prendrai
rire, *to laugh*	riant ri	ris, ris, rit, rions, riez, rient	ris	rirai
savoir, *to know*	sachant su	sais, -s, -t, savons, -ez, -ent	sus	saurai
suivre, *to follow*	suivant suivi	suis, -s, -t, suivons, -ez, -ent	suivis	suivrai
taire (*Refl.* se taire, *to* *be silent*)	taisant tu	tais, -s, -t, taisons, -ez, -ent	tus	tairai
tenir, *to hold*	tenant tenu	tiens, -s, -t, tenons, -ez, tiennent	tins, -s, -t, tînmes, tîntes, tinrent	tiendrai
valoir, *to be worth*	valant valu	vaux, -x, -t, valons, -ez, -ent	valus	vaudrai

Present Subjunctive	Imperative	Remarks Verbs similarly conjugated
mette, -es, -e, mettions, -iez, -ent	mets, mettons, mettez	remettre, promettre, permettre, omettre
meure, -es, -e, mourions, -iez, meurent	meurs, mourons, mourez	
naisse, -es, -e, naissions, -iez, -ent	nais, naissons, naissez	renaître
plaise, -es, -e, plaisions, -iez, -ent	plais, plaisons, plaisez	
il pleuve		Used only in 3rd sing.
puisse, -es, -e, puissions, -iez, -ent		
prenne, -es, -e, prenions, -iez, prennent	prends, prenons, prenez	comprendre, surprendre, apprendre
rie, -es, -e, riions, riiez, rient	ris, rions, riez	sourire
sache, -es, -e, sachions, -iez, -ent	sache, sachons, sachez	
suive, -es, -e, suivions, -iez, -ent	suis, suivons, suivez	poursuivre
taise, -es, -e, taisions, -iez, -ent	tais, taisons, taisez	
tienne, -es, -e, tenions, -iez, tiennent *Imp.* tinsse, -es, tînt, tinssions, -iez, -ent	tiens, tenons, tenez	contenir, retenir, maintenir, appartenir
vaille, -es, -e, valions, -iez, vaillent	vaux, valons, valez	

Infinitive	Participles	Present Indicative	Past Historic	Future
Common Irregular Verbs (*continued*)				
venir, *to come*	venant venu	viens, -s, -t, venons, -ez, viennent	vins, -s, -t vînmes vîntes vinrent	viendrai
vivre, *to live*	vivant vécu	vis, -s, -t, vivons, -ez, -ent	vécus	vivrai
voir, *to see*	voyant vu	vois, -s, -t, voyons, -ez, voient	vis	verrai
vouloir, *to wish*	voulant voulu	veux, -x, -t, voulons, -ez, veulent	voulus	voudrai
Less Common Irregular Verbs				
acquérir, *to acquire*	acquérant acquis	acquiers, -s, -t, acquérons, -ez, acquièrent	acquis	acquerrai
croître, *to grow*	croissant crû	croîs, croîs, croît, croissons, -ez, -ent	crûs	croîtrai
haïr, *to hate*	haïssant haï	hais, hais, hait, haïssons, haïssez, haïssent	haïs	haïrai
résoudre, *to resolve*	résolvant résolu	résous, -s, -t, résolvons, -ez, -ent	résolus	résoudrai
rompre, *to break*	rompant rompu	romps, -s, -t, rompons, -ez, -ent	rompis	romprai
suffire, *to suffice*	suffisant suffi	suffis, -s, -t, suffisons, -ez, -ent	suffis	suffirai
vaincre, *to vanquish*	vainquant vaincu	vaincs, -s, vainc, vainquons, -ez, -ent	vainquis	vaincrai
vêtir, *to clothe*	vêtant vêtu	vêts, -s, vêt, vêtons, -ez, -ent	vêtis	vêtirai

Present Subjunctive	Imperative	Remarks Verbs similarly conjugated
vienne, -es, -e, venions, -iez, viennent Imp. vinsse, -es, vînt, vinssions, -iez, -ent	viens, venons, venez	devenir, convenir, revenir, parvenir
vive, -es, -e, vivions, -iez, -ent	vis, vivons, vivez	survivre, revivre
voie, -es, -e, voyions, -iez, voient	vois, voyons, voyez	revoir
veuille, -es, -e, voulions, -iez, veuillent	veuille, veuillons, veuillez	
acquière, -es, -e, acquérions, -iez, acquièrent	acquiers, acquérons, acquérez	conquérir
croisse, -es, -e, croissions, -iez, -ent	croîs, croissons, croissez	
haïsse, -es, -e, haïssions, -iez, -ent	hais, haïssons, haïssez	
résolve, -es, -e, résolvions, -iez, -ent	résous, résolvons, résolvez	
rompe, -es, -e, rompions, -iez, -ent	romps, rompons, rompez	corrompre, interrompre
suffise, -es, -e, suffisions, -iez, -ent	suffis, suffisons, suffisez	
vainque, -es, -e, vainquions, -iez, -ent	vaincs, vainquons, vainquez	convaincre
vête, -es, -e, vêtions, -iez, -ent	vêts, vêtons, vêtez	revêtir

66. Verbs in *-er* showing slight variations

(*a*) In verbs like **manger** and **commencer,** the **g** or **c** must be softened (**ge, ç**) before **o** or **a,** *e.g.* nous mangeons, nous commençons; je mangeais, il commençait.

(*b*) Verbs like **mener, lever, acheter** require **è** before mute endings.

Appeler and **jeter** open the **e** by doubling the consonant.

Répéter, espérer, posséder, etc., change **é** to **è** before mute endings, except in the future, where **é** stands.

je mène	j'appelle	je jette	je répète
tu mènes	tu appelles	tu jettes	tu répètes
il mène	il appelle	il jette	il répète
nous menons	nous appelons	nous jetons	nous répétons
vous menez	vous appelez	vous jetez	vous répétez
ils mènent	ils appellent	ils jettent	ils répètent
je mènerai	j'appellerai	je jetterai	je répéterai
je mènerais	j'appellerais	je jetterais	je répéterais

(*c*) Verbs in **-oyer** e.g. employer, nettoyer, and those in **-uyer** (e.g. ennuyer, appuyer) change **y** to **i** before mute endings.

In the case of **essayer, payer,** etc., the change is optional.

j'emploie	j'appuie	j'essaie or j'essaye, etc.
tu emploies	tu appuies	
il emploie	il appuie	
nous employons	nous appuyons	
vous employez	vous appuyez	
ils emploient	ils appuient	
j'emploierai	j'appuierai	
j'emploierais	j'appuierais	

Notes on Reflexive Verbs

67. (*a*) The reflexive pronoun must agree with the subject even though it be attached to an infinitive:

Nous allons nous habiller. *We are going to dress (ourselves).*
Allez vous promener un peu. *Go and walk a little.*

(*b*) The reflexive pronoun behaves exactly as any other pronoun object.

In the following examples the reflexive pronoun is shown in heavy type:

Statement	Vous **vous** asseyez.	Vous ne **vous** asseyez pas.
Question	**Vous** asseyez-vous?	Ne **vous** asseyez-vous pas?
Imperative	Asseyez-**vous.**	Ne **vous** asseyez pas.

Statement	Vous **vous** êtes assis.	Vous ne **vous** êtes pas assis.
Question	**Vous** êtes-vous assis?	Ne **vous** êtes-vous pas assis?

(*c*) **Example of Imperative:**

Se lever, *to stand up* (*lit. to raise oneself*).

Lève-toi.	Ne te lève pas.
Levons-nous.	Ne nous levons pas.
Levez-vous.	Ne vous levez pas.

68. Compound Tenses:

Je me suis levé.	*I have stood up.*
Je m'étais levé.	*I had stood up.*
Je me fus levé.	*I had stood up.*
Je me serai levé.	*I shall have stood up.*
Je me serais levé.	*I should have stood up.*

69. Agreement of the Past Participle in Reflexive Verbs

(*a*) In the majority of cases the reflexive pronoun is the direct object of the verb:

se lever	=*to raise oneself*	=*to stand up*
s'asseoir	=*to seat oneself*	=*to sit down*
se baisser	=*to lower oneself*	=*to stoop*
se plaindre	=*to pity oneself*	=*to complain*

In the case of verbs always used reflexively (e.g. s'écrier, *to exclaim*, se souvenir, *to remember*, s'enfuir, *to flee*), the reflexive pronoun is always direct object.

In compound tenses the past participle is thus preceded by a direct object of the same number and gender as the subject, and therefore agrees:

Elle s'est assise.
Ils s'étaient levés.

(*b*) **Cases of Non-Agreement**

When the reflexive pronoun is indirect object, there is no agreement:

Nous nous sommes écrit plusieurs fois (*to one another*).
Elle s'est dit que... (*she said to herself that*).
Nous nous sommes demandé si... (demander à).
Elle s'est rappelé leurs bons conseils (se rappeler = *to recall to oneself*).
But Elle s'est souvenue de leurs bons conseils.

Note this particularly when the reflexive pronoun (*dative*) is used to express possession, when one is speaking of parts of the body:

Elle s'est brûlé les doigts. *She has burnt her fingers.*
Nous nous sommes brûle les mains. *We have burnt our hands.*

70. Examples showing the use of the Reflexive Verb:

Vous vous exposez à de grands périls.
You expose yourself to great perils.
Ils s'aiment. *They love each other.*
Ils se regardaient fixement l'un l'autre.
They were looking hard at each other.
Nous nous aidons les uns les autres. *We help one another.*
La porte s'ouvre (se ferme). *The door opens (closes).*
La salle se remplit (se vide). *The room fills (empties).*
La voiture s'arrête. *The car stops.*
Il s'habille. *He is dressing.*
Ils se rencontrent de temps en temps.
They meet from time to time.

71. Common instances of Reflexive Verbs translating English Passives:

s'appeler, *to be called*	Il s'appelle Paul.
se composer de, *to be composed of*	L'appartement se compose de cinq pièces.
se comprendre, *to be understood*	Cela se comprend.
se dire, *to be said*	Cela ne se dit pas en français.
s'employer, *to be used*	Ce mot ne s'emploie pas.
s'étonner, *to be astonished*	Je m'étonne qu'il ait réussi.
se fâcher, *to be vexed*	A ces mots il se fâcha tout rouge.
se faire, *to be done*	Cela ne se fait pas ici.
se tromper { *to be deceived* / *make a mistake* }	Vous vous trompez, mon ami.
se trouver { *to be found* / *to be situated* }	La ville se trouve à l'embouchure d'une rivière.
se vendre, *to be sold*	Cela se vend partout maintenant.

72. S'asseoir, être assis:

s'asseoir = *to sit down (act)*	Il s'assied sur un banc.
être assis = *to be seated (state)*	Il est assis sur un banc.

Similarly:

{ se coucher	Je me couche. *I lie down; I go to bed.*
{ être couché	Je suis couché. *I am lying down; I am in bed.*
{ s'agenouiller	Elle s'agenouille. *She kneels down.*
{ être agenouillé	Elle est agenouillée. *She is kneeling.*

73. French past participles translating English present participles:

affamé	*starving*	étendu	*lying (stretched out)*
agenouillé	*kneeling*	évanoui	*fainting*
appuyé	*leaning (supported)*	pendu	*hanging*
assis	*sitting*	suspendu	*hanging (from above)*
couché	*lying*	posé	{ *standing (objects)* / *resting*

74. Notes on the Passive

(*a*) The **past participle** always agrees with the **subject**:
ils sont battus; elle sera punie.

(*b*) If the **subjunctive** is required, one merely uses the appropriate subjunctive form of *être*:

Il est possible qu'ils soient battus.
Bien qu'elle ait été trompée.

(*c*) One must observe the distinction between the **Past Historic** and the **Imperfect** when using the passive:

Il fut trouvé (*act*) au pied d'un rocher; il était blessé (*state*).

(*d*) The English construction *We are promised a reward*, *He is offered a post*, etc., in which an indirect object is made the subject of a passive verb, has no parallel in French.

One says: On nous promet une récompense.
or Une récompense nous est promise.
On lui offre une place.
or Une place lui est offerte.

This applies to any verb which governs the person with **à** (e.g. permettre, demander, défendre, dire):

We are allowed to smoke.	On nous permet de fumer.
	or Il nous est permis de fumer.
They are forbidden to go out.	On leur défend de sortir.
	or Il leur est défendu de sortir.
We have been told to stay here.	On nous a dit de rester ici.

(*e*) In French, one often avoids the cumbersome passive by using a reflexive verb (§ 71) or **on** with the active:

You were seen this morning.	On vous a vu ce matin.
That is sold everywhere.	Cela se vend partout.

It is said that...	On dit que...
It is believed that...	On croit que...

Agreement of the Past Participle

75. In the following constructions, the Past Participle always agrees with the **subject:**

(*a*) In the Passive:

ils sont battus; elle a été blessée.

(*b*) In the compound tenses of the group of verbs conjugated with **être** (aller, venir, arriver, *etc.*):

elle est partie; nous sommes arrivés.

76. Rule of Agreement with preceding Direct Object

When **avoir** is the auxiliary, the past participle never agrees with the subject: it agrees only with a **preceding direct object:**

Ils ont vu leurs amis.	Ils les ont **vus.**
J'ai écrit la lettre.	Je l'ai **écrite.**

The rule rigidly applies, no matter what construction causes the direct object to precede:

Question Quelles langues vivantes avez-vous **apprises**?
Combien de pommes a-t-il **mangées**?

Relative J'ai lu les romans que vous m'avez **prêtés.**

NOTE 1. There is no agreement with **en:**

Avez-vous apporté des livres? Oui, j'en ai apporté.

2. Be careful when the object is governed by an **infinitive:**

Tous les amis qu'il avait voulu voir.
Tous les papiers que j'ai pu trouver.

77. In the case of **reflexive verbs** the rule holds good, i.e. if the reflexive pronoun be direct object, the past participle agrees, but not if it be indirect object (see § 69):

Nous nous sommes **habillés** (*direct*).
Nous nous sommes **écrit** (*indirect*).
Elle s'est **brûlé** les doigts (*indirect*).

Note the agreement in this case:

J'ai lu toutes les lettres qu'ils se sont **écrites.**
(Agreement with **lettres,** preceding direct object.)

78. Present Participle

The present participle agrees when used as an adjective, but not when used as a verb:

(*a*) une femme charmante; des sables mouvants.
(*b*) Elle était assise dans un fauteuil, lisant un roman.
Les soldats, entendant marcher sur le toit, s'étaient tus.

79. (*a*) **The Gerund (en + present participle)** always refers to the subject. It translates *on* (*doing*), *by* (*doing*), *while* (*doing*):

En voyant (*on seeing*) les agents, les voleurs s'enfuirent à toutes jambes.
Vous y arriverez plus vite en prenant (*by taking*) la première rue à droite.
En époussetant (*while dusting*) la table, la bonne avait fait tomber un vase.

Remember the useful *entrer* (*sortir*, *descendre*, *monter*) *en courant.*

(*b*) Note that *by* (*doing*) is regularly **en (faisant). Par** + infinitive is used only with **commencer, finir** and other verbs of beginning and ending:

Il commença (finit) par nous dire que...

En is the only preposition followed by the present participle. All other prepositions are followed by the infinitive:

avant de partir, *before leaving.*
sans rien dire, *without saying anything.*
au lieu de répondre, *instead of answering.*

(*c*) **Tout en (faisant)** usually conveys the idea of one action going on at the same time as another:

Tout en mangeant, il lisait son journal.
Tout en travaillant, le vieux paysan causait avec moi.

(*d*) The English present participle is often to be rendered by a relative clause in French:

A man, working in a field, saw a fox.—Un homme, qui travaillait dans un champ, aperçut un renard.

80. Impersonal Verbs

pleuvoir, *to rain*	Il pleut (a plu, pleuvait, plut, pleuvra).
geler, *to freeze*	Il gèle (a gelé, etc.).
neiger, *to snow*	Il neige (neigeait, a neigé, etc.).

Il fait beau (temps) *but* Le temps est beau.
Il fait un temps admirable. *It is lovely weather.*
Il fait du brouillard. *It is foggy* (*misty*).
Il fait chaud (froid). *It is warm* (*cold*).
Il fait du vent. *It is windy.*
Il fait bon. *It is nice* (*pleasant*).

Il y a; y a-t-il? n'y a-t-il pas?
Il y a eu, *there has* (*have*) *been.* Il y avait eu, *there had been.*

Il se peut qu'il revienne ce soir (*it is possible that...*).
Il vaut mieux rester ici (*it is better to...*).
Il vaut mieux que votre ami prenne le train de 6 heures.

Il s'agit d'obtenir leur consentement (*it is a question of...*).
Il s'agissait de... *It was a question of...*
Il paraît que... *It appears that.*
Il me semble que... *It seems to me that...*

Il n'en reste que trois. *There are only three left.*
Il ne me restait plus rien. *I had nothing left.*
Il est arrivé un accident terrible.
A terrible accident has happened.
Il se passe ici des choses graves. *Serious things are going on here.*

81. Points concerning the Agreement of the Verb with the Subject

Mon ami et moi, nous allons au cinéma.
Vous et moi, nous allons les battre.
Vous et votre ami (vous) avez bien joué.
C'est moi qui l'ai fait.

82. Inversion of Subject and Verb

(*a*) Remember the form of the question when the subject is a noun:

Votre oncle est-il toujours en Amérique?
La gare est-elle loin?

(*b*) Remember the inversion when translating all expressions such as *he said, she replied*, etc., introduced in the course of quotation:

«Holà!» s'écria-t-il.
«Que faire?» se dit-il.
«Ce n'est pas vrai,» murmura-t-elle.

(*c*) Inversion takes place after **peut-être** (*perhaps*), **à peine** (*scarcely, hardly*), **aussi** (*so, therefore*).

Peut-être avait-il raison. *Perhaps he was right.*
or Peut-être qu'il avait raison.
A peine eut-il fait quelques pas, qu'il s'arrêta.
Scarcely had he gone a few paces when he stopped.
Aussi s'en alla-t-il sans faire ses adieux.
So he went away without saying good-bye.

(*d*) Inversion frequently takes place in subordinate clauses:

As-tu entendu ce que disait Robert?
Je ne sais pas où habitent ses parents.

In translating from French, one should be careful of **que** followed by a verb in a subordinate clause:

Il marchait à côté du chariot que traînaient deux chevaux.
Il regarda le beau fusil que portait le garde-chasse (*gamekeeper*).

Notes on Tenses

83. The Present

(*a*) The Present is often used in narrative to lend greater vividness to the events described:

«C'était bien la boutique. Marguerite met la main à la poignée de la porte. Mais la porte résiste. Elle s'étonne, recule un peu sur le trottoir et regarde les fenêtres du premier.»

(*b*) Note these examples:

Je suis en train de faire mon courrier.
I am just doing my correspondence.
Je suis à vous dans une minute. *I will be with you in a minute.*
Je viens vous voir au sujet de mon examen.
I have come to see you about my examination.

(*c*) **Depuis, il y a**

Depuis quand êtes-vous ici?
Depuis combien de temps êtes-vous ici?
Il y a combien de temps que vous êtes ici? } *How long have you been here?*
Je suis ici depuis trois mois. *I have been here for three months.*
Je l'attends depuis une demi-heure.
Il y a une demi-heure que je l'attends. } *I have been waiting for him for half an hour.*

84. The Imperfect

(*a*) The Imperfect with **depuis** expresses what had been going on and was still going on:

Depuis combien de temps l'attendiez-vous?
How long had you been waiting for him?
Je l'attendais depuis dix minutes.
I had been waiting for him for ten minutes.
Il travaillait à l'usine depuis vingt ans.
He had been working at the factory for twenty years.

(*b*) The Imperfect is the tense to use when one is describing states and conditions in the past:

Mon oncle était très vieux. *My uncle was very old.*
Ma chambre donnait sur une petite cour.
My room overlooked a little yard.
Ce petit chemin conduisait à une ferme.
This lane led to a farm.
Le soleil brillait, les oiseaux chantaient.
The sun shone (*was shining*), *the birds sang* (*were singing*).

(*c*) The Imperfect translates the English forms *was* (*doing*), *used to* (*do*):

Qu'est-ce que vous faisiez? Je travaillais.
What were you doing? I was working.
Lorsqu'il entra, tout le monde causait et riait.
When he went in, everybody was chatting and laughing.
Je travaillais dix heures par jour.
I used to work ten hours a day.
Ils habitaient une petite villa près de la plage.
They used to live in a little villa near the beach.

NOTE: When *would* means *used to*, translate by the Imperfect.
Après son repas, il faisait un petit tour.
After his meal he would go for a little stroll.

(*d*) The important point to grasp is that the Imperfect renders the English simple past when it has the underlying meaning of *used to* (*do*), that is, if it denotes repeated or habitual action, as opposed to a single event:

Tous les matins, il achetait deux journaux.
Every morning he bought (=*used to buy*) *two newspapers.*
Nous dînions tous les soirs à sept heures et demie.
We dined (=*used to dine*) *every evening at half-past seven.*
Il répétait à chaque instant: «Non, je ne veux pas.»
He kept repeating: "No, I don't want to."

85. The Past Historic

(*a*) This tense is used only for single, complete facts. In a narrative, it is the tense to employ when one is dealing with the actual events, the things which took place.

Examples:

1. Il se leva, fit quelques pas, sentit que ses jambes étaient faibles, et se rassit pour réfléchir.
   He got up, went a few steps, felt that his legs were weak, and sat down again to think things over.
2. Alors ils l'empoignèrent, la soulevèrent, la traînèrent quelques pas; mais elle leur échappa des mains et s'écroula sur le plancher.
   Then they laid hold of her, lifted her up, dragged her a few steps; but she slipped from their hands and collapsed on the floor.

(*b*) The Past Historic is used for actions of any duration, if viewed as complete facts in past time:

La guerre dura quatre ans. *The war lasted four years.*
Il habita Paris pendant dix ans. *He lived in Paris for ten years.*
Il travailla pendant deux heures, puis il sortit.
He worked for two hours, then he went out.

86. Dealing with the English simple past in composition

Always apply the tests for the Imperfect:

(*a*) Is this description? (e.g. The sky was cloudless. The castle overlooked the town. The boy was fond of sweets.)

(*b*) Does this tell of repeated or habitual action? (e.g. He got up at 5 o'clock every morning. On Sundays he visited his friends.)

87. The Perfect (or Past Indefinite)

(*a*) Ils ont bien joué. *They have played well.*
Qu'avez-vous fait ce matin? J'ai travaillé.
What have you been doing this morning? I have been working.

(*b*) **Use in the conversational type of narrative**

One must understand that the French do not use the Past Historic in conversation, letter-writing or in personal accounts of recent happenings: they use the **Perfect.**

One says, and writes: J'ai vu Henri ce matin, *not* Je vis Henri ce matin.

An action repeated a definite number of times to form a series. Length of time doesn't matter because we know when it started & finished

Make a habit, then, of using this tense rather than the Past Historic when giving an account, spoken or written, of what happened this morning, yesterday, last week, or even last year.

One would write:

L'année dernière nous avons passé nos vacances en Bretagne.
Je l'ai vu il y a deux mois.
Il y a presque un an qu'elle est partie.

NOTE: When using the Perfect, one must be particularly careful of the agreement of the past participle.

88. The Pluperfect and Past Anterior

I had (*done*) is translated by **j'avais (fait)**, except in one circumstance: when one is recording one action taking place immediately before another. The form then used is **J'eus (fait)**:

Dès qu'il eut fini son travail, il sortit.
As soon as he had finished his work, he went out.

This more sharply defined tense is called the **Past Anterior.**

Examples of the two tenses:

Pluperfect:	J'avais donné.	J'étais arrivé.	Je m'étais assis.
Past Anterior:	J'eus donné.	Je fus arrivé.	Je me fus assis.

As a working definition, we may say that the Past Anterior is used after **quand, lorsque, dès que** (*as soon as*), **aussitôt que** (*as soon as*), **à peine... que** (*scarcely...when*), when the principal verb is in the Past Historic:

Quand il eut mangé, il monta dans sa chambre.
Dès que son père fut sorti, elle se mit à jouer du piano.

The construction with **à peine** is best learnt off as a formula:

A peine eut-il prononcé ces mots que la porte s'ouvrit.
A peine fut-elle partie que son amie vint frapper à la porte.

89. Future

(*a*) When *will*, *would* express wish or determination, use **vouloir**:

Il ne veut pas s'en aller. *He will not go away.*
Elle ne voulait pas sortir. *She would not go out.*

Note also:

Voulez-vous que j'attende? }
Faut-il que j'attende? } *Shall I wait?*

(*b*) The **Future** must be used after conjunctions when future time is meant:

Quand je serai de retour, je vous passerai ma carte.
Dès qu'il reviendra, je lui donnerai votre lettre.
Tant qu'il vivra... *As long as he lives...*

NOTE: **Si** is followed by the present:
S'il revient ce soir, je lui donnerai votre lettre.

Other instances:

Vous aurez votre argent quand vous aurez fini votre travail (*when you have finished...*).
Il promit de venir quand il serait libre (*when he was free*).
Il promit de venir quand il aurait fini son service (*when he had finished*).

(*c*) In speech, French people commonly use **aller** + infinitive to express the future:

Vous allez voir. *You shall see.*
Vous allez prendre la première rue à gauche.
You will take the first street on the left.

Aller and **être sur le point de** are useful for translating *to be about to*:

Nous allions nous coucher. *We were about to go to bed.*
Nous étions sur le point de descendre.
We were on the point of coming down.

90. Conditional (or Future in the Past)

(*a*) Il dit qu'il viendrait les chercher à 6 heures.
He said he would come for them at 6 o'clock.
S'il pleuvait, je resterais chez moi.
If it rained, I should stay at home.

NOTE: *Would = used to* is rendered by the Imperfect.
Would of determination is expressed by **vouloir.** (See § 89a.)

Si

91. Si may be followed by the Future or Conditional only in indirect questions, i.e. when it means *whether*:

Je me demande s'il tiendra sa promesse.
Je me demandais s'il tiendrait sa promesse.

92. Ordinary Condition Sentences

When using **si**, do not imitate the future construction with *quand, lorsque* (Quand il viendra, etc.).

Si is used in much the same way as *if* in English:

if I am = si je suis
if I were = si j'étais
if I had been = si j'avais été

S'ils viennent, nous jouerons au tennis.
S'ils venaient, nous jouerions au tennis.
S'ils étaient venus, nous aurions joué au tennis.

Si may be used with the Perfect:

S'il est parti, il faudra trouver son adresse.

NOTE 1: Do not be tempted by the form of the English to waver from this construction:

Should he come, ask him to wait.
S'il vient, priez-le d'attendre.

2. A point which does not often arise, but which should be mentioned, is that when two conditional sentences occur together, **si** is replaced in the second by **que** + subjunctive.

If he works hard and obtains a good situation...
S'il travaille ferme et qu'il obtienne une bonne situation...

The Infinitive

93. Note these examples:

Voir, c'est croire. *Seeing is believing.*
Vouloir, c'est pouvoir.
To will is to be able ("*Where there's a will, there's a way*").
Maltraiter les enfants est odieux. *To ill-treat children is odious.*
Que faire? *What is to be done? What am I (are we, etc.) to do?*

94. Government of Infinitives

The following require **no preposition** before an infinitive:

(*a*) aimer	*to like*	paraître	*to appear*
compter	*to count, expect*	pouvoir	*to be able*
désirer	*to desire*	préférer	*to prefer*
devoir	*to have to*	oser	*to dare*
espérer	*to hope*	savoir	*to know*
faire	*to make*	sembler	*to seem*
il faut	*it is necessary*	il vaut mieux	*it is better*
laisser	*to let*	vouloir	*to wish*

Examples:

J'aime me promener.
Il désirait voir le secrétaire.
Laissez-les faire ce qu'ils veulent.
Nous pouvons compter sur vous.
Vous n'osez pas le faire.

Note on **faillir.**
Faillir + infin. means *nearly to (do)*:
Il a failli tomber. *He nearly fell.*
Elle faillit manquer le train. *She nearly missed the train.*

(*b*) **Verbs denoting movement:**
aller, courir, descendre, entrer, envoyer, monter, retourner, venir.

Note particularly that the second verb of English expressions such as *come and see, go and close, run and get,* is translated by an infinitive.

E.g.
Allez fermer la porte. *Go and close the door.*
Venez voir ce que j'ai trouvé. *Come and see what I have found.*
Il courut chercher une échelle. *He ran to get a ladder.*
Envoyez chercher le médecin. *Send for the doctor.*

(*c*) **Verbs expressing action of the mind or the senses:**
croire, écouter, entendre, se rappeler, regarder, sentir, voir.

E.g. Je l'entendais marcher dans sa chambre.
I heard him walking about his room.
Je le voyais passer tous les jours. *I saw him go by every day.*

95. Note that French uses an infinitive in cases like the following:
I think I know him. Je crois le connaître.
We hope we shall beat them. Nous espérons les battre.
I am afraid I shall be late. J'ai peur d'être en retard.

96. The Infinitive with *à* and *de*

In many cases it is obvious which preposition is required. For instance, we naturally expect **à** after such verbs as **inviter, encourager,** which express action tending *to* something. **De** is evidently required when English has *of* or *from*, e.g. *to accuse of,* accuser de, *to cease from,* cesser de. The best way of tackling the problem is to remember the verb with its construction, *e.g.* inviter à, prier de, etc.

97. Common verbs requiring *à* before the infinitive

aider à	*to help to*	s'attendre à	*to expect to*
s'amuser à	*to amuse oneself by (doing)*	avoir à	*to have to*
apprendre à	*to learn to*	chercher à	*to strive to*
arriver à	*to manage to*	commencer à	*to begin to*
être assis à	*to be sitting (doing)*	consentir à	*to consent to*

consister à	*to consist in (doing)*	persister à	*to persist in (doing)*
se décider à	*to make up one's mind to*	se plaire à	*to take pleasure in (doing)*
se disposer à	*to get ready to*	se préparer à	*to get ready to*
encourager à	*to encourage to*	renoncer à	*to give up (doing)*
engager à	*to urge to*	rester à	*to remain (doing)*
s'habituer à	*to accustom oneself to*	réussir à	*to succeed in (doing)*
hésiter à	*to hesitate to*	songer à	*to think of (doing)*
inviter à	*to invite to*	tarder à	*to be long in (doing)*
se mettre à	*to begin to*	passer son temps à	*to spend one's time (doing)*
parvenir à	*to succeed in (doing)*	perdre son temps à	*to waste one's time (doing)*
		tenir à	*to be anxious to*

E.g.

Aidez-moi à porter cette malle. *Help me to carry this trunk.*
Elle se mit à pleurer. *She began to cry.*
Je ne vous encourage pas à le faire.
I do not encourage you to do it.

98. (*a*) Adjectives requiring **à** before the Infinitive: **prêt à,** *ready to*, **propre à,** *calculated to*, **le premier (dernier) à,** *the first (last) to*:

Je suis prêt à vous suivre. *I am ready to go with you.*
Il fut le premier (le dernier) à sortir.
He was the first (last) to come out.

(*b*) After nouns the infinitive with **à** often has a passive sense:

Maison à vendre, *house to be sold.*
Un homme à craindre, *a man to be feared.*
Il est bien à plaindre. *He is much to be pitied.*

Note also:

C'est-à-dire, *that is to say.*
A vrai dire, *to speak truthfully; as a matter of fact.*
J'ai beaucoup (peu) à faire. *I have much (little) to do.*
Je n'ai rien à faire. *I have nothing to do.*

99. Common Verbs requiring *de* before the Infinitive

*accuser de	*to accuse of*
achever de	*to complete (doing)*
s'arrêter de	*to stop (doing)*
avertir de	*to warn to*
avoir peur de	*to be afraid of*
s'aviser de	*to take it into one's head to*
cesser de	*to cease (doing)*
commander de	*to command to*
conseiller de	*to advise to*
se contenter de	*to be content to*
craindre de	*to fear to*
décider de	*to decide to*
défendre de	*to forbid to*
se dépêcher de	*to hurry to*
dire de	*to tell to*
empêcher de	*to prevent from (doing)*
s'empresser de	*to hasten to*
essayer de	*to try to*
s'étonner de	*to be astonished to*
éviter de	*to avoid (doing)*
*excuser de	*to excuse for*
finir de	*to finish (doing)*
se garder de	*to be careful not to*
se hâter de	*to hasten to*
manquer de	*to fail to*
menacer de	*to threaten to*
mériter de	*to deserve to*
offrir de	*to offer to*
ordonner de	*to order to*
oublier de	*to forget to*
*pardonner de	*to forgive for (doing)*
parler de	*to speak of (doing)*
permettre de	*to permit to*
persuader de	*to persuade to*
prendre garde de	*to be careful not to*
prier de	*to beg to*
promettre de	*to promise to*
proposer de	*to propose to*
refuser de	*to refuse to*
regretter de	*to regret to*
*remercier de	*to thank for (doing)*
résoudre de	*to resolve to*
*se souvenir de	*to remember (doing)*
tâcher de	*to try to*
tenter de	*to attempt to*
venir de	*to have just (done)*

E.g. Ils ont promis de venir. *They have promised to come.*
Il refuse de sortir. *He refuses to come (go) out.*

NOTE: Verbs marked * are often followed by the perfect infinitive:

Il leur pardonna de l'avoir écrit.
He forgave them for writing (= for having written) it.
Je le remerciai d'avoir rapporté mon parapluie.
I thanked him for bringing back (= for having brought back) my umbrella.

Other examples to note:

Il est difficile (facile) de bien écrire.
Il est nécessaire de...
Il est défendu de... *It is forbidden to...*

C'est amusant de les voir jouer ensemble.
Cela m'amuse d'écrire de petites histoires.
Le désir de... Le besoin de... Le droit de... L'occasion de...
Ayez la bonté de... *Have the goodness to ...*
J'ai l'honneur de...
J'ai envie de... *I feel inclined to, I have a mind to ...*
J'ai honte de... *I am ashamed to ...*
Je suis content de... *I am pleased to...*
Je suis loin d'avoir fini mon travail...
I am far from having finished ...

100. Reference list of common verbs showing which preposition, if any, is required before the infinitive:

s'accoutumer à	se contenter de	falloir	se préparer à
accuser de	courir	se garder de	prier de
achever de	craindre de	s'habituer à	promettre de
aider à	croire	se hâter de	proposer de
aimer à	décider de	hésiter à	se rappeler
aimer mieux	se décider à	inviter à	refuser de
aller	défendre de	laisser	regarder
s'amuser à	se dépêcher de	manquer de	regretter de
apprendre à	descendre	mériter de	remercier de
s'apprêter à	désirer	se mettre à	renoncer à
s'arrêter de	devoir	monter	résoudre de
arriver à	dire de	offrir de	rester à
être assis à	se disposer à	ordonner de	retourner
s'attendre à	empêcher de	oser	réussir à
avertir de	s'empresser de	oublier de	savoir
s'aviser de	écouter	paraître	sembler
avoir à	encourager à	pardonner de	sentir
avoir peur de	engager à	parler de	songer à
cesser de	entendre	parvenir à	tâcher de
chercher à	entrer	permettre de	tarder à
commander de	envoyer	persister à	tenir à
commencer à	espérer	persuader de	tenter de
compter	essayer de	se plaire à	passer son temps à
conseiller de	s'étonner de	pouvoir	perdre son temps à
consentir à	éviter de	préférer	il vaut mieux
consister à	faire	prendre garde de	voir
			vouloir

101. Verbs which have more than one construction with the Infinitive.

(*a*) **Décider:**

Il décida d'aller les voir. *He decided to go and see them.*
Il se décida à aller les voir.
He made up his mind to go and see them.

(*b*) **Dire:**

Il dit avoir réussi. *He says he has succeeded.*
Je lui ai dit de venir. *I have told him to come.*

(*c*) **Obliger, forcer:**

Je suis obligé (forcé) de le faire. *I am obliged (forced) to do it.*
Ils m'obligèrent (forcèrent) à le faire.
They obliged (forced) me to do it.

(*d*) **Commencer.** Usually **commencer à:**

Ils commencèrent à se battre. *They began to fight.*

One may say, however:

Il (elle) commença de...

(*e*) **Demander:**

Il me demanda de lui montrer mon passeport.
He asked me to show him my passport.
Il demanda à voir mon passeport.
He asked to see my passport.

(*f*) **Venir:**

Venez me voir samedi. *Come and see me on Saturday.*
Il vient de partir. *He has just gone.*
Il venait de partir. *He had just gone.*
Il vint à rencontrer un vieil ami.
He happened to meet an old friend.

(*g*) **Aimer:**

J'aime me promener.
but: J'aime à croire que...

102. Other Prepositions with the Infinitive

(*a*) **Pour** + infinitive = *in order to:*

Il se baissa pour ramasser un caillou.
He bent down to pick up a pebble.
Pour ainsi dire, *so to speak.*

Pour is always used after **trop** and **assez:**

Je suis trop fatigué pour travailler. *I am too tired to work.*
Il n'est pas assez intelligent pour le comprendre.
He is not clever enough to understand it.

(*b*) **Sans.** Sans penser, *without thinking.* Sans rien dire, *without saying anything.*

(*c*) **Après:**

After doing must always be translated as *after having done:*

Après avoir lu le journal, il fumait un cigare.

Après s'être battus toute la journée, ils passèrent la nuit à creuser des tranchées. *After fighting* (=*having fought*) *all day, they spent the night digging trenches.*

(*d*) **Par** is used only with **commencer, finir** and other verbs of beginning and ending:

Il commença par me louer. *He began by praising me.*
Ils finirent par se rendre. *They finished by surrendering. In the end they surrendered.*

Finir par is the correct expression to use in translating phrases such as *in the end he did this, finally they did that,* etc.

(*e*) **Afin d'**éviter des malentendus.
In order to avoid misunderstandings.

J'ai beaucoup à faire **avant de** sortir.
I have a lot to do before I go out (*before going out*).

Il n'osait pas entrer **de peur** (**crainte**) **de** rencontrer son père. *He dared not go in for fear he might meet* (*for fear of meeting*) *his father.*

Vous ne pouvez pas l'avertir, **à moins de** lui envoyer une dépêche. *You cannot warn him unless you send him a telegram.*

A force de crier, il attira l'attention d'un passant.
By dint of shouting, he attracted the attention of a passer-by.

Ils étaient **sur le point de** commencer.
They were about to begin (*on the point of beginning*).

103. Use of *faire* with the Infinitive

Cela le fit trembler. *That made him tremble.*
Il me fait sourire. *He makes me smile.*

faire attendre, *to keep waiting*	Je vous ai fait attendre.
faire entrer, *to bring* (*show*) *in*	Faites entrer le prisonnier.
faire monter, *to take* (*bring*) *up*	Faites monter ces messieurs.
faire remarquer, *to remark*	Elle fit remarquer que les assiettes n'étaient pas propres.
faire venir, *to fetch, bring*	Faites venir la bonne.
faire voir, *to show*	Faites voir vos papiers.

NOTE: *Make* + adjective is expressed by **rendre**:
Cette nouvelle la rendit malheureuse.
This piece of news made her unhappy.

Note also:
Ils firent de cet endroit leur rendez-vous.
They made this place their rendezvous.

104. *To have a thing done* is expressed in French as *to make to do a thing*, i.e. by **faire** + infinitive:

Il a fait construire une belle maison.
He has had a fine house built.
Je l'ai fait arrêter. *I have had him arrested.*

When the reflexive pronoun is present, the auxiliary is *être*.

To have one's hair cut = se faire couper les cheveux:

Ils se sont fait couper les cheveux. *They have had their hair cut.*
Elle s'est fait arracher une dent. *She has had a tooth drawn.*

(*a*) When the infinitive dependent on **faire** has a direct object, the person is made dative:

Je **lui** fis ouvrir la valise. *I made him open the suit-case.*
Il **leur** fit comprendre que... *He made them understand that...*

Par is commonly employed with this construction:

Je ferai signer cette lettre par le directeur.
I will get this letter signed by the manager.

105. Voir, entendre, laisser are similarly used:

Je les ai vus passer. *I saw them go by.*
Je lui ai vu ouvrir le tiroir. *I saw him open the drawer.*

Je les ai entendus chanter. *I have heard them sing.*
C'est ce que je leur ai entendu dire.
That is what I heard them say.
J'ai entendu dire à plusieurs personnes que...
I have heard several people say that...

Je les ai laissés sortir. *I have let them go out.*
La bonne le laisse arracher les plantes.
The maid lets him pull up the plants.
(Note that in this case the pronoun is *le*, not *lui*.)

(*a*) Note also:

J'ai vu jouer «Macbeth.» *I have seen "Macbeth" played.*
J'ai déjà entendu jouer ce morceau.
I have heard that piece played before.

106. It is important to note **se faire** + infinitive.

Se faire craindre = *to make oneself feared*:

Il se faisait craindre de tout le monde.
He made himself feared by everybody.
Aucun bruit ne se fait entendre.
No sound is heard (lit. *makes itself heard*).

Se laisser battre = *to let oneself be beaten*:

Ils se laissèrent battre par les Anglais.

They let themselves be beaten by the English.

107. Vouloir

Je ne veux pas y aller. *I do not wish to* (or *I will not*) *go there.*

Je ne voulais pas y aller. *I did not wish to* (or *I would not*) *go there.*

Je voudrais savoir... { *I should like to know* ... / *I wish I knew* ...

J'aurais voulu le voir. { *I should like to have seen him.* / *I should have liked to see him.*

Veuillez nous écrire à ce sujet.

Kindly (or *Be so kind as to*) *write to us about this.*

Voulez-vous fermer la porte. *Will you close the door.*

Vouloir que is always followed by the **subjunctive,** e.g. Je veux qu'il s'en aille, *I want him to go away.*

Vouloir dire = *to mean*:

Que veut dire ce mot?

En vouloir à quelqu'un = *to bear anyone a grudge*:

Il m'en veut d'avoir refusé son invitation.

108. Savoir and **pouvoir**

Savoir = *to know how, to know* (because one has learnt):

Il sait nager, jouer du piano, conduire une auto, etc.

Pouvoir = *can* (circumstances permit):

Sait-il jouer? Oui, mais il ne peut pas jouer ce matin.

Je ne saurais = *I cannot*:

Je ne saurais expliquer ce changement.

NOTE: **Connaître** = *to know*, in the sense of *to be acquainted with.*

109. Meanings of ***pouvoir***

Je ne puis refuser.

I cannot refuse (*pas* omitted after *je ne puis*).

Puis-je savoir la raison de votre absence? (*may I know?*)

Il ne peut pas venir aujourd'hui (*he cannot*).

(*a*) Translation of **may, might, could, might have, could have.**

Express in terms of *to be able*, and the tense required will be more easily perceived.

May, can sometimes refer to future time:

Je pourrai faire cela plus tard (*I can*).

Could = *was able* (imperfect):

Il ne pouvait pas quitter son bureau.

Could, might = *would be able* (conditional):

Il me dit qu'il pourrait venir demain.
Pourriez-vous me dire si...

Could have, might have = *would have been able:*

J'aurais pu vous prêter mon parapluie.
but L'enfant pouvait avoir dix ans. *The child might have been ten.*

Can, could, are frequently left untranslated:

Je n'entends rien. *I can hear nothing.*
Je voyais au loin la flèche de la cathédrale.
I could see in the distance the cathedral spire.

110. Devoir

Present = *must, have to, am to*:

Je dois vous quitter.
Il doit venir ici à 3 heures.

Perfect = *have had to, must have*:

Il a dû vendre sa maison. *He has had to sell his house.*
Il a dû les voir. *He must have seen them.*

Imperfect = *had to* (=*used to have to*), *was to*:

Il devait se lever tous les matins à six heures.
He had to get up every morning at six o'clock.
Je devais la rencontrer à la gare.
I was to meet (to have met) her at the station.

Past Historic = *had to*:

Il dut céder. *He had to yield.*

Future = *shall have to*:

Nous devrons louer un appartement.
We shall have to rent a flat.

Conditional = **ought**:

Vous devriez l'encourager. *You ought to encourage him.*

J'aurais dû = **ought to have**:

J'aurais dû l'arrêter. *I ought to have stopped him.*

111. Falloir

Il faut; il a fallu; il fallait; il fallut; il faudra; il faudrait.

Qu'est-ce qu'il vous faut, monsieur?
What do you require, sir?

Il me faut une paire de gants.
I require (want) a pair of gloves.

Il faut may be followed by an infinitive or by **que** + subjunctive:

Must	Il lui faut apprendre ces choses. Il faut qu'il apprenne ces choses.
Must have	Il faut qu'ils soient partis.
Had to	Il fallait qu'il se levât à 5 heures.
Had to (particular occasion)	Il fallut qu'il retournât chez lui. Il lui fallut retourner chez lui.
Shall (will) have to	Il faudra qu'il choisisse autre chose. Il lui faudra choisir autre chose.
Should (would) have to, ought	Pour y arriver à 7 heures, il faudrait partir tout de suite.

(*a*) **Avoir à** (faire) also expresses *to have to*:

Nous avons à répondre à une trentaine de lettres.

The Subjunctive

(For the subjunctive form of verbs, see § 61.)

112. The 3rd person imperative of verbs is expressed by the subjunctive:

Qu'il vienne faire ses excuses. *Let him come and apologize.*
Que cela te serve d'exemple.
May that serve as an example to you.
Qu'il sorte. Qu'ils s'en aillent, etc.

(*a*) Note also:

Puissiez-vous arriver sain et sauf.
May you arrive safe and sound.
Puisse-t-il se souvenir de votre bonté.
May he remember your kindness.
Dieu vous bénisse. *God bless you.*

113. The Subjunctive in Subordinate Clauses

Dismiss the notion that forms like *I may*, *I might*, *I might have* are necessarily to be translated by the subjunctive. Such forms are frequently rendered by *pouvoir* (see § 109). The way to tackle the subjunctive is to learn its routine uses, to imitate standard examples.

114. The Tense to use

After conjunctions there is no difficulty:

Although he is, bien qu'il soit.
Although he was, bien qu'il fût.

The difficulty with tense arises when one is translating more idiomatic English (e.g. *had to, would have to, I wanted him to,* etc.).

Note the tense sequence:

Il faut
Il faudra ⎬ qu'il vende sa ferme.
Il a fallu

Il fallait
Il fallut ⎬ qu'il vendît sa ferme.
Il faudrait

Je veux qu'il m'écrive.
Je voulais qu'il m'écrivît.

Principal uses of the Subjunctive
115. After certain Conjunctions :

Bien que ⎬ *although* **Quoique**	Bien qu'il soit riche, il est mécontent. ← *P.S.* Quoiqu'il fît beau, elle ne voulait ✗ *P.S.* pas sortir.	

Pour que ⎬ *in order that* **Afin que**	Partons tout de suite pour que (afin ← *Pr. S.* que) nous y soyons à l'heure. J'insiste pour que vous me disiez la ← *Pr. S.* vérité.	

Avant que, *before* — Il faut lui parler avant qu'il (ne) s'en ← *Pr. S.* aille.

Jusqu'à ce que, *until* — Nous allons travailler jusqu'à ce qu'il ← *Pr. S.* revienne.

N.B. *To wait until* is simply **attendre que** + subjunctive:
J'attendrai qu'il revienne du collège.
Not until is expressed in French as *only when,* **ne... que lorsque** (**quand**) + indicative:
Ce chien ne s'en va que lorsqu' (quand) on lui donne un morceau de viande.

Note also:
Ce train ne part qu'à onze heures.
Il ne sortait qu'à la nuit tombante.

Soit que... soit que *whether ... or whether ...* — Soit qu'il ait perdu la montre, soit qu'il l'ait vendue... P.S.

Pourvu que {*provided that*, *if only*} — Je veux bien vous accompagner, pourvu que je sois libre. P.S.

Sans que, *without* — Je sortis sans qu'il me remarquât. P.S.

(Remember the useful **à mon (leur) insu,** *without my* (*their*) *knowing.*)

(*a*) The following require **ne** before the verb:

A moins que, *unless* — A moins qu'il ne pleuve.

De peur que / **De crainte que** } *for fear that* — Ils n'osent pas sortir de peur qu'il ne les voie.

NOTE: 1. It is unnecessary to use a subjunctive when principal and subordinate verbs have the same subject:

We shall finish this work before we go out.
Nous finirons ce travail avant de sortir.

2. A preposition + noun will, in a few common instances, replace a conjunction + subjunctive:

Before he dies (*died*).	Avant sa mort.
Before I leave (*left*).	Avant mon départ.
Until I return.	Jusqu'à mon retour.

116. In clauses dependent on the verbs expressing **wish** or **desire:**

vouloir que	Je veux qu'il attende.
désirer que	Je désire qu'il me rende mon argent.
aimer mieux	Il aime mieux que je fasse mes devoirs dans ma chambre.
préférer que	Je préfère que la porte soit fermée.

N.B.—Sentences like *I want you to do this, He wants me to do that,* have to be turned by the subjunctive:

Je veux qu'il leur écrive. *I want him to write to them.*
Il veut que vous lui écriviez. *He wants you to write to him.*

117. After verbs and expressions denoting **emotion** or **feeling,** the commoner of which are:

regretter que, *to regret that*	**être honteux que,** *to be ashamed that*
s'étonner que, *to be astonished that*	**être désolé que,** *to be grieved that*
être content que, *to be pleased that*	**être fâché que,** *to be sorry* (*vexed*) *that*
être heureux que, *to be happy that*	**c'est dommage que,** *it is a pity that*
être ravi que, *to be delighted that*	**il est curieux que,** *it is curious that*

Examples:

Je regrette que votre mère soit souffrante (*unwell*).
but Je regrette de ne l'avoir pas vu. *I am sorry I did not see him.*
Il était content que son ami eût réussi.
Je m'étonne qu'il fasse tant de fautes.
Il est curieux que cet enfant ne sache pas lire.

(*a*) **Avoir peur** and **craindre** require **ne** before the subjunctive verb:

J'ai peur (je crains) que nous n'arrivions trop tard.
but Il avait peur de manquer le train.
He was afraid he might miss the train.

N.B. **Espérer** (*to hope*) takes the indicative:

J'espère que votre ami va venir.

118. After verbs and expressions of **possibility, doubt, denial, necessity.**

Douter que, *to doubt that*	Je doute que ce soit vrai.
Il est possible que...	Il est possible qu'il revienne ce soir.
Il est impossible que...	Il est impossible qu'elle soit déjà partie.
Je ne crois (pense, dis) pas que...	Je ne crois pas qu'il soit rentré.
Croyez-vous (pensez-vous) que...	Croyez-vous qu'il soit vraiment intelligent?

NOTE: Do not use the subjunctive after **je crois (pense) que...**

Je crois qu'il est là.

Il faut que...	Il faut qu'il descende.
Il est nécessaire que...	Il est nécessaire que vous signiez ceci.
Il est temps que...	Il est temps qu'il apprenne à monter à cheval.
Il vaut mieux que...	Il vaut mieux que nous restions ici.

Two other noteworthy examples:

Veillez à ce que tout soit prêt. *See (to it) that all is ready.*
Il s'attend à ce que vous lui écriviez.
He expects you to write to him.

Warning:

Do not assume that all impersonal expressions are followed by the subjunctive. Expressions of affirmation and certainty are followed by the indicative. For example, there is no subjunctive after:

il est probable que
il est certain que
il est évident que
il paraît que
il me semble que.

119. The subjunctive occurs in the French equivalents of *to order (command) anything to be done, to forbid anything to be done, to say that anything should be done*:

L'officier ordonna (commanda) qu'on amenât le prisonnier.
Je défends qu'on le batte.
Dites qu'on fasse monter le monsieur qui attend.

120. The subjunctive is used in translating sentences of the type—*the sweetest smile he had ever seen, the best novel I have ever read*:

C'est le meilleur roman que j'aie jamais lu.
C'était le premier film que la vieille eût jamais vu.
C'est la plus belle maison qu'il ait construite.

121. The following should be learnt as formulae:

Qui que vous soyez, *whoever you are.*
Quoi que je fasse, *whatever I do.*
Quelles que soient les difficultés.
Whatever the difficulties may be.
Quelque puissants que soient les chefs.
However powerful the leaders may be.
Si pauvres qu'ils soient. *However poor they may be.*

Government of Verbs

122. Do not put prepositions after these verbs, in imitation of English:

attendre, *to wait for, to await*	J'attends mes parents.
chercher, *to look for, to seek*	Il cherche la clef.
demander, *to ask for*	Elle demanda un mouchoir.
écouter, *to listen to*	Nous écoutions l'orchestre.
envoyer chercher, *to send for*	Elle envoya chercher la concierge.
habiter, *to live in, to inhabit*	Il habite un petit village.
payer, *to pay for*	J'ai déjà payé les billets.
regarder, *to look at*	Il regarda sa montre.
sonner, *to ring for*	Voulez-vous sonner la bonne?

123. The following govern the dative (i.e. require **à** before their object):

s'attendre, *to expect*	Je ne m'attendais pas à cette réponse.
se fier, *to trust*	Ne vous fiez pas à ses belles promesses.

obéir, *to obey*	Il faut obéir à ses parents.
désobéir, *to disobey*	Il a désobéi à sa mère.
plaire, *to please*	Elle plaît à tout le monde.
déplaire, *to displease*	Ma réponse lui déplut.
renoncer, *to give up*	Nous avons renoncé à ce projet.
réfléchir, *to reflect*	Il réfléchissait aux événements de la veille.
répondre, *to answer*	Répondez à ma question.
résister, *to resist*	Vous auriez dû résister à la tentation.
ressembler, *to resemble*	Il ressemble à son frère.
songer, *to think, ponder*	Elle songeait au bonheur de sa jeunesse.
succéder, *to succeed* (= *to come after*)	Il succéda à son père.

124. Do not be misled by English when using such verbs as **donner, dire, envoyer, offrir, montrer, prêter, promettre,** which require **à** with the person:

Je lui donnai de l'argent. *I gave him some money.*
Dites à votre ami de venir de bonne heure.
Tell your friend to come early.

125. Other common verbs taking **à** with the person:

apprendre, *to teach*	Je lui apprends la boxe.
assurer, *to assure*	Ce succès lui assura une vie aisée.
conseiller, *to advise*	Je leur conseillai la prudence.
demander, *to ask for*	Le vieillard lui demanda l'aumône.
enseigner, *to teach*	Ce prêtre lui enseignait le latin.
envier, *to envy*	Je lui envie son bonheur.
fournir, *to furnish*	Il leur fournissait l'argent nécessaire.
inspirer, *to inspire*	Sa présence leur inspirait confiance.
pardonner, *to forgive*	Il lui pardonna sa faute.
permettre, *to permit*	Je permets aux élèves une certaine liberté.
refuser, *to refuse*	Il leur refusa la permission de sortir.
reprocher, *to reproach*	Son père lui reprochait sa paresse (*laziness*).

NOTE: Remember the difficulty of translating such expressions as *I have been told that...*, *We are allowed to...*, etc. An object governed by *à* cannot be used as the subject of a passive construction with that verb. The difficulty is generally met by using **on**:

I have been told that...	On m'a dit que...
We are allowed to...	On nous permet de...
or	Il nous est permis de...
My letter has been answered.	On a répondu à ma lettre.

Exceptions to this are **obéir** and **désobéir**, which may be used normally in the passive:

Les ordres sont obéis (désobéis).

126. The following, all of which express some idea of *getting from*, require **à** with the person:

acheter, *to buy*	J'ai acheté cette motocyclette à un ami.
arracher, *to snatch, wrest*	L'agent lui arracha le revolver.
cacher, *to hide*	Il leur cacha son étonnement.
emprunter, *to borrow*	Il emprunta mille francs à son frère.
enlever, *to remove*	Je vais lui enlever ce bâton.
prendre, *to take*	Les voleurs lui prirent sa montre.
ôter, *to take away*	Ôtez-lui ce couteau.
voler, *to steal*	Ils lui volèrent son portefeuille.

127. Note the construction common to this group:

commander à quelqu'un de faire, *to command anyone to do*:

Il leur commanda de se taire.

conseiller à quelqu'un de faire, *to advise anyone to do*:

Il leur conseilla de se rendre.

défendre à quelqu'un de faire, *to forbid anyone to do*:

Je lui défends de sortir.

demander à quelqu'un de faire, *to ask anyone to do*:

Je lui demandai de me prêter son canif.

dire à quelqu'un de faire, *to tell anyone to do*:

Il leur a dit de venir ce soir.

ordonner à quelqu'un de faire, *to order anyone to do*:

Le maître ordonne à l'élève de se lever.

permettre à quelqu'un de faire, *to permit* (*allow*) *anyone to do*:

Nous leur avons permis de s'en aller.

promettre à quelqu'un de faire, *to promise anyone to do*:

Il leur a promis de ne rien dire.

(*a*) With these verbs the person is ordinary direct object:

prier, *to beg, ask*	Je vais le prier de me prêter sa raquette.
empêcher, *to prevent*	Il les empêcha de se battre.
avertir, *to warn*	Avertissez-les d'y être à l'heure.

128. Certain common verbs are followed by **de**:

s'approcher de, *to approach*	Elle s'approcha de la porte. Elle s'en approcha. Elle s'approcha de lui (de moi).
s'apercevoir de, *to notice*	Je m'aperçus de son impatience. Je m'en aperçus.
se douter de, *to suspect*	Personne ne se doutait de sa présence. Personne ne s'en doutait.
s'emparer de, *to get hold of*	Il s'empara d'un gros bâton. Il s'en empara.
jouir de, *to enjoy*	Les enfants jouissaient de leur liberté. Ils en jouissaient.
se méfier de, *to mistrust*	Je me méfie de ces sortes de promesses. Je m'en méfie.
se moquer de, *to ridicule, make fun of*	Ils se moquèrent de nos efforts. Ils s'en moquèrent. Ils se moquaient de la vieille femme. Ils se moquaient d'elle.
se passer de, *to do without*	Je me passe de ces luxes. Je m'en passe.
se servir de, *to use*	Je me sers de ce vieux couteau. Je m'en sers.
se souvenir de, *to remember*	Je me souviens de cette visite. Je m'en souviens. Je me souviens de mon grand-père. Je me souviens de lui.

se tromper de, *to mistake (one thing for another)*	Il s'est trompé de porte.

With these verbs the relative is **dont:**

Les choses dont je me souviens, *things which I remember.*
L'instrument dont je me servais, *the instrument which I was using.*

129. De sometimes translates other English prepositions:

s'excuser de, *to apologize for*	Je m'excuse de cette erreur.
dépendre de, *to depend on*	Cela dépend du prix.
se nourrir de, *to live, subsist on*	Les habitants se nourrissent de riz.
profiter de, *to profit by*	Il faut profiter de l'occasion.
récompenser de, *to reward for*	Je vous récompenserai de ce service.
remercier de, *to thank for*	Je vous remercie de votre lettre. Je vous en remercie.
rire de, *to laugh at*	Est-ce que vous riez de mon chapeau?
vivre de, *to live on*	On ne peut pas vivre d'eau fraîche.

130. Examples to note:

Il prit **dans** sa poche une vieille pipe (*out of his pocket*).
Elle prit **sur** la table une petite montre (*from the table*).
L'enfant lisait **dans** un grand livre (*out of a large book*).
Il buvait du vin **dans** un verre (*out of a glass*).
La bête était tombée **dans** un puits (*down a well*).
Les enfants battirent **des** mains (*clapped their hands*).
Il était accompagné **de** plusieurs amis (*by several friends*).
La dame était vêtue **de** noir (*dressed in black*).
Le duc se déguisa **en** paysan (*as a peasant*).
Il faut couper cette viande **en** morceaux (*into pieces*).
Il s'embarque **pour** l'Amérique.
Elle partit **pour** Madrid.
Le navire se dirigeait **vers** le port (*was making for*).
Il se tourna **vers** moi (*turned to me*).
Je passe **devant** sa maison tous les jours (*I pass his house*).
Je l'ai reconnu **à** sa voix (*by his voice*).
Entrer is followed by **dans,** sometimes by **à:**
Elle entra dans la maison.
Il entra au service d'un gentilhomme.

131. Renderings of several common English expressions:

to go (come) in:	entrer	*to go (pass) through:*	traverser
to go (come) out:	sortir	*to go (come) down:*	descendre
to go away:	s'en aller	*to go (come) up:*	monter
	partir	*to go back:*	retourner
to go with:	accompagner	*to come back:*	revenir

to run in: entrer en courant
to run out: sortir en courant
to stride along: marcher à grands pas
to stride away: s'éloigner à grands pas
to swim across: passer (traverser) à la nage
to go on foot (on horseback, by car): aller à pied (à cheval, en auto)
to go (out) for a walk: se promener (à pied)
to go for a ride (a cycle ride, a drive): se promener à cheval (à bicyclette, en automobile)

132. Notes on some Common Verbs

apercevoir Apercevoir (quelque chose) = *to perceive with the eye*:
Il aperçut un lapin au bord du fossé.
S'apercevoir = *to perceive mentally, perceive a fact*:
Il s'aperçut de mon impatience.
Je m'aperçus qu'il tremblait.

assister Assister à = *to be present at, to witness*:
J'ai assisté à cette réunion.
Assister quelqu'un = *to help*:
Elle assistait toujours les malheureux.

changer Changer quelque chose = *to alter*:
Nous allons changer tout cela.
Changer de = *to change one thing for another*:
J'ai dû changer de costume.

chercher Chercher quelque chose = *to look for, seek*:
Il cherche ses lunettes.
Chercher à faire = *to strive to do*:
Il cherchait à couper la corde.

consister La maison **consistait en** deux grandes pièces.
Son travail **consiste à** traire les vaches et à donner à manger aux poules.

croire Croire quelqu'un (quelque chose):
On le croit. Je crois ce que vous me dites.
Croire à = *to believe in*:
Croyez-vous aux miracles?

échapper Échapper à = *to escape*, in the sense of *to keep clear of*:
C'est ainsi qu'il échappa à la mort.
S'échapper de = *to break free from*:
Le renard s'échappa du piège.

jouer Vous jouez bien.
Nous jouons au tennis (au football).
Il joue du piano (du violon).

manquer J'ai manqué le train (*missed*).
Il manque de prudence (*lacks*).

penser Penser à = *to think about*:
Il pensait à son fils. Il pensait à lui.
Je pense à mon examen. J'y pense.
Penser de = *think of* (have an opinion of):
Que pensez-vous de sa fiancée?

plaire Elle dit que vous lui plaisez (*she likes you*).
Se plaire à = *love* (*doing*), *delight in* (*doing*):
Il se plaît à faire les mots croisés (*cross-words*).

répondre Vous allez répondre à ma question.
Répondre de = *to answer for*:
Je ne réponds pas de sa sûreté.

servir Le valet sert son maître.

Servir de = *to serve as*:

Cette pièce me servira de cabinet de travail.

Servir à (faire) = *to serve to* (*do*):

Les pinces servent à arracher les clous.

Se servir de = *to use*:

De quoi vous servez-vous? Je me sers d'un ciseau (*chisel*).

Le couteau dont je me sers. Je m'en sers.

tenir Il tenait le bouton de la porte.

Tenir de = *to be like, savour of*:

Il tient de sa mère.

Ces exploits tiennent du prodige.

Tenir à (faire) = *to be anxious to* (*do*):

Je ne tiens pas à coucher à la belle étoile (*sleep out*).

Je n'y tiens pas non plus.

Tenir à (une chose) = *to think much of, attach importance to*:

Elle tient à sa bague.

Se tenir = *to stand*:

Le soldat se tenait à la porte de la caserne.

After negative question – "si"

ADVERBS

133. Affirmation, negation

Vous ne partez pas? Si, je pars.
Est-il chez lui? Je crois que oui (que non).
Est-ce que j'ai raison, oui ou non?

Ma sœur non mariée (*unmarried*).
Une pièce non meublée (*unfurnished*).
Non loin il aperçut plusieurs navires (*not far away*).
Il entra, non sans hésitation.
Mon frère ne jouera pas non plus (*either*).
Ni moi non plus (*nor I either, neither shall I*).

134. Negatives with the Verb

ne... pas
ne... point, *not, not at all*
ne... plus, *no more, no longer*
ne... que, *only, nothing but*
ne... guère, *hardly, scarcely*
ne... jamais, *never, not ever*
ne... ni... ni / ni... ni... ne } *neither... nor*
ne... personne / personne... ne } *nobody, not anybody*
ne... rien / rien... ne } *nothing, not anything*
ne... aucun / aucun... ne } *not any, not one*

NOTE: For examples of the use of **ne... personne, ne... rien, ne... aucun,** see §§45, 46, 47.

135. Examples illustrating various points concerning negatives

(*a*) **Pas, ne... pas**

Pas (point) du tout, *not at all.*
Pas encore, *not yet.*
Pas un morceau de pain.
Il ne m'a même pas regardé. (Note the position of **même.**)
Il ne reviendra certainement pas ce soir.

(*b*) **Ne... plus**

Il ne m'en reste plus. *I haven't any left.*

Wherever the idea of *no longer* is present, use **ne... plus:**

Je suis retourné chercher ma montre: elle n'y était plus (*it wasn't there*).
Il n'y travaille plus. *He does not work there now.*
Plus de chansons, plus de rires. *No more songs, no more laughter.*

(*c*) **Ne... que.**

Je n'ai qu'une chose à vous dire.
Il ne revint qu'à la nuit tombante (*not until nightfall*).
Ce train ne part qu'à 7 heures (*not until*).

When *only* applies to the verb, one has to bring in **faire:**

Il ne fait que sourire, *he only* (*merely*) *smiles.*

One may also say:

Il se contente de sourire.

(*d*) **Ni... ni... ne**

Ni ses parents ni ses amis ne savent ce qu'il est devenu.
Il n'a ni rang ni fortune.

(*e*) **Ne... jamais**

Je n'ai jamais lu ce roman.
Avez-vous jamais essayé de le faire? Jamais.
Si jamais vous le rencontrez... (*if ever*).
Jamais de la vie, *never on your life.*

(*f*) **Two negatives occurring together**

Je ne vois plus rien.
Il n'y avait plus personne sur la place.
Il ne m'a jamais rien dit.

(*g*) **Negation with infinitive**

Il me dit de ne pas attendre.
Promettez-moi de ne jamais rien dire à ce sujet.
but Je préfère ne voir personne.

136. Occasions when *pas* may be omitted

After **pouvoir, oser, cesser, savoir** followed by an infinitive:

Je ne puis le recevoir.
Les ministres n'osaient lui résister.
Il ne cesse de se plaindre (*complain*).
Je ne sais.
Je ne sais si vous avez remarqué la couleur de ses cheveux.
Je ne saurais vous le dire (*I cannot...*).
Si je ne m'abuse, *if I am not mistaken.*

137. Idiomatic constructions involving *ne*

Il y a longtemps que je **ne** l'ai vu (*since I saw him*).
Prenez garde qu'on **ne** vous entende.
Il courait plutôt qu'il **ne** marchait (*rather than*).
Il est plus habile que vous **ne** pensez.
Il est moins stupide qu'il **n'**en a l'air.
Attendez quelques instants, à moins que vous **ne** soyez très pressé.
J'ai peur que vous **ne** manquiez le train.
Je ne doute pas qu'il **ne** soit parfaitement honnête.

138. Adverbs from Adjectives

lent, lente, lentement; heureux, heureuse, heureusement.

When the adjective ends in a vowel, the feminine **e** is not added:

joli, joliment	absolu, absolument
vrai, vraiment	décidé, décidément

There is one exception: gai, gaiement (or gaîment).

constant, constamment, évident, évidemment.

Special:

aveugle, aveuglément, *blindly*
commun, communément, *commonly*
confus, confusément, *dimly*
énorme, énormément, *enormously*
précis, précisément, *precisely*
profond, profondément, *deeply*
gentil, gentiment, *nicely*, *prettily*
bref, brièvement, *briefly*

139. Comparison of Adverbs

Il marche plus vite que moi (*more quickly than*).
Il marche moins vite que moi (*less quickly than*).
Il marche aussi vite que moi (*as quickly as*).
Il courut le plus vite (**le plus** is invariable).
Elle courut le plus vite.

(*a*) **Special Forms**

bien	mieux	le mieux
mal	pis	le pis
beaucoup	plus	le plus
peu	moins	le moins

Do not confuse **mieux** with **meilleur,** the adjective:

Un meilleur élève.
Il travaille mieux que son frère.
C'est lui qui travaille le mieux (*best*).

140. Adjectives used adverbially are invariable

aller droit,	*to go straight*	sentir bon, mauvais,	*to smell good, bad*
s'arrêter court,	*to stop short*	tenir bon,	*to hold out*
coûter cher,	*to cost dear*	travailler ferme, dur,	*to work hard*
frapper dur, juste,	*to strike hard, true*	viser juste,	*to aim true*
parler haut, bas,	*to speak loudly, quietly*	voir clair,	*to see clearly*

Notes on Adverbs and Adverbial Phrases

141. Adverbs of Manner

que Que (*how*) cet enfant est malheureux! (note the word order).

comme Comme (*how*) il est stupide! (note the word order).
Comme (*as*) il se fait tard, il faut rentrer.
Il leva la main comme pour (*as though to*) me frapper.
Il est fort comme (*as strong as*) un bœuf.

comment Comment allez-vous?
Comment! vous pleurez! (*what!*)

combien Combien en demandez-vous?
Je ne saurais vous dire combien (*how*) je suis reconnaissant.

même Ils emportèrent même (*even*) ses livres.

tellement J'étais tellement (*so*) surpris.

bien Bien sûr. C'est bien vrai.
J'ai bien (*duly*) reçu votre lettre.
Il y avait bien (*quite*) trois cents personnes.

mieux Vous feriez mieux de rester ici.
Ils ont fait de leur mieux.

environ A cinq heures environ.
Ce village se trouve à 10 kilomètres environ de Marseille.

peu Peu probable, *improbable.*
Peu profond, *shallow.*

	Un peu fier, *a little proud.*
	Peu à peu, *gradually, little by little.*
	A peu près, *nearly, within a little.*
plutôt	Il est plutôt grossier (*rather coarse*).
moins	Au moins = *at least* (minimum): Au moins 15 kilomètres.
	Du moins = *at least* (reservation): Du moins, c'est ce qu'il m'a dit.

142. Adverbs of Quantity

beaucoup	Beaucoup d'enfants, *many* (*a great many, very many*) *children.*
	Je l'aime beaucoup (*much, very much*).
plus, moins	Followed by **de** in expressions of quantity: Plus de mille francs. En moins d'une demi-heure.
	Followed by **que** only in comparisons: Vous mangez plus (moins) que moi.
	Note: Encore du sucre, *some more sugar.*
	Plus (moins) on travaille, plus (moins) on est content.
	Plus ça change, plus c'est la même chose.
davantage	*More, more so.* Usually occurs in comparisons:
	Il est paresseux, mais son frère l'est davantage.
	Il faut travailler davantage.
	Il a beaucoup de rosiers; moi, j'en ai davantage.
tant	*So much, so many, so:* Vous avez tant de patience. Il a tant d'amis. Il avait tant travaillé. Tant que (*as long as*) je vivrai.
	Je l'avais reconnu tout de suite, tant il ressemble à son frère.
autant	*As much, as many:* J'ai autant de timbres que vous.
	Tâchez d'en faire autant, *try to do the same.*
peu	Un peu d'argent, *a little money.*
	Peu d'argent, *little money.*
la plupart	La plupart des élèves sont sages.

143. Adverbs of Time

après	Un moment après, *a moment later.*
	Le moment d'après, *the next moment.*

bientôt	Il partira bientôt (*soon*).
tôt	Always qualified: Pourquoi êtes-vous venu si tôt? (*so soon, so early*). Plus tôt que de coutume, *earlier than usual.*
aussitôt	*At once.*
tantôt	Tantôt il sourit, tantôt il pleure, *now* (*sometimes*) *he smiles, now* (*sometimes*) *he cries.*
sur-le-champ	*At once.* (*On the spot* = sur place.)
de nouveau	*Again, afresh.* Les cris éclatèrent de nouveau.
enfin	Enfin le ministre parut (*at last, finally*). In conversation **enfin** often means *in brief, in short, in a word*: Enfin, vous refusez?
tard	Je suis rentré tard (*late*). **En retard,** *late* (= *after time*): Nous sommes arrivés en retard. Tôt ou tard, *sooner or later.*
fois	Il l'a dit plusieurs fois. A la fois, *at the same time, at once, both*: une figure à la fois douce et grave. Parfois, *occasionally.* Toutes les fois que, *whenever*: Toutes les fois que je le gronde, il sourit.
d'abord	*First* } Useful when stating three facts in sequence.
puis	*Then, next*
ensuite	*Then, afterwards*
là-dessus	*Thereupon.*
d'habitude	*Usually.* Also **d'ordinaire.**
avant	*Before* (time or order).
auparavant	*Before:* Quelques mois auparavant.
autrefois	*Formerly.*
à l'avenir	*In the future.*
temps	De temps en temps, *from time to time.* De temps à autre, *now and again.* A temps, *in time*: Nous arriverons à temps. En même temps, *at the same time.*
désormais	*Henceforth.*
jusqu'ici	*Up till now.*
jusqu'alors	*Up till then.* One also says **jusque-là.**

hier	*Yesterday.* Hier matin (soir), *yesterday morning (evening).* Avant-hier, *the day before yesterday.*
la veille	*The eve, day before:* La veille de Noël.
demain	*To-morrow.* Demain matin (soir), *to-morrow morning (evening).*
le lendemain	*The morrow, following day.* Le lendemain matin (soir), *the next morning (evening).*
de bonne heure	*Early.*
de bon matin	*Early in the morning.* One also says **de grand matin.**
au juste	*Exactly:* Je ne sais pas au juste.
tout à coup	*Suddenly:* Tout à coup il poussa un cri terrible.
tout d'un coup	*All of a sudden:* Il tomba tout d'un coup.

144. Adverbs of Place

où	*Where* without an antecedent is **là où**: Where I work... Là où je travaille... **Partout où,** *wherever.* **D'où,** *whence:* D'où vient cet enfant? Note: le jour **où**, l'heure **où**, le moment **où**.
çà et là	*Here and there.*
part	**Quelque part,** *somewhere:* Je l'ai déjà vu quelque part. **Nulle part,** *nowhere.* On ne trouve cela nulle part. **De toutes parts,** *on (from) all sides:* Des hommes armés accoururent de toutes parts.
en haut	*Above, at the top; upstairs.*
en bas	*Below, at the bottom; downstairs.*
ailleurs	*Elsewhere.*
là-bas	*Yonder, over there.*
là-dedans	*Inside, in there:* Qu'est-ce qu'il fait là-dedans?

145. Place of the Adverb

(*a*) In a simple tense the adverb is normally placed immediately after the verb; in a compound tense, it is placed after the auxiliary:

Je le vois souvent.
C'est ce que j'ai toujours dit.

(*b*) A few common adverbs, chiefly of time and place, follow the past participle in a compound tense:

aujourd'hui	ici
hier	là
demain	là-bas
tôt	partout
tard	ailleurs
	ensemble

Examples:

Il est arrivé hier.
Elles sont venues ici ce matin.
Je l'ai cherché partout.

(*c*) Qualified adverbs and long adverbs also follow the past participle:

Je suis entré tout doucement.
Il a réussi brillamment.

(*d*) Sentences of course frequently begin with adverbs such as **alors, ensuite, puis, d'abord,** etc.

(*e*) The following precede an infinitive: **bien, mieux, mal, jamais, trop, beaucoup:**

Sans jamais hésiter. C'est beaucoup risquer.
Pour mieux voir. Il ne faut pas trop insister.
Pour bien jouer.

146. Conjunctions

d'ailleurs	*Besides, moreover:* D'ailleurs, moi je ne suis pas responsable.
pourtant	*Yet, however.*
	And yet: et pourtant; et cependant.
toutefois	*However.*
néanmoins	*Nevertheless.*
par conséquent	*Consequently.*
car	*For.* Do not confuse **car** with the preposition **pour**, e.g. pour moi.
donc	*Therefore.* When *so, then* = *therefore,* translate by **donc.**
or	*Now,* opening a new paragraph or a new perspective of ideas: Or, le roi était protestant.
ou bien	*Or else:* Je passerai chez vous, ou bien je vous trouverai à la gare.

autrement / **sinon**	*Otherwise:* Il faut qu'il se montre plus poli, autrement (sinon) il perdra tous ses clients.
aussi bien que	*As well as:* Les riches aussi bien que les pauvres.
que	Used to avoid repeating **quand, lorsque:** Quand la nuit tombe et que les bois deviennent silencieux.
	Que replaces compound conjunctions (e.g. pour que, bien que) before a second clause: Bien qu'il soit jeune et qu'il pratique les sports...
	Note: **un jour que,** one day when (as).
	Also: Quel homme charmant **que** son père!
puisque	*Since* (reason): Je paierai, puisque vous l'exigez.
depuis que	*Since (= from the time that):* Depuis que je ne travaille plus, je m'ennuie.
tandis que	*Whilst, whereas* (with an idea of contrast): Moi, je suis resté à Paris, tandis que mon frère est retourné en Angleterre.
pendant que	*While (= during the time that):* Pendant que j'écrivais, mon ami lisait le journal.
vu que	*Seeing that:* Vu que l'auto n'est pas prête...
à mesure que	*As (= in proportion as):* A mesure que l'enfant grandit, ses muscles se durcissent.

147. Interjections

Allons !	*Come on! Come now!*
Allons donc !	*Come now! What nonsense!*
Bien !	*Good!*
Eh bien	*Well.*
Attention !	*Be careful! Look out!*
Mon Dieu !	*Good heavens! Good gracious! Gracious me!*
Tiens !	*Why! What!* (expresses surprise).
Tenez !	*Here! Look here!* (calls attention).
Ma foi !	*Upon my word!*
Comment !	*What!*
Soit !	*All right! Very well!*
Par exemple !	*The idea! Just fancy!*
Parbleu !	*Why, of course!*

Dites donc!	*I say!* (calls attention).
Hein?	*Eh?*
A la bonne heure!	*Very well! Well and good!*
Bien entendu **Évidemment**	*Of course.*

148. Prepositions

à A Rome et à Madrid.
Un moulin à vent, *a windmill.* Un fer à cheval, *a horseshoe.*
Une boîte aux lettres, *a letter-box.*
La petite fille aux cheveux blonds (*with fair hair*).
Je l'ai reconnu à son allure (*by his walk*).
A ce qu'il dit, les affaires vont mal (*from what he says*).
Au secours! *Help!* A l'aide! Au voleur! etc.
Au salon; au jardin; à la campagne; aux champs; aux bois.

de Il vient de Londres.
Il va d'Allemagne en Suisse.
Suivi d'un gros chien. Rempli de... couvert de, etc.
De cette façon (manière). D'une manière convenable.
D'un ton menaçant. D'un pas ferme.
De ce côté; de l'autre côté.
Je n'ai rien mangé de la journée (*all day*).
Le moment d'après, *the next moment.* (Un moment après, *a moment later.*)
La route de Paris, *the road to Paris.* Le chemin de la gare.
A six heures du matin (du soir).
Le meilleur hôtel de la ville (*in the town*).

en En été (automne, hiver), *but* au printemps.
En l'air; en l'honneur de; en l'absence de; en l'an 1870.
En mon absence; en mon nom.
En quelques mots. En danger. En colère. En ville. En vente, *on sale.*
Diviser en trois parties.
En même temps. En tout temps.
Changer en... Se déguiser en... *to disguise oneself as...*

Il m'en offrit cinq cents francs (*for it*).
Ils en demandent mille francs (*for it*).
Ils en viennent aux mains. *They come to blows.*
On peut y aller en deux heures (*time taken*).
Nous pourrons partir dans une heure (*in an hour's time*).

dans Il buvait du cidre dans un verre (*out of*).
Il prit un crayon dans sa poche (*out of*).

avant *Before* (time or order): Il est arrivé avant moi. Avant six heures.

devant *Before, in front of* (place): Devant la gare.

entre Entre nous, je crois qu'il est jaloux.
Ils se disputaient entre eux (*among themselves*).
La ville se trouvait entre les mains de l'ennemi (*in the hands of*).
Plusieurs d'entre eux, *several of them.* Beaucoup d'entre eux.

parmi *Among:* Parmi tous ces visiteurs. Parmi les vignes.

envers *Towards* (of feeling or attitude): Il se conduit mal envers ses parents.
Charitable envers les malheureux.
One says, however: Il a été bon (aimable) **pour** moi.

vers *Towards* (direction): Il s'achemina vers la gare. Il se tourna vers moi.
Vers (les) sept heures (*toward, about*).

près Près de la gare. Près de six heures.
Il a près de quatre-vingts ans.

auprès *Near, by* (close proximity): Il habite auprès de la Poste.
Elle était assise auprès de la fenêtre (*by, just by*).

chez Chez moi. Chez mon ami.
Chez sometimes means *with, in the case of:* Chez les Anglais, c'est l'argent qui compte. Chez lui, c'est une véritable manie.

depuis J'apprends l'allemand depuis six mois.
Depuis ce jour-là, *since (from) that day.*

dès The use of **dès** will be better understood if one remembers its relationship to **dès que** (*as soon as*).
Dès le commencement, *at (from) the very beginning.*
Dès mon arrivée, *immediately upon my arrival.*

	Dès demain, *as early as to-morrow.*
	Dès lors, *since then.*
	Dès six heures du matin, *at (as early as) six o'clock in the morning.*
sans	Sans argent. Sans enfant. Sans le sou (*poor*).
	Sans vous, nous aurions été battus (*but for you*).
jusqu'à	Jusqu'au bout de la rue. Jusqu'au jour de sa mort.
pendant	J'ai travaillé pendant sept heures.
	Pendant de longues années.
pour	Expresses pre-arranged time limit: Je suis ici pour trois jours seulement.
	Ce billet est valable (*available*) pour un mois.
	Je vais partir bientôt **pour** l'Amérique.
	Avez-vous beaucoup de travail?—J'en ai pour au moins deux heures.
sur	Neuf fois sur dix (*out of*).
	Il revint sur ses pas. *He retraced his steps.*
sous	Sous le règne de Louis XIV.
	Je l'avais sous la main (*to hand*).
	Sous tous les rapports, *in all respects.*
	Il reviendra sous peu (*shortly*).
	Nous marchions sous la pluie.
par	Il a été mordu par un chien (*but* Il était suivi d'un chien).
	Par ici, monsieur. *This way, sir.*
	Nous regardions par la fenêtre (*out of*).
	Par politesse, *out of politeness.* Par nécessité.
	Par une nuit d'orage. Par un jour de grand vent.
	Trois fois par semaine.

149. Various renderings of some English prepositions

about	De quoi s'agit-il? *What is it about?*
	De quoi parlez-vous? *What are you talking about?*
	Vers six heures. Environ trois cents hommes.
	Cela pèse à peu près trois kilos.
	Ils se disputent à propos (au sujet) d'un arbre.
	J'ai quelque chose à vous dire.—A quel sujet? (*what about?*)

	Il était sur le point de frapper (*about to*). Il allait frapper.
after	Le lendemain, *the day after*. Au bout d'un mois.
along	Il se glissa le long du mur. Ils marchaient sur la grande route. Je longeais le quai. Je marchais dans la rue.
at	D'un seul coup. A tout prix, *at all costs*.
back	Il le frappa par derrière (*from behind*). Je fis un pas en arrière.
beyond	Au delà des montagnes.
by	Il est plus âgé que moi de deux ans. Il est six heures à ma montre. Elle est certainement de retour à cette heure (*back by now*). Un à un. Côte à côte, *side by side*. Pas à pas, *step by step*. Il faut apprendre ces choses par cœur (*by heart*). Je le connais de vue (*by sight*).
down	Je descendais la côte. Tomber dans un trou (un précipice, un puits).
for	Par exemple. Mot à mot. Il sauta de joie. Il cria au secours (*for help*).
from	Avez-vous des nouvelles de votre frère? (*heard from*). Avez-vous de ses nouvelles? *Have you heard from him?* A ce que j'ai vu... *From what I have seen...* A ce que j'ai entendu dire... *From what I have heard...* A partir de demain. Il but à même la bouteille (*straight from*).
in	C'est la plus belle rue de la ville. Au mois de mars. En mars. A mon avis, *in my opinion*. A l'ombre, *in the shade*. Entre les mains de l'ennemi. Il avait un gros bâton à la main.
next	C'est la dame qui habite à côté (*next door*).
of	L'un d'eux, *one of them*. Plusieurs d'entre eux. Beaucoup parmi ceux qui sont venus... Un de mes amis.

Un médecin de mes amis, *a doctor friend of mine.*
Qu'est-il devenu? *What has become of him?*
Je l'ai perdu de vue. *I have lost sight of him.*

on De ce côté. De l'autre côté.
A cheval. A pied. A genoux, *on one's knees.*
A mon arrivée. A mon retour.
Tout dépend du résultat de mon examen.

out Hors d'haleine, *out of breath.*
Hors de saison. Hors de portée, *out of reach* (*range*).
Elle regardait par la fenêtre.

over Elle portait un tablier (*apron*) par-dessus sa robe.
Il sauta par-dessus la haie.
Il remporta une victoire sur les Romains.

till, until Je ne partirai pas avant samedi.
Il ne sortira que lorsqu'il aura fini son travail.
Ce train ne part qu'à cinq heures trente.

to Ils avancèrent jusqu'aux portes de la ville.
Il est bon pour ses parents (*good to*).

up Il grimpa sur (dans) un arbre.
A mi-côte, *half-way up the slope.*

with Il était assis dans un fauteuil, un livre à la main.
Il menaça de me frapper avec sa canne.
De tout mon cœur. De toutes mes forces.
A regret. A pas lents.
Il est fâché contre moi. *He is annoyed with me.*

Vocabulary

ABBREVIATIONS USED

abbrev., abbreviation
adj., adjective
adv., adverb
conj., conjunction
imp., imperfect
infin., infinitive
plur., plural
poet., poetical
pop., popular
prep., preposition
pres. part., present participle
pres. subj., present subjunctive
pron., pronoun

FRENCH—ENGLISH

A

abattre, to strike down, fell; **s'abattre**, to come down
une **abeille**, bee
un **abîme**, abyss, gulf
aboyer, to bark
abuser (de), to misuse, take advantage (of)
accabler, to overwhelm
un **accord**, agreement
accoudé, leaning (on the elbows)
accourir, to hasten up, run up
accrocher, to hook, clutch, hitch
accroupi, huddled, crouching
un **accueil**, welcome, reception
accueillir, to welcome
acculé, driven back against, cornered
achalandé; bien achalandé, having plenty of custom
un **achat**, purchase
l'**acier** (*m.*), steel
une **adresse**, skill; address
s'adresser (à), to address oneself (to), speak (to)
adroit, skilful, nimble
advenir, to happen
un **affadissement**, sick feeling
une **affaire**, affair; **avoir affaire à**, to deal with; **les affaires**, business
affamé, starved, starving
affluer, to flock, crowd in
affranchir, to free; to stamp, pay postage on
les **affres** (*f.*), torments, terrors, pangs
affreux, awful, frightful
affriander, to entice
afin de, in order to
un **agent**, policeman, constable
agir, to act; **il s'agit de**, it is a matter (question) of
une **agonie**, dying pains, death throes
ahuri, bewildered, flurried
un **aïeul**, grandfather
un **aigle**, eagle
aigre, sour; shrill
une **aigreur**, sourness; *plur.*, acidity, indigestion
aigu, sharp
aiguiser, to sharpen
une **aile**, wing
ailé, winged
aille, *pres. subj. of* "aller"
ailleurs, elsewhere
aimable, nice, kind, likeable
aîné, elder, eldest
ainsi, thus
l'**aise** (*f.*), ease; **être bien aise**, to be pleased
une **aisselle**, armpit
ajouter, to add
un **aliment**, food
une **allée**, walk, path
allonger, to lengthen, stretch out, reach out
allumer, to light
une **allumette**, match
une **allure**, walk, carriage; manner, way
une **alouette**, skylark
s'alourdir, to grow heavy
une **âme**, soul
amer, bitter
ancien, old, ancient; former

une **ancre,** anchor
apercevoir, to perceive, catch sight of; **s'apercevoir,** to notice
aplatir, to flatten; **s'aplatir,** to fall flat
un **appareil,** machine
un **appartement,** flat
appartenir, to belong
un **appel,** call, appeal
appétissant, appetising
appliquer, to apply
apporter, to bring
apprendre, to learn, teach, tell
appuyer, to lean, support, rest
après, after; **d'après,** according to; from
un **arbuste,** shrub
s'arc-bouter, to arch the back
un **archet,** bow (of violin)
ardent, ardent, fiery, burning
l'**argent** (*m.*), silver; money
argentin, silvery
arracher, to snatch, wrest
arrêter, to stop
en **arrière,** back, backward
une **asperge,** asparagus
assister, to assist; **assister à,** to be present at, to attend
un **associé,** partner
assoiffé, thirsty, athirst
assombrir, to darken
un **astre,** (*poet.*) star
s'attarder, to linger, hang about
atteindre, to attain, reach, strike
un **attelage,** team (of horses); carriage
atteler, to harness
attendre, to await, wait for; **s'attendre à,** to expect
une **attente,** wait; **la salle d'attente,** waiting-room
atterré, dumbfounded
attirer, to attract
attraper, to catch
une **aube,** daybreak, dawn
une **auberge,** inn
un **aubergiste,** inn-keeper
aucun, any; **ne... aucun,** none, not any
au-dessous de, below, beneath
au-dessus de, above, over
un **augure,** omen
un **aulne (aune),** alder (tree)
une **aumône,** alms
auprès de, by, close by; to, with
aussitôt, at once, straightway
autant, as much, as many; **en faire autant,** to do the same
un **auteur,** author
autrefois, formerly, in the old days
autrement, otherwise
l'**Autriche** (*f.*), Austria
autrui, others, other people
avant, before; **en avant,** forward, in front
avare, miserly, mean
un **avenir,** future
une **aventure,** adventure; **à l'aventure,** at random; **dire la bonne aventure,** to tell fortunes
aveugle, blind
un **avion,** aeroplane
un **avis,** opinion
avouer, to confess, admit

B

la **bagatelle,** trifle
la **baguette,** thin stick
baigner, to bathe
baiser, to kiss; **le baiser,** kiss
baisser, to lower, sink; **se baisser,** to bend down, stoop
balancer, to sway, swing, dangle
balayer, to sweep
la **balle,** bullet
le **banc,** bench, seat
la **bande,** band, gang; shoal; strip
bandit! scoundrel! ruffian!
la **banlieue,** suburbs, outlying districts
la **baraque,** shack
barbouillé, smeared, grubby; **avoir le cœur barbouillé,** to feel sick
la **barque,** fishing-boat, smack
la **barre,** tiller, helm
bas, low, quiet; **en bas,** below; **en bas de,** down from
le **bateau-mouche,** river steamer
le **bâton,** stick
le **battage,** threshing
le **battement,** beat, beating
le **battoir,** platter (used for washing)

battre, to beat; **se battre**, to fight
bavarder, to chat, gossip
béant, wide-open, gaping
bée; **bouche bée**, open-mouthed
le **bénéfice**, profit
bénir, to bless
bercer, to rock, lull, sway, cradle
le **berger**, shepherd, herdsman
les **bestiaux** (*m.*), animals (of the farm)
la **bête**, animal, creature
bête, silly, stupid
le **biberon**, baby's bottle
bien, well; **être bien**, to be comfortable
le **bien**, property
le **bien-être**, well-being, comfort
la **bienséance**, good form, decency
bientôt, soon
bigarré, variegated, many-hued
le **bigarreau**, white-heart cherry
le **billet**, ticket, note
la **bise**, north wind, winter wind
bizarre, quaint, queer, curious
blafard, wan, pallid
blanchâtre, whitish
la **blanchisseuse**, washerwoman
le **blé**, corn
blême, deathly white
blêmir, to grow white, pale
blesser, to wound, hurt
la **blessure**, wound
le **bleuet**, cornflower
la **blouse**, smock, overall
le **bocage**, grove
le **Boche** (*slang*), German
le **bohémien**, gipsy, vagrant
la **boîte**, box
bondir, to leap, bound
le **bonheur**, happiness, good fortune
le **bonhomme**, old fellow
la **bonne**, housemaid, nursemaid
la **bonté**, kindness, goodness
le **bord**, bank, shore, edge; ship; **à bord de**, on board
border, to border, to line
la **borne**, limit, mile-stone
borné, limited
la **bosse**, hump
la **botte**, boot, top-boot; bundle, truss
la **boue**, mud
boueux, muddy
la **bouffée**, puff
bouffer, to puff out, stand out
bouger, to move, shift
la **bougie**, candle
la **bouillotte**, kettle
le **boulanger**, baker
la **boule**, ball
le **bourgeois**, gent
bourrer, to stuff full; fill (a pipe)
la **bourse**, purse
le **bout**, end
la **bouteille**, bottle
la **boutique**, shop
le **boutiquier**, shop-keeper
le **bouton**, button; door-knob
braver, to brave, face
la **brebis**, ewe
bref (*f.* **brève**), brief
la **brièveté**, brevity
brillant, bright, shining; in good form
briller, to shine
briser, to break, shatter
broder, to embroider
brosser, to brush
le **brouillard**, mist, fog
brouillé, fallen out, on bad terms
la **broussaille**, undergrowth, brushwood
brouter, to browse
broyer, to crush
la **bru**, daughter-in-law
le **bruit**, noise, sound
brûler, to burn
la **brume**, mist, haze
brun, brown
bruni, browned, tanned
brusque, quick, sudden
brusquement, sharply, quickly, suddenly
bruyant, noisy
la **bruyère**, heather, heath
bucolique, bucolic, pastoral
le **buffet**, sideboard
le **buisson**, bush
le **but**, goal, aim

C

le **cabaret**, tavern, inn
se **cabrer**, to rear

cacher, to hide
la cachette, hiding-place
la cadence, rhythm, time
cahoter, to jolt
caillouteux, shingly
le calice, cup (of flowers)
à califourchon, astride
le caniche, poodle
le canif, pen-knife
le canot de sauvetage, life-boat
la carafe, flask
le carré, square, patch
la carrière, quarry
la cartouche, cartridge
le cas, case
la caserne, barracks
le casque, helmet
causer, to chat, converse
le cavalier, horseman, rider
la ceinture, belt
la cendre, ash
cependant, however, yet
cerner, to ring, surround
le chagrin, sorrow
la chair, flesh
la chaleur, heat
la chaloupe, life-boat
la chance, luck; porter chance, to bring luck
chanceler, to reel, stagger
la chanson, song
le chapon, capon, fat pullet
charger, to load
le chariot, waggon
la charrette, cart
la charrue, plough
la chasse, hunting, shooting; shooting expedition
chasser, to hunt, shoot; to drive away
le châtiment, punishment, chastisement
chauffer, to heat
le chaume, thatch
la chaumine, (*poet.*) cottage
chaussé, shod
chauve, bald
la cheminée, chimney, fireplace
la chemisette, slip, blouse
chéri, dear, darling
chétif, puny
la chèvre, goat, goatskin
le chevron, rafter
choquer, to clash
le chou, cabbage
la chute, fall
la circulation, traffic
la clarté, light, brightness
le clavecin, harpsichord
la clef, key
la cloche, bell
le clocher, church tower
la cloison, partition
le clou, nail
clouer, to nail
la cognée, hatchet, axe
la coiffe, head-dress, lace bonnet
coiffé de, wearing (on the head)
le coin, corner
la colère, anger
combler, to fill in, fill up; to heap, overwhelm
comme, as, as it were
la communauté, community
le compte, reckoning, account
compter, to count, reckon; to expect
le comptoir, counter
le conte, story, tale
conter, to tell, relate
contraindre, to constrain, force
la contrainte, constraint
convaincre, to convince
convenable, becoming, good form, respectable
la convenance, suitability; à sa convenance, to one's liking
convenir, to agree; to suit
convier, to invite
le convive, guest, person dining
le copeau, shaving, chip
le coquelicot, poppy
le cor, horn
la cordonnerie, shoe-shop
le cordonnier, shoemaker; one who keeps a shoe-shop
coriace, tough
la correction, correctness, sense of form
cosmopolite, cosmopolitan
la côte, coast; slope, hill
le côté, side; du côté de, in the direction of
le coteau, slope, hill-side
le cou, neck
couché, lying
coucher, to sleep; se coucher, to lie down, to go to bed

couler, to flow; to sink, go down
le **couloir**, passage, corridor
le **coup**, blow, stroke, shot; job, exploit
coupable, guilty
le **coupé**, coupé, brougham
la **cour**, court; courtyard, yard
le **courant**, current
la **courbe**, curve
courbé, bent
la **courroie**, strap
le **cours**, class, lecture; public walk; **au cours de**, in the course of
la **course**, journey, voyage; race; **au pas de course**, at full speed
court, short
le **courtier**, broker
le **courtisan**, courtier
le **couteau**, knife
coûter, to cost
la **coutume**, custom
couver, to brood over, protect (as a mother)
le **couvert**, place at table; **mettre le couvert**, to lay the table
craindre, to fear
la **crainte**, fear; **de crainte que**, for fear that, lest
cramoisi, crimson
craqueler, to crackle, blister
la **cravate**, tie
cré, *abbr. of* **sacré**, cursed, "beastly"
la **crèche**, manger, crib
créer, to create
creux, hollow, sunken
crever, to burst; to die
crier, to cry out, shout; to creak, grate
crochu, hooked
la **croisée**, casement
croiser, to cross; **se croiser**, to pass one another
le **croissant**, crescent
croissant, *pres. part. of* "croître", to grow
la **croix**, cross; **la croix du Sud**, Southern Cross
crotté, muddy
crouler, to crumble
la **croûte**, crust
la **cruauté**, cruelty
la **cruche**, jug, pitcher
cueillir, to gather, pick, pluck
le **cuir**, leather
le **cuivre**, copper
la **culbute**, somersault, tumble
la **culotte**, breeches, (short) trousers
le **cultivateur**, farmer

D

daigner, to deign, condescend
d'ailleurs, moreover, besides
le **daim**, (fallow-) deer
la **dalle**, flagstone
déboucher, to come out
debout, standing, upright; **se mettre debout**, to stand up
la **déception**, disappointment
décharger, to unload
déchirer, to tear, rend
les **décombres** (*m.*), ruins, debris
découvrir, to discover
dédaigneux, disdainful
dedans, inside
défaire, to undo; **se défaire de**, to dispose of
le **défaut**, failing
le **défilé**, procession, drive-past
dégourdir, to remove the numbness, to get feeling back into
le **dégoût**, disgust, distaste
déguenillé, ragged
dehors, out, outside
le **déjeuner**, lunch; (*sometimes*) breakfast
au **delà de**, beyond
délaisser, to forsake, abandon
démesuré, vast, boundless
la **demeure**, dwelling
demi, half
la **demoiselle**, young lady; dragon-fly
se **démonter**, to be put out of countenance, to "climb down"
dénicher, to rob the nest, take from the nest
la **dent**, tooth
dépasser, to exceed, go beyond, show above
dépaver, to take up the paving
se **dépêcher**, to hurry, hasten
dépens; **aux dépens de**, at the expense of

la **dépense**, expense
déplaire, to displease
déployer, to unfold, spread
déposer, to put down
dépouiller, to strip, rob
déranger, to upset, trouble
dérober, to steal
dès, as early as; from
descendre, to descend, come down; to stay (at an hotel)
désespéré, desperate, despairing
le **désespoir**, despair, hopelessness
désigner, to mean, indicate
désolé, grieved, very sorry
désormais, henceforth
desserrer, to loosen, unclench
desservir, to officiate (in), serve
le **dessin**, design
dessiner, to draw, design
en **dessous**, underneath
le **détour**, bend, winding
la **détresse**, distress
détruire, to destroy
devenir, to become
deviner, to guess, make out
dévisager, to stare at
le **dévouement**, devotion
dévouer, to devote
le **diable**, devil; fellow, chap
diaphane, diaphanous, transparent
difforme, shapeless
digne, worthy
diriger, to direct; **se diriger vers**, to make for, travel towards
le **discours**, speech
discuter, to discuss, argue
disparaître, to disappear
divers, various
se **divertir**, to amuse oneself, enjoy oneself
le **divertissement**, diversion
la **dizaine**, (about) ten
le **dogme**, dogma
le **dogue**, mastiff
le **doigt**, finger, toe
le **domaine**, property, estate; province
dorénavant, henceforth, from now on
dorloter, to pamper, fondle
le **dos**, back
doucement, gently
doué, gifted, talented
douter, to doubt; **se douter de**, to suspect
le **drap**, cloth, material
le **drapeau**, flag
dresser, to raise; **se dresser**, to rise up
droit, straight; right
le **droit**, right
drôle, comic, funny, queer, amusing
le **drôle**, rogue, scoundrel

E

écarlate, scarlet
écart; à l'écart, aside, apart
écarter, to move aside, separate
échapper, to escape
une **échelle**, ladder
éclâbousser, to splash
un **éclair**, flash, gleam
éclairer, to light up
un **éclat**, burst, brilliance; **un éclat de rire**, a burst (peal) of laughter.
éclatant, bright, brilliant
éclater, to burst, break out; to shiver, splinter; to gleam, shine
une **écluse**, sluice-gate, lock
un **Écossais**, Scotsman
s'écouler, to flow away, go by
écraser, to crush, step on, tread on
s'écrier, to cry out, exclaim
un **écriteau**, board, notice
un **écu**, crown (money)
une **écume**, foam
écumeux, foamy, foaming
effacer, to efface, blot out; **s'effacer**, to stand back, stand aside
un **effet**, effect; **en effet**, indeed
s'effeuiller, to shed leaves
effilé, finely pointed
effleurer, to graze, skim, just to touch
effondré, broken down, in a state of collapse
effrayer, to frighten, startle
un **effroi**, fright, dread
effronté, impudent
effroyable, dreadful
égal, equal, even, regular, steady; **cela m'est égal**, I don't mind about that

un égard, regard, consideration
égorger, to slay, cut the throat
un égout, sewer
s'élancer, to dart forward, rush forward
élever, to raise, bring up; **s'élever,** to rise, arise
éloigné, distant, remote
éloigner, to move away; **s'éloigner,** to go away, move off
une embarcation, small boat
un embarras, embarrassment, difficulty; **tirer d'embarras,** to get (anyone) out of a fix
une emblave, sown field
embrasser, to embrace, kiss
s'embrouiller, to become dim, confused
emmener, to take away, lead away
un émoi, emotion, excitement
s'emparer de, to get hold of, take up
empêcher, to prevent
un emplacement, station, site
emplir, to fill
un emploi, occupation, job
un employé, clerk
empocher, to pocket
empoigner, to lay hold of, grasp
emporter, to carry away, bear away; **l'emporter,** to prevail, win
l'empressement (*m.*), eagerness, promptness
s'empresser, to hasten, show eagerness to please
ému, upset, excited
encaissé, shut in
un enclos, enclosure
une enclume, anvil
encore, still, yet, again, furthermore
endormi, sleepy
s'endormir, to go to sleep, fall asleep
un endroit, place, spot; **par endroits,** in places
enfermer, to shut up, shut in, stow
enfin, finally, at last; in brief, in a word
un enfoncement, recess
enfoncer, to sink, drive in
enfouir, to bury, sink
s'enfuir, to flee, run away
engager, to induce, persuade
engraisser, to fatten
enjamber, to step over
enjoué, jovial, good-humoured
enlever, to remove, carry off, lift
l'ennui (*m.*), boredom, trouble, weariness, sorrow, misfortune
ennuyer, to bore, trouble; **s'ennuyer,** to be bored
ennuyeux, boring, tedious, troublesome
enrhumé, having a cold
une enseigne, sign, sign-board
ensemble, together
ensemencer, to sow
ensevelir, to bury
ensuite, then, afterwards
une entaille, notch
entamer, to break into; bite, cut
entendre, to hear, understand, mean, intend; **s'entendre,** to agree
entêté, stubborn, obstinate
entour; à l'entour, around
entourer, to surround
entraîner, to drag away
entre-bâiller, to open half-way
une entreprise, enterprise
entretenir, to maintain, keep up; **s'entretenir,** to converse
entrevoir, to catch a glimpse of, to see dimly
entr'ouvert, half-open
envahir, to invade; to come over
une envie, desire, inclination
une épaisseur, thickness
épanoui, beaming
s'épanouir, to beam
éparpiller, to scatter
épater, (*pop.*) to surprise
une épaule, shoulder
un éperon, spur
éperonner, to spur
un épieu, stake
une époque, time, period
épouser, to marry
une épouvante, terror
un époux, husband
éprouver, to feel, experience
éraillé, rough, hoarse
errer, to wander

un escalier, staircase, stairs
escarpé, steep, precipitous
un escarpement, steep slope, cliff
un esclave, slave
un espace, space
une espèce, kind, sort
une espérance, hope
espérer, to hope
un espoir, hope
s'esquiver, to slip away
un esprit, mind; wit
essayer, to try
une étable, shed, out-house
établir, to establish
étaler, to spread out, display; **s'étaler,** to stretch out
un étang, pool, pond
un état, state; profession
éteindre, to extinguish; **s'éteindre,** to go out, die away
étendre, to stretch, extend; **s'étendre,** to stretch, to lie down
étendu, lying
une étendue, stretch, expanse
éternuer, to sneeze
étinceler, to sparkle, glitter
une étoile, star; **coucher à la belle étoile,** to sleep in the open
un étonnement, astonishment, surprise
étonner, to astonish, surprise
étouffer, to stifle, choke
étourdi, bewildered
étrange, strange
un étranger, stranger, foreigner
étrangler, to strangle, choke
étreindre, to embrace tightly, to hug
étroit, narrow
étudier, to study
s'évanouir, to vanish; to faint
un évanouissement, vanishing, eclipse
éveiller, to waken, rouse; **s'éveiller,** to awake
un événement, event
un éventail, fan
éventré, laid open
un évêque, bishop
un exemple, example; **par exemple,** for example; by the way; the idea! just fancy!
exiger, to demand, require
exprimer, to express

F

le fabricant, manufacturer
fâcher, to vex, annoy; **se fâcher,** to get angry, annoyed, cross
fade, tasteless, insipid
faible, weak
la faiblesse, weakness
le failli, bankrupt
la faim, hunger
la falaise, cliff
la farce, prank, joke; **faire ses farces,** to go on the spree
le fardeau, burden
la farine, flour
farouche, wild, savage
le faubourg, outskirts, outlying quarter
la faute, fault, mistake, offence
le fauteuil, arm-chair
fautif, at fault, blameworthy
fauve, fawn-coloured, tawny
fécond, fruitful, fertile
fêlé, cracked
fendre, to cleave, split
la fente, crack, chink
le fer, iron; **les fers,** fetters, shackles
la fermeté, firmness
le festin, feast
fêter, to celebrate
le feuillage, foliage
la feuillée, leafy boughs
le feutre, felt
la ficelle, string
le fichu, neckerchief
fidèle, faithful
fier, proud
la fierté, pride
la figure, face
se figurer, to imagine
le fil, thread; stream, current
filer, to run off, make off
fin, delicate, delicately formed
flamboyant, blazing, flaming, very bright
flamboyer, to blaze, gleam
flanquer, (*pop.*) to throw
la flaque, pool, puddle
la flèche, arrow; spire
fleuri, flowery
le fleuve, river
le flot, water, wave
flotter, to float, hover
le flux, flood-tide

la foi, faith; **ma foi**! upon my word!
le foin, hay
la foire, fair
la fois, time; **à la fois**, at once, at the same time
la folie, madness
le fonctionnaire, official
le fond, bottom, far side, further end
fondant, melting, soft, juicy
fondre, to melt
la fondrière, bog, swamp
la force, force, strength; **à force de**, by dint of
forcené, furious, violent
le forgeron, blacksmith
fort, strong; *adv.* very; loudly
le fossé, ditch
fou, wild, mad, crazy
le fouet, whip
fouetter, to whip, lash
fouette, cocher! get on!
fouiller, to search
la foule, crowd
fouler, to tread, trample
la fourche, fork
la fourchette, (table) fork
la fourmilière, ant-hill; swarm
le fourneau, stove; bowl (of a pipe)
fournir, to furnish, supply
la fourniture, contract, order to supply
le foyer, hearth
frais (*f.* **fraîche**), fresh, cool
la fraise, strawberry
franchement, frankly, candidly
franchir, to cross, pass over
frayé, worn, worn through
frêle, frail
frémir, to shiver, shudder, quake, quiver
le frémissement, shudder, shiver, rustling, soughing
frénétique, frantic
frétiller, to wriggle, waggle
fripé, worn, threadbare; rumpled
friser, to curl
frissonner, to shiver, flutter, shudder, thrill
froncer, to wrinkle, pucker
le front, forehead, brow
frotter, to rub
fuir, to flee
funèbre, dismal, gloomy
le fusil, gun, rifle

G

gagner, to win, gain; **gagner sa vie**, to earn one's living
le gaillard, strong fellow
le gamin, youngster, urchin
la garde, guard, hilt; **prendre garde**, to be careful
garder, to keep
la gare, railway station
le garnement, scamp
gauche, left
le gazon, turf, greensward
gazouiller, to warble
gelé, frozen
la gelée, frost
gênant, troublesome, uncomfortable
gêner, to trouble, get in the way
le génie, genius
gentiment, nicely
le geste, gesture
la gifle, smack, clout
le gilet, waistcoat
gisaient, *imp. of* "**gésir**", to lie
la glace, ice; mirror, looking-glass; carriage window
glacé, freezing, icy-cold
glisser, to slide, slip, glide
le goëmon, sea-weed
la gorge, throat
le gosier, throat, gullet
le gosse, (*pop.*) child, "kid"
gouailleur, mocking, bantering, jesting
le gouffre, gulf
le gourmet, person of refined palate
le gousset, waistcoat pocket
le goût, taste
goûter, to taste, enjoy
la goutte, drop, spot
la grâce, grace; **faire des grâces**, to put on airs and graces; **grâce à**, thanks to
grandiose, grand, impressive
grandir, to grow up, grow in stature; to swell
la grappe, bunch, cluster (of grapes)
grassement, generously, handsomely
gratter, to scratch

gravir, to climb
la **grêle**, hail
le **grelot**, (bubble) bell
grelotter, to shiver
la **grenouille**, frog
la **grille**, railings; iron gate
griller, to toast, to burn
le **grillon**, cricket (insect)
grimper, to climb
gris, grey
grognon, grumpy, peevish
gronder, to scold, reprimand
gros, big; **le cœur gros**, heavy-hearted
le **gué**, ford
la **guenille**, rag, tatter
guère; ne... guère, hardly, scarcely
guérir, to heal, cure
la **guerre**, war
le **guerrier**, warrior
le **guet**, watch; **au guet**, on the watch
le **guet-apens**, snare, trap
la **guêtre**, legging, spat
guetter, to watch for
la **gueule**, jaw
le **guichet**, ticket-office
le **guichetier**, gaoler, turnkey
la **guise**, way, manner; **à sa guise**, in one's own way

H

(* indicates "*h* aspiré")

habile, clever, skilful
habiller, to dress
un **habit**, dress-coat; **les habits**, clothes
une **habitude**, habit
la ***hache**, axe
***hagard**, wild-eyed
la ***haie**, hedge
le ***haillon**, rag, tatter
la ***haine**, hatred
une **haleine**, breath
***haleter**, to gasp, pant
le ***hameau**, hamlet
***hanter**, to haunt, hang about
***harceler**, to harass
***hardi**, bold
la ***hâte**, haste
***hausser**, to raise; **hausser les épaules**, to shrug the shoulders
***haut**, high; **en haut**, upstairs; **du haut de**, from (anything high)
***hennir**, to neigh
un **herbage**, herbage, grass, weed
une **heure**, hour; **de bonne heure**, early
***heurter**, to strike, knock, hit
une **hirondelle**, swallow
***hocher**, to shake
la ***honte**, shame; **faire honte (à)**, to shame, make ashamed
hors, out; except
un **hôte**, host
un **hôtelier**, hotel-keeper
l'**huile** (*f.*), oil
***hurler**, to howl, roar
l'**hymen** (*m.*), marriage

I

ici, here; **ici-bas**, here below; **d'ici-là**, until then
une **île**, island
impitoyable, pitiless, merciless
importer, to matter
imposer, to impose, impress
inattendu, unexpected
inconnu, unknown, strange
inconscient, unconscious, unthinking, unaware
une **inconvenance**, breach of form
indécis, uncertain, indistinct
indigné, indignant
s'**indigner**, to be indignant
infliger, to inflict
informe, shapeless
ingénieux, ingenious, clever
ingrat, ungrateful
une **injure**, insult
injurieux, insulting
inlassablement, unwearyingly
inonder, to inundate, flood, bathe
inoubliable, unforgettable
inquiet, anxious, disturbed
inquiéter, to alarm, trouble; **s'inquiéter de**, to trouble about, worry about
une **inquiétude**, anxiety, uneasiness
un **insigne**, decoration, token
un **intendant**, steward, bailiff
interdit, taken aback, speechless
interroger, to question

interrompre, to interrupt
inutile, useless, no good
irrité, angry
isolé, lonely, remote
l'isolement (*m.*), loneliness
ivre, intoxicated
une ivresse, intoxication
un ivrogne, drunkard

J

jacasser, to chatter
jaillir, to burst forth, gush
le jambon, ham
jaune, yellow
jaunir, to turn yellow
le jonc, rush
jongler, to juggle
la jonque, junk
la joue, cheek; **tenir en joue**, to aim at
jouer, to play
le jour, day, light; **à jour**, open-work, lattice-work
la journée, day
juché, perched
jumeau, twin
la jument, mare
la jupe, skirt
le jupon, petticoat
juste, just, right, exact
justement, precisely

L

labourer, to plough
lâcher, to loose, let go
la lacune, gap, break
là-haut, up there, above; upstairs
laid, ugly
la laideur, ugliness
la laine, wool
laisser, to leave, let
le laiton, brass
le lambeau, shred, tatter
le lambris, wainscoting
la lame, blade; strip; breaker, billow
lancer, to throw, cast; to send out
la lande, heath, moor
la langue, tongue
languir, to languish; **il ne me fit pas languir**, he soon came to the point
la larme, tear
las (*f.* **lasse**), weary
lasser, to tire, weary
la latte, lath
laver, to wash
lécher, to lick
léger, light
le légume, vegetable
lent, slow
la lenteur, slowness
lestement, lightly, nimbly
le lettré, scholar, man of learning
leurrer, to lure, entice
le levant, east, eastern sky
la levée, sea-wall, dyke
la lèvre, lip
le lévrier, greyhound
librement, freely
lier, to tie, bind
le lieu, place; **au lieu de**, instead of
la lieue, league
la ligne, line
le lilas, lilac
la lippe, thick lip, drooping lip
la lisière, edge, fringe
lisse, smooth
le lit, bed
livide, livid, leaden
livrer, to give up, deliver
la loi, law
loin, far
lointain, distant, far-off
long, long: **le long de**, along
la longueur, length; **des longueurs**, things too drawn out
la loque, rag, tatter
lorgner, to eye
loucher, to squint
louer, to praise
le loup, wolf
lourd, heavy
la louve, she-wolf
le louveteau, wolf-cub
la loyauté, loyalty, honesty, fairness
la lueur, glow, gleam
lugubre, dismal, tragic
luire, to shine, glimmer
luisant, shining, glittering, bright
la lumière, light
la lunette, telescope, spy-glass; **les lunettes**, spectacles
la lutte, struggle, strife
le luxe, luxury

M

la **mâchoire,** jaw
le **madère,** Madeira (wine)
maigre, thin
le **mail,** public walk, avenue
maint, many a
mal, badly
le **mal** (*plur.* **les maux**), evil, harm; ache
le **malaise,** discomfort, uneasiness
malaisément, uneasily, with difficulty
malgré, in spite of
le **malheur,** unhappiness, misfortune, bad luck
le **mamelon,** mound, rounded hill
la **manche,** sleeve; **la Manche,** English Channel
la **manchette,** cuff
le **manchot,** one-armed person
mander, to summon
manquer, to lack, miss; **manquer de (faire),** to fail to (do), just to miss (doing)
le **marais,** marsh
le **marbre,** marble
le **marchand,** merchant, tradesman
la **marchandise,** goods
la **marche,** march, progress; step
le **marché,** market; deal, contract
le **mardi-gras,** Shrove Tuesday
la **mare,** pool
marécageux, swampy
la **marée,** tide
le **mari,** husband
marier, to give in marriage; **se marier avec,** to marry
le **marin,** sailor
le **marinier,** waterman, bargee
la **marquise,** platform shelter, station roof
le **marteau,** hammer
le **mât,** mast
le **matelot,** sailor, seaman
maudire, to curse
maussade, cross, sullen, disagreeable
méchant, wicked, vicious; naughty
mécontent, unhappy, dissatisfied
la **mêlée,** fray
mêler, to mix, mingle
même, same, even; **tout de même,** all the same; **boire à même,** to drink straight from
menacer, to threaten
le **ménage,** household
la **ménagère,** housewife
le **mendiant,** beggar
mendier, to beg
mener, to lead; to drive
le **menton,** chin
menu, small, tiny
le **menuisier,** joiner, carpenter
la **merveille,** marvel, wonder
le **messager,** messenger
la **métairie,** farm, farmstead
le **métier,** trade, occupation
mettre, to put; **se mettre à,** to begin to, start to
meublé, furnished
le **meunier,** miller
le **meurtre,** murder
le **miel,** honey
la **miette,** crumb
la **migraine,** headache
le **milieu,** middle; surroundings
le **millier,** thousand
mince, thin
la **mine,** look, countenance
miroiter, to flash, gleam
la **misère,** misery, poverty
miteux, seedy-looking, miserable-looking
moindre, smallest, slightest
moins, less; **à moins que,** unless; **au moins,** at least; **de moins en moins,** less and less
la **moisson,** harvest
la **moitié,** half
mollement, softly
momentané, momentary
le **monde,** world; people, company
la **monnaie,** change (money)
le **mont,** mountain, height
la **montre,** watch
mordre, to bite
morne, gloomy, dismal
la **morsure,** bite
la **mouche,** fly
se **moucher,** to blow one's nose
le **moucheron,** gnat
le **mouchoir,** handkerchief
la **mouette,** gull
mouiller, to wet

le moulin, mill
mourant, dying
la mousse, moss
moussu, mossy
le mouvement, movement; traffic
mouvoir, to move
le moyen, means
muet, silent, speechless
le mugissement, roaring, booming
mûr, ripe
la muraille, wall
murer, to immure, wall in
mûrir, to ripen
le museau, muzzle, nose

N

la nageoire, fin
naïf, ingenuous, simple
la naissance, birth
naître, to be born
la nappe, table-cloth
natal, native
le naufrage, shipwreck
le navet, turnip
le navire, ship
navré, grieved, distressed
né, born
néanmoins, nevertheless
le néant, nothingness, emptiness, void
nettoyer, to clean
neuf (*f.* **neuve**), new
les noces (*f.*), wedding
noirâtre, blackish
nommer, to name, appoint
le notaire, notary, attorney
nouer, to knot, tie
nourrir, to feed
nouveau, new, fresh; **de nouveau**, afresh, again
la nouvelle, (piece of) news
noyer, to drown
nu, bare
le nuage, cloud
la nue, (high) cloud

O

obéir, to obey
odorant, fragrant, sweet-smelling
ombrageux, shy, skittish
une ombre, shadow, shade
ombreux, shady
une onde, wave, water
un ongle, nail, claw
un orage, storm
orageux, stormy
une oraison, oration, sermon; **une oraison funèbre**, funeral oration
ordonner, to order
un oreiller, pillow
l'orgueil (*m.*), pride
un orme, elm
un orphelin, orphan
oser, to dare
osseux, bony, scraggy
l'oubli (*m.*), forgetfulness, oblivion
un ouragan, hurricane
un ours, bear
ouste! go on!
un outil, tool
une ouverture, opening
un ouvrage, work
un ouvrier, workman

P

la paille, straw; (*pop.*) "a mere song"
paisible, peaceful
la paix, peace
le palais, palace
le palefrenier, groom
le palet, quoit
le pan de mur, stretch of wall
le panache, plume
le panier, basket
le pantalon, trousers
panteler, to pant
le papillon, butterfly
papilloter, to blink, waver
le paquebot, steamer, liner
parbleu! upon my word!
pareil, like, similar; such
paresseux, lazy
parfois, occasionally, at times
le paria, outcast
parier, to bet, wager
parjure, forsworn
la paroi, wall, face
la paroisse, parish
le paroissien, parishioner
la part, share; **quelque part**, somewhere; **nulle part**, nowhere

partager, to share
le **parterre**, flower-bed
particulier, peculiar
la **partie**, part, portion; **faire partie de**, to be (form) a part of
partir, to depart, leave, start; **à partir de**, (starting) from
partout, everywhere, on all sides
parvenir, to reach, manage, succeed
le **pas**, pace, step; **au pas**, at a walk
passer, to pass; **se passer**, to happen; **se passer de**, to do without
le **passant**, passer-by
le **pasteur**, shepherd
patauger, to paddle, wade
le **pâté**, pie
la **patte**, paw, foot (of an animal)
la **paume**, palm
la **paupière**, eyelid
le **pavé**, paving, paving stone(s), cobble-stone(s)
le **pavillon**, flag; summer-house
le **pays**, country, district
le **paysan**, peasant
la **peau**, skin
le **pêcher**, peach-tree
le **pêcheur**, fisherman, angler
peigner, to comb
la **peine**, trouble, sorrow; **à peine**, scarcely, hardly, with difficulty
peint, painted, coloured
pelé, stripped of hair, mangy
la **pelisse**, fur-lined coat
la **pelouse**, lawn
la **pelure**, coat, pelt
penché, leaning
pencher, to incline, bend; **se pencher**, to bend over
pendant (*adj.*), hanging, drooping
pendre, to hang, dangle
pénible, painful
la **péniche**, barge, lighter
la **pensée**, thought
penser, to think
le **pensionnat**, boarding school
percer, to pierce
percevoir, to perceive, notice
perdre, to lose, ruin
périr, to perish
le **perroquet**, parrot
la **perte**, loss, ruin
la **petite-fille**, granddaughter
le **peuplier**, poplar
le **phare**, lighthouse
le **pharmacien**, chemist
la **phrase**, sentence; **faire des phrases**, to make speeches
picorer, to peck
la **pièce**, coin; room
le **piège**, trap, snare
le **piétinement**, tread, sound of footsteps
piétiner, to trample, wade
pincer, to pinch
les **pinces** (*f.*), pincers
piquer, to prick; to spur
pire, worse, worst
la **place**. square; room
le **plafond**, ceiling
plaindre, to pity; **se plaindre**, to complain
la **plainte**, complaint, lament
plaire, to please; **se plaire à**, to like to, take delight in
plaisanter, to joke
la **plaisanterie**, joke
la **planche**, plank
le **plancher**, (boarded) floor
planter, to plant; **je le plantai là**, I gave him the slip
la **plaque**, patch
plat, flat
le **plat**, dish
le **plateau**, plateau; tray
le **plâtras**, rubble
plein, full; open
la **plénitude**, fullness, completeness
pleurer, to weep, cry; to weep over
pleurnicher, to whine, whimper, snivel
les **pleurs** (*m.*), tears
le **pli**, fold
plier, to fold, bend; to waver, give way
plombé, leaden, lead-coloured
la **pluie**, rain
la **plume**, feather; pen
la **plupart**, most
pluvieux, rainy, wet
se **pocharder**, (*pop.*) to get drunk
le **poids**, weight
la **poignée**, handle
le **point**, point, dot, speck

pointer, to stand up, rise
pointu, pointed, uneven, rough
le **poireau,** leek
le **poisson rouge,** goldfish
la **poitrine,** breast, chest
poli, polished, polite
Polichinelle, Punch
le **polisson,** scamp
le **pommard,** red burgundy (wine)
pommelé, dappled; **un ciel pommelé,** a mackerel sky
le **ponton,** landing-stage
le **porte-monnaie,** purse
posé, resting
poser, to place, lay, put down; **se poser,** to alight, settle
le **pot-de-vin,** bribe, "little present"
le **pouce,** thumb; patch, mark, blotch
la **poudre,** powder
poudreux, powdery, dusty
le **poulain,** foal, colt
le **poulet,** chicken, pullet
le **pourceau,** pig
le **pourcentage,** percentage
pourpre, bright red, crimson
la **poursuite,** pursuit
pourtant, yet, however
la **pousse,** shoot
pousser, to push, urge on; to grow; to utter
la **prairie,** meadow
le **pré,** meadow
précipiter, to precipitate, hurl; **se précipiter,** to rush
prédire, to foretell
près, near; **à peu près,** nearly, within a little
présenter, to present; to introduce
presque, almost
la **presqu'île,** peninsular
pressant, urgent
pressé, in a hurry
presser, to press, urge, hasten
prêt, ready
le **prétendant,** suitor
prétendre, to claim, assert
prêter, to lend
le **prêtre,** priest
la **preuve,** proof
la **prévenance,** consideration, kind treatment
prévenir, to warn, inform
prévoir, to foresee, anticipate
la **prière,** prayer
pristi, *abbrev. of* **sapristi,** good Lord!
priver, to deprive
le **prix,** price; prize
le **procès,** lawsuit
prochain, next
la **proie,** prey
le **projet,** plan
promener, to take out, take round; **se promener,** to walk, take a walk
la **promesse,** promise
la **proposition,** proposal
propre, own; clean; suitable
le **propriétaire,** owner
la **propriété,** property; estate
prosterné, prostrate
la **protection,** protection, patronage
protéger, to protect
la **prunelle,** pupil (of the eye)
le **prunier,** plum tree
la **pudeur,** modesty, chastity
puiser, to draw (water, etc.)
puisque, since, seeing that

Q

le **quai,** quay, embankment; railway platform
quelconque, any, whatever
quelquefois, sometimes
la **quête,** quest; collection
la **queue,** tail
quoique, although

R

raccrocher, to hook on; **se raccrocher,** to hang on
la **racine,** root
raconter, to relate, tell
le **radeau,** raft
radieux, radiant
rafraîchir, to refresh, cool
rageusement, furiously, angrily
le **raisin,** grapes
ralentir, to slow down
ramasser, to pick up
le **rameau,** bough
ramener, to bring back, lead back; to bring round

ramper, to crawl, creep
la ramure, boughs
le rang, rank
rangé, steady; set aside, put away
râpeux, rough, raspy
rappeler, to recall; se rappeler, to remember
rapporter, to bring back
rasé, shaven
raser, to shave, skim, graze
rassembler, to gather, collect
ratatiné, shrivelled, shrunken, dried up
le râteau, rake
ratisser, to rake
rattacher, to connect
rattraper, to overtake
rauque, hoarse, husky
ravi, delighted
ravitailler, to supply, stock
le rayon, ray, beam
la recette, receipt, takings
la recherche, search, seeking
réclamer, to claim
la récolte, crop, harvest
reconduire, to take back, to show out; to accompany at departure
la reconnaissance, gratitude
reconnaître, to recognize
recoudre, to sew up, repair
recueillir, to gather; to take in; se recueillir, to fall into meditation
reculer, to recoil, recede
la redingote, frock-coat
redouter, to fear, dread
réfléchir, to reflect, think over
le reflet, gleam
refouler, to force back
régler, to settle
le règne, reign, rule
régner, to reign
les reins (*m.*), kidneys, small of the back
remarquer, to notice
rembourser, to pay back
remercier, to thank
remettre, to put back, put right; se remettre, to compose oneself, pull oneself together
remonter, to go up
le remords, remorse
le rempart, city wall
remplir, to fill
le remuement, moving, shifting
remuer, to move, stir, wriggle, struggle
la rencontre, encounter, meeting
rencontrer, to meet, encounter
rendre, to render, give back; se rendre, to go
renommé, renowned, celebrated
renouveler, to renew
le renseignement, inquiry, information
le rentier, man of independent means
rentrer, to re-enter; to go (come) home; to get back
répandre, to spread
réparer, to repair, put right
repartir, to start again, set off again
le repas, meal
le répit, respite
la réplique, reply, retort
répliquer, to reply, retort
répondre, to answer; répondre de, to answer for
reporter, to take back, bring back
se reposer, to rest
reprendre, to resume, go on
la reprise; à plusieurs reprises, several times, again and again
le réseau, network, pattern
respirer, to breathe
ressembler, to resemble, be like
le restant, remainder
le reste, rest; remnant, vestige; du reste, nevertheless, as well
restituer, to restore, return, make up for
retenir, to retain, hold back, keep; to remember
retentir, to ring out, resound, break out
retirer, to draw out; se retirer, to withdraw
le retour, return; de retour, back
retourner, to return; se retourner, to turn (look) round; s'en retourner, to go back
le retrait, withdrawal; en retrait de, back from
la retraite, retreat; battre en retraite, to beat a retreat

rétrécir, to shrink, cut down, restrict
la **réunion**, meeting
réunir, to gather, collect
le **réveil**, awakening
réveiller, to wake
revenir, to come back, return; to get over
la **révérence**, curtsy
le **revêtement**, covering
le **rêveur**, dreamer
le **rhume**, cold
ridé, wrinkled
le **rideau**, curtain
le **rivage**, shore
la **rive**, bank
le **rocher**, rock
rôder, to prowl, rove
le **rôdeur**, loiterer, vagrant
le **roman**, novel
la **ronce**, bramble
ronfler, to snore
le **rossignol**, nightingale
la **roue**, wheel
la **rougeur**, redness
rougir, to redden, blush
la **rouille**, rust
rouillé, rusted, rusty
le **roulis**, rolling
roussi, browned
la **route**, main road, highway
roux (*f.* **rousse**), red (hair), "ginger"
rude, hard, harsh, heavy
la **ruelle**, narrow street, alley-way
rugueux, rough
le **ruisseau**, brook; gutter
ruisseler, to stream, flow
la **rumeur**, rumble, roar
russe, Russian

S

le **sable**, sand, gravel
sablé, gravel (covered)
le **sabot**, clog
sage, wise; good, well-behaved
la **sagesse**, wisdom
saigner, to bleed
la **saillie**, projection
sain, healthy, wholesome; **sain et sauf**, safe and sound
saisir, to seize, catch, grasp
sale, dirty, filthy
salir, to soil
la **salle**, room; **la salle d'études**, prep. room
le **salon**, drawing-room
saluer, to greet
le **salut**, safety, salvation
le **sang**, blood
le **sang-froid**, coolness, presence of mind
le **sanglot**, sob
sangloter, to sob
le **sapin**, fir tree
sapristi! good Lord!
le **satyre**, satyr
la **saucisse**, sausage
sauf, except
le **saule**, willow
le **saumon**, salmon
le **saut**, jump
sauter, to jump
sautiller, to make little jumps, hop
sauvage, wild
le **sauvage**, savage
sauver, to save; **se sauver**, to run away, run out, flee
le **sauveur**, saviour, rescuer
savamment, skilfully, cleverly
la **savate**, old shoe
le **savon**, soap
savoureux, tasty, full of relish
scintiller, to sparkle, glisten
le **seau**, pail, bucket
la **sébile**, wooden bowl
sec (*f.* **sèche**), dry
secouer, to shake
le **sein**, breast, bosom; depth
le **séjour**, stay, sojourn
le **sel**, salt
semblable, like
le **semblant**, semblance, pretence; **faire semblant**, to pretend
sembler, to seem
semer, to sow, scatter
le **sentier**, path
sentir, to feel
le **serment**, oath
serrer, to grip, tighten, clench, draw tight; **se serrer**, to contract, grow tight
servir, to serve; **se servir de**, to use; **à quoi sert...?** what is the use (purpose) of...?

le seuil, threshold, doorstep
le siècle, century, age
siffler, to whistle; to hiss
le sifflet, whistle
le sillon, furrow
sillonner, to furrow, cleave the waters
simuler, to simulate, pretend, put on
le singe, monkey
le sinistre, disaster
sitôt, as soon; immediately
soigneux, careful
le soin, care
soit que... soit que, whether... or whether
le sol, soil, ground
solennel, solemn
sombrer, to founder
le somme, nap
le sommeil, sleep
sommeiller, to slumber; to doze
le sommet, summit, top
le son, sound
la sonde, sounding-lead, plummet
sonder, to sound, fathom
le songe, dream
songer, to dream; to think
sonner, to ring, sound; **sonner sec**, to have a sharp sound
sonore, sonorous, loud, resounding
le sort, fate
la sortie, going out
la sottise, foolish act, silly trick
le souci, care, trouble
soudain, suddenly
le souffle, breath
souffler, to blow
souffrir, to suffer
le souhait, wish
soulever, to raise, lift; **se soulever**, to rise
le soulier, shoe
le soupçon, suspicion
soupçonner, to suspect
le soupir, sigh
sourd, deaf, dull, muffled
le sourire, smile
la souris, mouse
la soutane, cassock
le spectacle, theatre, play, show
subit, sudden
sucré, sweet, sweetened
la suite, what follows, sequel; **à la suite de**, following upon
suivre, to follow
le sujet, subject; **au sujet de**, about, concerning
suprême, supreme, last
la sûreté, safety
surprendre, to surprise
le sursaut, start
surtout, especially, above all
survenir, to come up
suspendu, hung, sprung; **d'un pied suspendu**, with cautious steps
le susurrement, whirring
svelte, slim, slender

T

la tabagie, smoke-room
le tablier, apron, overall
la tache, stain, mark, blot
tâcher, to try
la taille, size, stature; upper part of the body
tailler, to cut, hew
se taire, to be (become) silent; **faire taire**, to silence
le talon, heel
le talus, bank, slope
le tambour, drum
tandis que, whilst, whereas
la tanière, lair
tant, so much, so many; **tant que**, so long as
tantôt... tantôt..., now (sometimes)... now (sometimes)...
tapissé, thickly strewn
tard, late
tarder à (faire), to be long (doing)
le tas, heap, pile; mass
la tasse, cup
tâter, to handle, feel, touch
à tâtons, gropingly
le taureau, bull
le teint, complexion
la teinte, tint, hue
le témoignage, evidence
témoigner, to show, evince; to express
le temps, time; **de temps à autre**, now and again

les tenailles (*f.*), pincers
tendre, to hold out, stretch out, extend
la tendresse, tenderness
les ténèbres (*f.*), gloom
tenez! here! look!
tenir, to hold; **se tenir,** to stand
tenter, to tempt, attempt
terne, dull
le terrain, ground, plot
tiède, (luke-) warm
tiens! why! what!
le tiers, third (part)
la tige, stalk, stem; trunk
la tignasse, mop, shock (of hair)
le timbre, stamp
tinter, to ring, tinkle; to beat
tirer, to draw
le tison, brand
le tissu, cloth, material
le titre, title; **à quel titre?** on what grounds?
toujours, always, still; nevertheless
le tour, turn, trick
la tour, tower
tourbillonner, to whirl, eddy
tournoyer, to turn, whirl
tout, all; **(pas) du tout,** not at all; **tout à fait,** quite, altogether; **tout à l'heure,** just now
trahir, to betray
la traîne, train
traîner, to draw, drag
traire, to milk
le trait, dart, arrow
traiter, to treat, negotiate
tralala; en grand tralala, all dressed up
tranchant, trenchant, uncompromising
tranquille, quiet
la transe, fright, fear
le transport, rapture
le travail (*plur.* **-aux**), work
à travers, across, through
trébucher, to stumble
le trésor, treasure
tressaillir, to start, bound, leap
le tricot, jersey, jumper
le trimestre, term
tripoter, to finger, handle
le trône, throne
le trottoir, pavement
le trou, hole
troublé, confused, uneasy, in a turmoil
trouble, confused, troubled
le troupeau, flock, herd
trouver, to find; **il se trouve que,** it happens that
tuer, to kill
la tuile, tile
le tuteur, guardian
la tzigane, gipsy

U

unique, single, one and only
unir, to level
usé, worn out

V

les vacances (*f.*), holidays
la vague, wave
vaguer, to wander about, roam about
vaincre, to vanquish, beat
vainqueur, victorious
le valet, servant; **le valet de pied,** footman
la valeur, value
le vallon, vale
la vapeur, steam, mist
la vase, mud
le vaurien, ne'er-do-well, scamp
vaut, *from* **valoir,** to be worth; **il vaut mieux,** it is better
se vautrer, to wallow
le veau, calf, calf-skin
la veillée, evening (rest or talk)
veiller, to watch; to sit up
le velours, velvet
velouté, velvety
velu, shaggy
la vendange, vintage, vine-harvest
la vengeance, vengeance, revenge
se venger, to take one's revenge
la vente, sale
le ventre, abdomen, belly
le verger, orchard
vers, towards, about
le versant, slope, hill-side
le vêtement, garment, clothes
vêtu, dressed
la veuve, widow
la viande, meat

le vicaire, assistant priest, curate
vide, empty
le vide, void; gap
vider, to empty
la vie, life
le vieillard, old man
la vieillesse, old age
vif, quick; alive; bright
la vigne, vine, vineyard
vil, vile, base
vilain, ugly
le vinaigre, vinegar
vis-à-vis, facing, face to face; towards, as regards
la vitre, window-pane
vivant, living
vivement, quickly
vivre, to live
le vœu, wish
voguer, to sail
la voie, way; bent, vocation; **la voie ferrée,** railway-track
la voile, sail
voilé, veiled, dim
le voisin, neighbour; (*adj.*) neighbouring
la voix, voice; **aux voix,** (put) to the vote
le vol, flight
la volaille, fowl; poultry
la volée, flight; burst, peal
voler, to fly; to steal
le volet, shutter
le voleur, thief, robber
la volupté, rapture, delight
vouloir, to wish, want; **vouloir dire,** to mean
voûter, to arch
voyons! come now!
la vue, view

Z

la zingara, gipsy

ENGLISH—FRENCH

(Words beginning with the aspired "h" are marked *.)

A

able, to be, pouvoir
aboard, à bord de; **to take aboard**, embarquer
abominable, abominable
about, (=*approximately*) environ; (=*concerning*) au sujet de; (=*through*) par; **to be about to**, être sur le point de
absence, une absence
accent, un accent
to accept, accepter
accident, un accident
to accompany, accompagner
according to, suivant
accordingly, donc
to accost, aborder
account, le récit; (*money*) le compte
to accuse, accuser
to ache, souffrir, avoir mal à
acquaintance, la connaissance
actor, un acteur
actress, une actrice
address, une adresse
adjoining, voisin
admiration, l'admiration (*f.*)
to admire, admirer
to adore, adorer
to advance, avancer
advantage, un avantage; **take advantage of**, profiter de
adventure, une aventure
to advise, conseiller
affair, une affaire
to afflict, affliger
to afford, avoir les moyens; se payer
afraid; to be afraid, avoir peur
afresh, de nouveau
Africa, l'Afrique (*f.*)
after, après; au bout de
afternoon, un(e) après-midi
afterwards, après, plus tard, ensuite; par la suite
again, encore, de nouveau
age, un âge
ago; a month ago, il y a un mois
agonized, angoissé, plein d'angoisse
to agree, s'entendre
agreeable, agréable
air, l'air (*m.*)
alarm, l'alarme (*f.*)
all, tout; **not at all**, pas du tout
to allow, laisser, permettre
almost, presque
alone, seul
along, le long de; **to go along**, longer
already, déjà
although, quoique, bien que + *subj.*
American, américain
among, parmi, entre; **among themselves**, entre eux
to amuse, amuser
animal, un animal (*plur.* -aux), la bête
anniversary, un anniversaire
to announce, annoncer
to annoy, ennuyer, fâcher, agacer; **to get annoyed (with)**, se fâcher (contre)
annoying, ennuyeux
another, un(e) autre
to answer, répondre; **answer for**, répondre de
answer, la réponse
anxious, inquiet, anxieux; **to be anxious to (do)**, tenir à (faire)
anywhere, quelque part; **not anywhere**, nulle part
apartment, un appartement
to apologize, s'excuser
to appear, paraître
apple, la pomme
to approach, (s') approcher

apron, le tablier
argument, la discussion
arm, le bras
arm-chair, le fauteuil
to arrest, arrêter
arrival, une arrivée
to arrive, arriver
ascent, une ascension
ashamed, *honteux; **to be ashamed**, avoir *honte
to ask, prier, demander; (=*to question*) interroger, questionner; **to ask a question**, poser (faire) une question; **to ask after**, s'informer de
asleep, to fall, s'endormir
assassin, un assassin
to assist, secourir
assistance, le secours
astonishment, l'étonnement (*m.*)
atmosphere, l'atmosphère (*f.*)
to attempt (to), tenter (de)
to attend, (=*to be present*) assister à; (*medically*) soigner
attention, l'attention (*f.*); **pay attention**, faire attention
attentive, attentif
August, août
aunt, la tante
authority, une autorité
to avoid, éviter
awful, affreux
awhile, (pendant) un moment
axe, la *hache

B

back, le dos; (*of a chair*) le dossier
back, to be, être de retour
bad, mauvais
badly, mal
bag, le sac
ball, la balle; **football**, le ballon
bank, le bord, la rive
bare, nu
barn-owl, la chouette
barrel, le tonneau
barrow (=*wheelbarrow*), la brouette; (*two-wheeled*), la charrette
basket, le panier
bath, bathe, le bain; **to have (take) a bath**, prendre un bain
to bathe, se baigner
battle, la bataille
beach, la plage
to beat, battre
beautiful, beau
beauty, la beauté
because, parce que; **because of**, à cause de
to beckon, faire signe
to become, devenir
bed, le lit; **to go to bed**, (aller) se coucher; **in bed**, couché
bee, une abeille
before, (*place*) devant; (*time or order*) avant; (*prep. with infin.*) avant de; (*conj.*) avant que (+*subj.*); **a month before**, un mois auparavant
to beg (=*to ask*), prier
beggar, le mendiant
to begin (to), commencer (à), se mettre (à)
beginning, le commencement
to behave, se conduire
behind, derrière
to behold, regarder
bell, la cloche
to belong, appartenir
beloved, aimé
belt, la ceinture
bench, le banc
to bend, se pencher; **bend down**, se baisser
beside, à côté de, auprès de
besides, d'ailleurs
best, (*adj.*) le meilleur; (*adv.*) le mieux; **to do one's best**, faire de son mieux
better, (*adj.*) meilleur; (*adv.*) mieux; **it is better to**, il vaut mieux (+*infin.*)
between, entre
beyond, au delà de
bicycle, la bicyclette
big, gros (*f.* grosse)
billiards, le billard
to bind up, bander
bird, un oiseau
to bite, mordre
black, noir
to blame, blâmer
bleeding, saignant, en sang
to bless, bénir
to blink, cligner (les yeux)

blood, le sang
blow, le coup; **to come to blows**, en venir aux mains
blue, bleu
Bluebeard, Barbe-Bleue
to **blush**, rougir
board, (notice-), un écriteau
to **boast**, se vanter
boat, le bateau; **rowing boat**, le canot
book, le livre
to **borrow**, emprunter.
both, tous (les) deux
bottle, la bouteille
boulevard, le boulevard
boundary, la limite
bowed, baissé
box, la boîte
boy, la garçon, l'enfant
branch, la branche
brandy, l'eau-de-vie (*f.*)
brave, brave, courageux
bread, le pain
to **break**, briser, casser, rompre
to **breakfast**, déjeuner
breakfast, le petit déjeuner
breath, une haleine; **out of breath**, hors d'haleine, essoufflé
bridge, le pont
brief, bref (*f.* brève)
briefly, brièvement
brilliant, brillant
to **bring**, (*thing*) apporter; (*person*) amener; **bring back**, rapporter, ramener; **bring up**, élever; **bring in**, (*money*) rapporter
brother, le frère
brow, le front
brown, brun
to **build**, bâtir, construire
building, le bâtiment
bullet, la balle
to **burn**, brûler
to **burst**, crever, éclater; **burst out laughing**, éclater de rire
bus, un autobus
business, une affaire, des affaires; **business man**, l'homme d'affaires
bust, le buste
busy (doing), occupé à (faire); **busy with**, occupé de
but, mais; **but for**, sans
to **buy**, acheter
by, par; (=*near, close to*) près de, auprès de

C

cabin-boy, le mousse
cake, le gâteau
calculated (to), propre (à)
to **call**, appeler; **call back**, rappeler; **call out**, s'écrier; **call on**, rendre visite (à), passer chez (quelqu'un)
calm, calme
to **calm**, calmer
Canada, le Canada
candle, la bougie
captain, le capitaine
car, une automobile; la voiture
card, la carte
careful, soigneux; **to be careful**, prendre garde
caretaker, le (la) concierge
carpenter, le menuisier
carriage, la voiture
to **carry**, porter
case, le cas; **in any case**, en tout cas; (=*suit-case*) la valise
to **cast**, jeter; **cast a shadow**, projeter une ombre
cat, le chat
to **catch**, attraper; (*train*) prendre; (*fish*) prendre
to **celebrate**, célébrer, fêter
cellar, la cave
centre, le centre
century, le siècle
ceremony, la cérémonie
certain, certain
chain, la chaîne
chair, la chaise; **arm-chair**, le fauteuil
to **change**, changer
change, (*money*) la monnaie
chapter, le chapitre
to **charge**, (*money*) prendre, demander
charge; to take charge of, se charger de
charitable, charitable
charity, la charité
charming, charmant
to **chat**, causer, bavarder

to **chatter**, bavarder
cheap, bon marché
to **cheer (up)**, égayer, encourager, réjouir
cheerful, joyeux, gai
cheerless, sévère
chicken, le poulet
child, un(e) enfant
child-like, enfantin
chilly, frais
chimney, la cheminée
to **choose**, choisir
church, une église
cider, le cidre
cigarette, la cigarette; **cigarette-end**, le bout de cigarette
cinema, le cinéma
circle, le cercle
city, la ville
clad (in), vêtu (de)
to **claim**, prétendre
to **clap (the hands)**, battre des mains
to **clean**, nettoyer
clean, propre
clear, clair
clerk, un employé
clever, intelligent, habile
client, le client
to **climb**, (*tree*) grimper sur (*or* dans); (*mountain*) gravir
to **clip**, tondre
clip, la tonte
clipper, le tondeur
clock, la pendule; (*of churches, etc*) une horloge
clog, le sabot; **clog-maker**, le sabotier
to **close**, fermer
close (to), près (de)
clothes, les vêtements (*m*), les habits (*m.*)
coast, la côte
coat, (*woman's*) le manteau
coconut, la noix de coco
coffee, le café
coin, la pièce
cold, froid; **I am cold**, j'ai froid; **it is cold**, (*weather*) il fait froid
to **collect**, réunir
college-boy, le collégien
colour, la couleur
to **comb**, peigner
to **come**, venir; **come back**, revenir; **come out**, sortir; **come down**, descendre; s'abattre; **come close, come up**, s'approcher (de).
comfortable, confortable
commercial traveller, le voyageur de commerce
company, la compagnie
comparable, comparable
compartment, le compartiment
competition, le concours
to **complain**, se plaindre
complete, complet
to **complete**, achever, terminer
complexion, le teint
compliment, le compliment; **to pay a compliment**, faire un compliment
comrade, le camarade
condition, la condition, l'état (*m.*)
confusion, le trouble
to **congratulate**, féliciter
to **consist (of)**, consister (en); **consist in (doing)**, consister à (faire)
to **console**, consoler
to **construct**, construire
to **contain**, contenir
continually, sans cesse
contrary, contraire; **on the contrary**, au contraire
conversation, la conversation, un entretien
to **converse**, causer
coppers, (*money*) des sous
coral, le corail (*plur.* coraux)
corner, le coin
correspondence, la correspondance, le courrier
correspondent, le (la) correspondant(e)
corridor, le corridor
cottage, la petite maison, la chaumière
to **count**, compter
countess, la comtesse
country, le pays, la patrie, la campagne; **in the country**, à la campagne
courage, le courage; **to pluck**

up **courage**, prendre son courage à deux mains
of **course**, bien entendu, naturellement
courtyard, la cour
to **cover**, couvrir; (*distance*) parcourir
cracked, fêlé
crash, le fracas
cream, la crème
creature, la créature, la bête
to **creep**, se glisser
crestfallen, abattu
to **cross**, traverser
cross-roads, le carrefour
crowd, la foule
cruelty, la cruauté
to **cry**, pleurer; crier, s'écrier
cry, le cri
cup, la tasse
curious, curieux
curtain, le rideau
custom, la coutume
customer, le client
customs, la douane; **customs officer**, le douanier
to **cut**, couper; **cut down**, couper, abattre

D

to **dare**, oser
dead, mort
death, la mort
debt, la dette
to **decide**, décider
deck, le pont
to **declare**, déclarer
deep, profond
deeply, profondément
to **defend**, défendre
delicacy, (*eatable*) la friandise
delicate, délicat
delicious, délicieux
to **delight**, ravir, enchanter
delightful, délicieux
to **depart**, partir, s'en aller
departure, le départ
to **depend (on)**, dépendre (de)
to **deprive**, priver
deputy, le député
to **describe**, décrire
desert, le désert
deserted, désert
to **deserve**, mériter
to **desire**, désirer, vouloir
to **detest**, détester
devoted, dévoué
different, différent
difficult, difficile
difficulty, la difficulté, la peine
digestion, la digestion
dim, trouble
dining-room, la salle à manger
dinner, le dîner
by **dint of**, à force de
direction, la direction; **in the direction of**, du côté de
director, le directeur
dirty, sale
to **disappear**, disparaître
disappointed, déçu, désappointé
to **discover**, découvrir
to **disguise**, déguiser
disgusting, dégoûtant
to **dismount**, descendre de cheval, mettre pied à terre
disorder, le désordre
to **display**, étaler
to **displease**, déplaire (à)
distance, la distance
distinct, distinct
to **distinguish**, distinguer
distress, la détresse, l'angoisse (*f.*)
to **distress**, affliger
to **disturb**, déranger
ditch, le fossé
division, la division
doctor, le médecin; (*title*) docteur
door, la porte; (*of a conveyance*) la portière
to **double**, doubler le pas
to **doubt**, douter
doubt, le doute
downstairs, en bas
to **drag**, traîner
draught, le courant d'air
drawing, (*art*) le dessin
drawing-room, le salon
to **dread**, craindre, redouter
dress, la robe
to **dress**, habiller; (*oneself*) s'habiller
dressed (in), habillé (de), vêtu (de)
to **drink**, boire
to **drive**, conduire; aller en voiture
driver, le cocher, le conducteur

to **drop**, laisser tomber
drop, la goutte
to **drown**, noyer
drowsy, assoupi
drunk, ivre
dwelling, la demeure

E

each, (*adj.*) chaque; (*pron.*) chacun; **55 francs each**, 55 francs la pièce
early, de bonne heure; **so early**, de si bonne heure, si tôt; **earlier**, plus tôt
to **earn**, gagner
easily, facilement, aisément
easy, facile
to **eat**, manger
edge, le bord
elder, aîné
elegant, élégant
elm, un orme
else, nobody, personne d'autre
to **embarrass**, embarrasser
empty, vide
to **empty**, vider
to **encourage**, encourager
end, (*finish*) la fin; **put an end to**, mettre fin à; **end** (*of a thing*), le bout
enemy, un ennemi; (*adj.*) ennemi
enervated, énervé
English, anglais; **Englishman**, un Anglais
to **enjoy**, jouir (de); **enjoy oneself**, s'amuser, se divertir
enormous, énorme
enough, assez
to **enquire**, s'informer (de)
to **enter**, entrer (dans)
entrance, une entrée; **entrance door**, la porte d'entrée
to **entrance**, ravir
entreaty, la supplication
to **escape**, (s')échapper
especially, surtout
essay, la composition, la dissertation
establishment, un établissement
eve, (=*day before*) la veille; **Christmas Eve**, la veille de Noël
even, même
evening, le soir, la soirée
ever, jamais; **for ever**, pour toujours
every, chaque, tout; **every day**, tous les jours
everybody, tout le monde
everywhere, partout
evident, évident
examination, un examen
to **examine**, examiner
excellent, excellent
except, excepté, sauf
to **exclaim**, s'écrier, s'exclamer
excursion, une excursion
to **excuse**, excuser
to **expect**, s'attendre (à), compter
to **experience**, éprouver
to **explain**, expliquer
to **explore**, explorer
to **express**, exprimer
expression, une expression
extraordinary, extraordinaire
eye, un œil (*plur.*, des yeux)

F

face, le visage, la figure
to **face**, (*direction*) faire face à
facing, (*opposite*) en face de
fact, le fait; **in fact**, en effet, à vrai dire
faded, fané
to **fail**, échouer; **fail to (do)**, manquer de (faire)
faint, léger
fair (=*beautiful*), beau
fair-ground, le champ de foire
fairly, assez
to **fall**, tomber
familiar, familier
far, loin; **how far ?** à quelle distance? **as far as**, jusqu'à, aussi loin que
farm (-house), la ferme
fashionable, mondain
father-in-law, le beau-père
fatigue, la fatigue
to **fear**, avoir peur (de), craindre, redouter; **for fear of**, de peur (crainte) de; **for fear that**, de peur (crainte) que (*with* ne *before subj. verb*)
to **feed**, nourrir, donner à manger (à); **feed on**, se nourrir de
to **feel**, (se) sentir

feeling, le sentiment
to **fell**, couper, abattre
fellow, old, le bonhomme
to **fetch**, aller chercher
fever, la fièvre
a **few**, quelques
fewer, moins
field, le champ
to **fight**, se battre
figure, la forme, la silhouette
to **fill**, emplir, remplir; (*a pipe*) bourrer
film, le film
to **find**, trouver
fine, beau
to **finish**, finir
fire, le feu
to **fire**, tirer
fireplace, la cheminée
fireside, le coin du feu
first, premier (*f.* -ière)
fish, le poisson
to **fish**, pêcher
fisherman, le pêcheur
fist, le poing
fit; to be fit, se porter bien
to **fix**, fixer
flagstone, la dalle
flat, un appartement
to **flatter**, flatter
floor, le plancher
to **flow**, couler
flower, la fleur
flower-bed, le parterre
fluent, courant; **fluently**, couramment
fog, le brouillard; **it is foggy**, il fait du brouillard
to **follow**, suivre
fond; to be fond of, aimer beaucoup
foot, le pied; **on foot**, à pied
football, le football
footprint, une empreinte
footstep, le pas
for, (*prep.*) pour; (*conj.*) car
to **forbid**, défendre
forehead, le front
foreigner, un(e) étranger (-ère)
to **forget**, oublier
to **forgive**, pardonner
forgiveness, le pardon; **ask forgiveness**, demander pardon
to **form**, former
fortnight, quinze jours, une quinzaine (de jours)
fortunately, heureusement
fox, le renard
free, libre
to **freeze**, geler
French, français; **in French**, en français; **Frenchman**, le Français
friend, un(e) ami(e)
friendly, amical
fright, la frayeur
to **frighten**, effrayer
frock, la robe, la toilette
from, de; (*time*) à partir de
in **front of**, devant
frontier, la frontière
to **frown**, froncer le sourcil
frozen, gelé
full, plein
fun; to make fun of, se moquer de
funny, drôle
furious, furieux
furnished, meublé (de), garni (de)
furniture, les meubles (*m.*)
future, l'avenir (*m.*); **in the future**, à l'avenir; (*adj.*) futur
fuzzy, frisé

G

gable, le pignon
game, le jeu, la partie
garage, le garage
garden, le jardin; **to garden**, jardiner, faire du jardinage
gardener, le jardinier
to **gasp**, *haleter
gate, la porte; (*farm*) la barrière; (*iron*) la grille
gay, gai; **gaily**, gaiement
to **gaze (at)**, regarder, considérer, contempler
generous, généreux
gentleman, le monsieur
gently, doucement
German, allemand
gesture, le geste
to **get**, (=*obtain*) chercher, obtenir, se procurer; (=*become*) devenir; **get home**, rentrer,

arriver à la maison; **get in**, entrer; (*conveyance*) monter; **get out,** (*conveyance*) descendre; **get up,** se lever

girl, la jeune fille

to **give,** donner; **give back,** rendre; **give up,** livrer; (=*renounce*) renoncer à

glad, content

to **glance,** jeter un coup d'œil

glass, le verre

to **glisten,** étinceler

glove, le gant

glow, la lueur

to **go,** aller; **go away,** s'en aller, partir; **go back,** retourner; **go by,** passer; (*time*) s'écouler; **go down,** descendre; **go in,** entrer; **go on,** (*in speech*) reprendre, continuer; **go up,** monter; **go up to,** s'approcher (de); **go with,** accompagner

God, Dieu

gold, l'or (*m.*)

goldfish, le poisson rouge

golf, le golf

good, bon

good-bye, au revoir

to **gossip,** bavarder

grace, la grâce

gramophone, le gramophone

grandfather, le grand-père

grandmother, la grand'mère

grandson, le petit-fils

grass, l'herbe (*f.*)

gratitude, la reconnaissance

grave, grave, sérieux

gravel, (=*gravel-covered*) sablé

greatcoat, la capote

green, vert

greenhouse, la serre

greenish, verdâtre

ground, le sol, la terre; le terrain; (*sports*) le stade

group, le groupe

to **grow,** pousser, croître; grandir; **grow old,** vieillir

grudge; to have (harbour) a grudge against anyone, en vouloir à quelqu'un

gruff, bourru

to **guess,** deviner

guest, le convive

guide, le guide

gun, le fusil

H

to **hack,** couper

hair, le poil; (*of the head*) les cheveux (*m.*); **hairdresser,** le coiffeur

half, la moitié; (*adv.*) à moitié; **half an hour,** une demi-heure

hall, la grande salle

hand, la main

to **hand,** passer, tendre

handkerchief, le mouchoir

handsome, beau

to **hang,** pendre, suspendre

hanging, pendu, suspendu

to **happen,** arriver, se passer

happy, heureux

harbour, le port

hard, dur; **to work hard,** travailler dur (ferme); (=*fast, quickly*) vite

harm, le mal

to **harm,** faire (du) mal à

haste, la hâte, l'empressement (*m.*)

to **hasten,** s'empresser (de)

hat, le chapeau

hatchet, la cognée, la *hache

hawthorn (bush), une aubépine

head, la tête

head mistress, la directrice

health, la santé

to **hear,** entendre; (=*learn*) apprendre; **hear of,** entendre parler de

heart, le cœur; **by heart,** par cœur

heavy, lourd

hedge, la *haie

to **help,** aider

help! au secours! à l'aide!

here, ici; **here and there,** çà et là

hero, le *héros

heroine, l'héroïne

to **hesitate (to),** hésiter (à)

hideous, *hideux

high, *haut, élevé

hill, la colline

to **hire,** louer

to **hit,** frapper
hoar-frost, le givre, le frimas
to **hold,** tenir; **get hold of,** s'emparer de
holiday(s), les vacances (*f*)
at **home,** à la maison, chez soi; **get home,** rentrer, arriver à la maison; **come home,** rentrer, revenir à la maison
home-work, les devoirs (*m.*)
honey, le miel
honour, un honneur
hoof, le sabot
to **hope,** espérer
horrible, horrible
horse, le cheval
host, un hôte
hostess, une hôtesse
hot, chaud
hotel, un hôtel
hour, une heure
house, la maison; **house-top,** le toit
however, cependant
hue, la teinte, la couleur
huge, énorme
(a) **hundred,** cent; **a few hundred,** quelques centaines (de)
hungry, to be, avoir faim
to **hunt,** chasser, poursuivre
to **hurry (up),** se dépêcher, se hâter, se presser; **hurry away,** partir en hâte
to **hurt,** faire (du) mal à
husband, le mari
hut, la hutte, la cabane

I

idea, une idée
to **idle about,** flâner (dans *or* sur)
ill, malade
to **ill-treat,** maltraiter
to **imagine,** s'imaginer, se figurer
to **imitate,** imiter
immediately, immédiatement
to **impart,** donner, accorder
impatience, l'impatience (*f.*)
impatiently, impatiemment, avec impatience
impolite, impoli
importance, l'importance (*f.*)
impression, une impression
incessantly, sans cesse
incident, un incident
inclined, to feel, avoir envie (de)
individual, un individu
inferior, inférieur
infinite, infini
to **inform,** informer, prévenir
to **injure,** blesser
ink, l'encre (*f.*)
inside, to take, faire entrer
to **insist,** insister
to **inspect,** visiter
instant, un instant
instead of, au lieu de
intelligent, intelligent
to **intend,** avoir l'intention (de); **intending,** avec (*or* dans) l'intention (de)
to **interest,** intéresser
interesting, intéressant
intonation, une intonation
to **introduce,** (*a person*) présenter
invariable, invariable
invitation, une invitation
to **invite,** inviter
inward, intérieur
iron, le fer
island, une île
Italian, italien
Italy, l'Italie (*f.*)

J

jacket, le veston, la veste
jetty, la jetée
jewel, le bijou (*plur.*, -oux)
Joan, Jeanne
job, le travail, la tâche, l'opération (*f.*)
John, Jean
to **join,** joindre; (*a person*) rejoindre
to **joke,** plaisanter
journey, le voyage
jug, la cruche
to **jump,** sauter
June, juin
just, juste, exactement, précisément; **just now,** tout à l'heure; **to have just (done),** venir de (faire); **be just doing,** être en train de faire

K

keen, vif
to **keep**, garder, retenir; (*shop, café, etc.*) tenir; **keep waiting**, faire attendre
keeper, le gardien
keg, le baril
key, la clef
to **kill**, tuer
kind, bon, aimable
kindly, bienveillant; **kindly (do)**, veuillez (faire)
kingdom, le royaume
kitchen, la cuisine
knee, le genou (*plur.*, -oux); **on one's knees**, à genoux
kneeling, agenouillé
knife, le couteau
to **knit**, tricoter
to **knock**, frapper, heurter
to **know**, savoir; (*acquaintance*) connaître
knowledge, la connaissance

L

to **lack**, manquer (de)
ladder, une échelle
laden (with), chargé (de)
lady, la dame
lake, le lac
lamp, la lampe
to **land**, aller à terre, débarquer, aborder
landing-stage, (*for river-steamers*) le ponton
landscape, le paysage
lap, les genoux; **in one's lap**, sur ses genoux
to **last**, durer
late, tard; (=*after time*) en retard
Latin, le latin
latter, celui-ci (celle-ci)
to **laugh**, rire; **laugh at**, rire de, se moquer de; **burst out laughing**, éclater de rire
laugh, le rire
to **lay**, poser, mettre; **lay the table**, mettre le couvert
lazy, paresseux
to **lead**, mener, conduire
leader, le chef
leaf, la feuille
to **lean**, se pencher
to **learn**, apprendre
at **least**, au moins; (*reservation*) du moins
to **leave**, (=*go away from*) quitter; (=*leave behind*) laisser; (=*depart*) partir
leave, le congé; **take leave of**, prendre congé de
leg, la jambe
lemonade, la limonade, la citronnade
to **lend**, prêter
less, moins
to **let**, (=*allow*) laisser
letter, la lettre; **letter-box**, la boîte aux lettres
lid, (=*eyelid*) la paupière
to **lie**, (*objects*) se trouver; **lie down**, se coucher
life, la vie
light, la lumière
to **light (up)**, éclairer.
light, (*adj.*) léger
to **like**, aimer, vouloir
likely, probable; **very likely**, sans doute
to **limp**, boiter
lion, le lion
lip, la lèvre
liqueur, la liqueur, "le petit verre"
liquid, le liquide
to **listen**, écouter
little, (*adj.*) petit; (*adv.*) peu; **little by little**, peu à peu
to **live**, vivre; habiter (un lieu), demeurer (dans, à)
to **lock**, fermer à clef,
lodge, la loge
London, Londres
lonely, isolé
long, long; **a long time**, longtemps; **as long as**, tant que
to **look**, regarder; (=*appear*) paraître, avoir l'air; **look for**, chercher; **look like**, avoir l'air (de); **look round**, se retourner; **look up**, lever les yeux
look, le regard
Lorraine, la Lorraine
Lorrainer, le Lorrain

to **lose,** perdre
a **lot,** beaucoup
loudly, haut, fort
to **love,** aimer
lovely, beau, admirable, superbe
low, bas (*f.* basse)
loyal, loyal
luck, le bonheur, la chance
lucky, to be, avoir de la chance
luggage, les bagages (*m.*); **heavy luggage,** les gros bagages
lunch, le déjeuner
lying, couché, étendu

M

magnificent, magnifique
maid (-servant), la bonne
to **make,** faire; **make for,** se diriger vers; **make out,** distinguer
man, un homme
mandolin, la mandoline
manner, la manière; **in a manner,** d'une manière
manor-house, le manoir
mansion, le château
many, beaucoup; **so many,** tant (de)
marble, le marbre
March, mars
to **mark,** marquer
mark, la marque
market, le marché
marriage, le mariage
to **marry,** épouser
Martha, Marthe
marvellous, merveilleux
mason, le maçon
master, le maître; (*school*) le professeur
match, une allumette; (*game*) le match
mathematics, les mathématiques (*f.*)
to **matter** (=*be important*), importer; **no matter,** n'importe; cela ne fait rien; **what is the matter with you?** qu'avez-vous?
meadow, le pré, la prairie
meal, le repas
to **mean,** vouloir dire
means, le moyen; **by means of,** au moyen de
to **measure,** mesurer
meat, la viande
to **meet,** rencontrer
melancholy, mélancolique
to **melt,** fondre
memory, le souvenir
menu, le menu
merely, seulement, simplement; ne... que
metal, le métal
middle, le milieu; **in the middle of,** au milieu de
mile, mille (*m.*); *plur.* milles
mind, l'esprit (*m.*)
minute, la minute
mirror, la glace
miser, un avare
misery, la misère
misfortune, le malheur
to **miss,** manquer
mist, la brume
mistake, la faute
to **mistake,** (*one thing for another*) se tromper de
mistaken, to be, se tromper
moist, humide
moment, le moment; **the next moment,** le moment d'après
Monday, lundi
money, l'argent (*m.*); **ready money,** l'argent comptant
month, le mois
moon, la lune
to **moor,** amarrer
more, plus, davantage
moreover, d'ailleurs, de plus
morning, le matin; **good morning!** bonjour! **next morning,** le lendemain matin
morrow, le lendemain
most (of), la plupart (de)
mother, la mère; (*fam.*) maman
motionless, immobile
motor-car, une automobile
mountain, la montagne
mouse, la souris
mouth, la bouche
to **move,** bouger; **move away,** s'éloigner

moved, ému
movement, le mouvement
much, beaucoup; **as much,** autant (de); **how much?** combien?
to **murmur,** murmurer
music, la musique
musician, le musicien

N

name, le nom
to **name,** nommer
narrow, étroit
native, un indigène; (*adj.*) natal
near, près de
nearly, presque; **pretty nearly,** à peu près
necessary, nécessaire; **to be necessary,** falloir
to **need,** avoir besoin (de)
neighbour, le voisin, la voisine
neighbouring, voisin
nerve, le nerf
never, ne... jamais; **never mind,** n'importe
new, neuf (*f.* neuve), nouveau
news, a piece of, la nouvelle; **some news,** des nouvelles
newspaper, le journal
next, prochain; **next door,** à côté; **next morning,** le lendemain matin
nice, gentil, aimable; agréable
night, la nuit; (=*evening*) le soir
nobody, personne (+ne *with verb*); **nobody else,** personne d'autre
Normandy, la Normandie; **of Normandy,** normand
north, (le) nord; **north-east,** (le) nord-est
note, le billet
nothing, rien (+ne *with verb*)
to **notice,** remarquer
notice, un avis; (=*attention*) l'attention (*f.*); **notice-board,** un écriteau
novel, le roman
now, maintenant; or; **by now,** à cette heure
nowhere, nulle part
number, le nombre; (*in a series*) le numéro
numerous, nombreux

O

oak (tree), le chêne
to **obey,** obéir (à)
object, un objet
to **oblige,** obliger
observatory, un observatoire
obvious, évident
occasionally, parfois, de temps en temps
to **occur,** (*ideas*) venir, se présenter à l'esprit
to **offer,** offrir
office, le bureau
officer, un officier
often, souvent
old, vieux (*f.* vieille); (=*former*) ancien; **old man,** le vieillard; **grow old,** vieillir
omelet, une omelette
at **once,** tout de suite, immédiatement, aussitôt
only, seul; (*adv.*) seulement, ne... que; **not only,** non seulement
to **open,** ouvrir; **open again,** rouvrir; **to open half-way,** entr'ouvrir
open, ouvert; **open-mouthed,** bouche bée (béante)
operation, une opération
opinion, une opinion, un avis; **in my opinion,** à mon avis
opportunity, une occasion
orange, une orange
orchestra, un orchestre
order, un ordre; **in order that,** pour que *or* afin que (+*subj.*)
to **order,** ordonner
ordinary, ordinaire
other, autre
out of, hors de
outside, en dehors (de)
over, sur; **over there,** là-bas
overcoat, le pardessus
to **overlook,** (*position*) donner sur
to **overtake,** rattraper
to **owe,** devoir
own, propre
owner, le propriétaire
oyster, une huître

P

pace, le pas
Pacific, le Pacifique
package, le paquet

page, la page
painful, pénible, douloureux
pair, la paire
palace, le palais
pale, pâle
paper, le papier
parent, le parent
parish, la paroisse
parishioner, le paroissien
park, le parc
to **pass,** passer; **pass through,** traverser
passenger, le voyageur
passer-by, le passant
passport, le passeport
pastry, la pâtisserie
path, le sentier; (*garden*) une allée
patience, la patience; **to lose patience,** perdre patience
patiently, patiemment, avec patience
to **pay (for),** payer
peak, la cime
pearly, nacré
peasant, le paysan (*f.* la paysanne)
pedestrian, le piéton
pencil, le crayon
penknife, le canif
people, les gens; **other people,** les autres; **French people,** les Français
to **perceive,** apercevoir, s'apercevoir (de)
to **perch,** percher
perfect, parfait
perhaps, peut-être
person, la personne
to **perspire,** transpirer
petrol, l'essence (*f.*)
photograph, la photographie
piano, le piano
to **pick,** cueillir; **pick up,** ramasser
picture, le tableau
picturesque, pittoresque
piece, le morceau; (*coin*) la pièce
pigeon, le pigeon
pipe, la pipe
pity, la pitié; **take pity on,** avoir pitié de; **it is a pity that,** c'est dommage que (+*subj.*)
to **place,** placer, mettre, poser

place, un endroit, le lieu; **little place,** un coin; **take place,** avoir lieu
plan, le plan, le projet
plane (tree), le platane
plank, la planche
plant, la plante; **to plant,** planter
platform, (*railway*) le quai
to **play,** jouer
player, le joueur
pleasant, agréable, aimable
to **please,** plaire (à), contenter
pleased, content
pleasure, le plaisir
plenty, beaucoup
plum, la prune
pocket, la poche; **pocket-money,** l'argent de poche
poem, le poème
police, la police; **policeman,** un agent (de police), le policier
polite, poli
politeness, la politesse
pool, un étang
poor, pauvre
poplar, le peuplier
porch, le porche
porter, le facteur, le porteur; (*building*) le portier, le concierge
to **possess,** posséder
possession, la possession; **take possession of,** s'emparer de
post, (*situation*) le poste, la place; (*postal service*) la poste; **postcard,** la carte postale; **to post,** mettre à la poste
powder, la poudre; **to powder,** poudrer
power, le pouvoir
prayer, la prière
precise, précis
prefect, le préfet
to **prefer,** préférer, aimer mieux
preparation-room, la salle d'étude
to **prepare,** préparer, apprêter
presence, la présence
present, présent; **to be present at,** assister à; **at present,** à présent, en ce moment

present, le cadeau
president, le président
to **press**, presser
pretty, joli
to **prevent**, empêcher
price, le prix
priest, le prêtre; **parish priest**, le curé
priesthood, le sacerdoce
prince, le prince
princess, la princesse
private, privé
problem, le problème
to **procure**, se procurer
profile, le profil
to **promise**, promettre
promise, la promesse
prompt, prompt
proof, la preuve
proposal (of marriage), la demande en mariage
proprietor, le propriétaire
proud, fier
provided (that), pourvu que (+*subj.*)
to **prune**, émonder
to **punish**, punir
punishment, la punition, le châtiment
pupil, un(e) élève
purchase, une emplette
pure, pur
purse, le porte-monnaie
to **push**, pousser; **push forward**, avancer
to **put**, mettre

Q

quadrangle, la cour
to **quarrel**, se quereller, se disputer
quarrelsome, querelleur
quarter, (=*district*) le quartier; (*fraction*) le quart; **quarter of an hour**, un quart d'heure
quay, le quai
question, la question
quick, rapide, vif; **quickly**, vite, rapidement
quiet, tranquille; (*noun*) la tranquillité
quietly, tranquillement; (*speech*) à voix basse, tout bas
to **quit**, s'en aller
quite, tout à fait; tout (*see* § 18)

R

rabbit, le lapin
radio, la radio, la T.S.F.
raft, le radeau
rag, le *haillon, la guenille; **in rags**, en haillons
ragged, déguenillé, en haillons
rail, le rail; **by rail**, en chemin de fer, par le train
rain, la pluie; **to rain**, pleuvoir
to **raise**, lever
to **rake**, ratisser
ramble, la promenade, la randonnée
rather, plutôt, assez
to **reach**, arriver (à), gagner
to **read**, lire; **read through**, parcourir
ready, prêt; **to get ready to**, se préparer à, s'apprêter à, se disposer à
really, vraiment, en effet
to **reappear**, reparaître
reason, la raison
to **recede**, reculer, s'enfuir
reception, la réception
to **recognize**, reconnaître
to **recoil**, reculer
to **recommence**, recommencer
to **recover**, se remettre
red, rouge
Redskin, le Peau-Rouge
refusal, le refus
to **refuse**, refuser
to **regale**, régaler
regiment, le régiment
to **regret**, regretter
reign, le règne; **in the reign of**, sous le règne de
to **relapse**, retomber
relative, le parent
to **remain**, rester
to **remark**, faire remarquer
remarkable, remarquable
to **remember**, se souvenir (de), se rappeler
remorse, le remords
to **remove**, enlever
to **render**, rendre
to **rent**, louer

to repair, réparer; (*noun*) la réparation
to repeat, répéter
to replace, remplacer
to reply, répondre; **reply,** (*noun*) la réponse
request, la demande
to require, vouloir; **I require,** il me faut
to resemble, ressembler (à)
resignation, la résignation
to resolve, résoudre
resort, la ville d'eaux, la plage
to respect, respecter
responsibility, la responsabilité
to rest, se reposer
rest, (=*remaining part*) le reste; (=*the others*) les autres
result, le résultat
to retail, débiter
to retire, se retirer
to retort, répliquer
to return, (=*come back*) revenir; (=*go back*) retourner
return, le retour
revenge, la vengeance
revolver, le revolver
reward, la récompense; **to reward,** récompenser
rich, riche
rid; to get rid of, se débarrasser de, se défaire de
to ride a horse, monter à cheval
right, droit; **on the right,** à droite; **to be right,** avoir raison; **all right,** très bien
to ring, sonner; **ring out,** retentir
ring, la bague
riot, une émeute
to rise, monter
river, (*large*) le fleuve; (*smaller*) la rivière
road, le chemin, la route; **main road,** la grand'route; **roadside,** le bord de la route
to rob, voler
robust, robuste
rock, le rocher
to roll, rouler
room, la pièce; la salle; (*bedroom*) la chambre; (=*space*) la place
rope, la corde
rose, la rose
round, rond; (*prep.*) autour de
to row, ramer; **go for a row,** faire une partie de canot, faire du canotage
to rub, frotter
rude, impoli
to run, courir; **run across,** traverser en courant; **run away,** se sauver; **run for,** courir chercher; **run over,** écraser; **run out,** sortir en courant
to rush, se précipiter, s'élancer
rustling, le bruissement

S

sacrifice, le sacrifice
sad, triste
sadness, la tristesse
sailor, le marin; (*seaman*) le matelot
same, même; **to do the same,** en faire autant
Saturday, samedi
to save, sauver; (*money*) épargner
save, (= *except*) sauf
to say, dire
to scale, escalader
scarcely, ne... guère; à peine
to scare, effrayer
scene, la scène
school, une école; **high school,** le lycée, le collège
to scold, gronder
to scratch, gratter
scrimmage, la mêlée
sea, la mer; **seaside,** le bord de la mer
to search, chercher, fouiller
season, la saison
seat, le banc, le siège; (*in a theatre, etc.*), une place
second, (*time*) la seconde
to see, voir, apercevoir; **see again,** revoir; **see to it that,** veillez à ce que (+*subj.*)
to seem, sembler, paraître
to seize, saisir
seldom, rarement
to select, choisir
to sell, vendre
to send, envoyer; **send for,** envoyer chercher; **send away,** renvoyer

sentence, la phrase
sentinel, la sentinelle
to **separate**, séparer
sergeant, le sergent
to **serve**, servir
service, le service
serviette, la serviette
to **set out**, partir; **set down**, déposer
to **settle**, (*accounts*) régler; **settle oneself**, s'installer
several, plusieurs
severe, sévère
shade, une ombre; **in the shade**, à l'ombre
shadow, une ombre
to **shake**, secouer; **shake hands with**, serrer (donner) la main à
shallow, peu profond
shameful, *honteux
share, la part
to **share**, partager
shawl, le châle
sheep, le mouton
shell, la coquille, une écaille
shepherd, le berger
to **shine**, briller
to **ship**, embarquer
shirt, la chemise
to **shiver**, frissonner, grelotter
shocked, scandalisé
shoe, le soulier
shop, le magasin, la boutique; **shopkeeper**, le marchand; **shop-window**, l'étalage (*m.*), la devanture, la vitrine
to **shoot**, tirer
short, court
shot, le coup de feu
shoulder, une épaule
to **shout**, crier
shout, le cri
to **show**, montrer; **show in**, faire entrer; **show up**, faire monter
to **shut**, fermer; **shut up (in)**, enfermer
shutter, le volet, le contrevent
shy, timide
sick, malade; **to be sick**, vomir
side, le côté; **on this side**, de ce côté; **on all sides**, de tous côtés
sight, la vue; **by sight**, de vue; **catch sight of**, apercevoir
sign, le signe
to **sign**, signer
silence, le silence
silent, silencieux
simple, simple
simplicity, la simplicité
since, depuis; (*conj.*) depuis que; (*reason*) puisque
to **sing**, chanter
single, seul; **not a single**, aucun...ne
to **sip**, déguster
siren, la sirène
sister, la sœur
to **sit down**, s'asseoir
sitting, (=*seated*) assis
situated, to be, être situé, se trouver
situation, la situation
size, la grandeur, la grosseur, la taille
skilful, habile
to **sleep**, dormir; coucher
to **slip**, glisser
slope, la pente, le versant
slow, lent
sly, malin
smart (-looking), élégant
to **smell**, sentir; **smell nice**, sentir bon
to **smile**, sourire; (*noun*) le sourire
smoke, la fumée
to **smoke**, fumer
smooth, plat, uni
to **snatch**, arracher
snow, la neige; **snow-flake**, le flocon de neige
so, (=*therefore*) donc
soap, le savon
to **soften**, attendrir, adoucir
soldier, le soldat
somebody, quelqu'un; on
somehow (or other), je ne sais comment
something, quelque chose
sometimes, quelquefois; **sometimes... sometimes...** tantôt... tantôt...
somewhat, un peu
somewhere, quelque part; **somewhere else**, ailleurs
son, le fils

soon, bientôt; **sooner**, plus tôt; **sooner or later**, tôt ou tard; **as soon as**, aussitôt (dès) que
sorry, to be, regretter, être fâché
sort, la sorte
sound, le bruit
sound, (*adj.*) solide
spacious, spacieux
Spain, l'Espagne (*f.*)
Spaniard, un Espagnol
Spanish, espagnol
to **sparkle**, étinceler
spectacles, les lunettes (*f.*)
spectator, le spectateur
speed, la vitesse; **at full speed**, à toute vitesse
to **spend** (*money*), dépenser; (*time*) passer
to **spill**, verser, renverser
in **spite of**, malgré
to **spot**, tacher
spot, un endroit, un coin; **on the spot**, sur-le-champ
Spring, le printemps; **in Spring**, au printemps
square, (*in town*) la place
to **stagger**, chanceler
to **stain**, tacher
stairs, un escalier
to **stammer**, balbutier
to **stand**, (*persons*) se tenir, être debout; (*objects*) se trouver; (*in an attitude*) rester, demeurer; **stand up**, se lever
standing, (*persons*) debout
to **start**, commencer (à), se mettre (à); (=*start out, off*) partir; (*in surprise*) tressaillir; **start back**, repartir
start, le commencement
station, la gare
to **stay**, rester
to **steal**, voler
steamer, le paquebot; **river-steamer**, le bateau-mouche
step, le pas
stick, le bâton
still, encore, toujours
to **stir**, bouger
stool, le tabouret
to **stop**, (s') arrêter
storey, un étage; **single-storeyed**, à un étage
story, une histoire
straight, droit
straightway, aussitôt, immédiatement
strange, étrange, curieux
stranger, un étranger, un inconnu
stream, la rivière
street, la rue
strewn (with), jonché (de)
to **strike**, frapper, atteindre; (*hour*) sonner
string, la ficelle
to **strip (off)**, dépouiller
stroll, le tour; **go for a stroll**, faire un tour
strolling, ambulant
strong, fort
stubborn, entêté
student, un étudiant
stupor, la stupeur, la torpeur
to **succeed**, réussir; (=*follow*) succéder (à)
such, tel, pareil
suddenly, soudain, subitement, tout à coup
to **suffer**, souffrir
suffering, la souffrance
to **suit**, aller, convenir
suit, le costume, le complet
suit-case, la valise
sum, la somme
summer, l'été (*m.*)
summit, le sommet
sun, le soleil; **sun-bath**, un bain de soleil
Sunday, dimanche
superfluous, superflu
supplication, la supplication
to **support**, supporter
to **suppose**, supposer
sure, sûr; **make sure**, s'assurer
to **surprise**, surprendre, étonner
surprise, la surprise
surroundings, les environs (*m.*), les alentours (*m.*)
to **suspect**, soupçonner, se douter de
swallow, une hirondelle
to **swallow**, avaler
sweet, doux
sweet, le bonbon
to **swim**, nager

T

table, la table; **lay the table**, mettre le couvert
to **take**, prendre; (*people*) mener, emmener; **take after**, tenir de; **take off**, ôter; **take away**, emporter
to **talk**, parler, causer
tall, grand
task, la tâche
to **taste**, goûter
taxi, le taxi
tea, le thé; **have (take) tea**, prendre le thé
team, une équipe
tear, (*from eye*) la larme
telegram, le télégramme, la dépêche
to **telephone**, téléphoner
to **tell**, dire; (=*relate*) raconter
temper, la colère; **lose one's temper**, se mettre en colère, s'emporter
temptation, la tentation
tennis, le tennis
tent, la tente
term, le trimestre
terrible, terrible
terror, la terreur
to **thank (for)**, remercier (de)
theatre, le théâtre
then, puis
there, là; **in there**, là-dedans; **thereupon**, là-dessus
thick, épais
thief, le voleur
thin, maigre
thing, la chose
to **think**, croire, penser, réfléchir
thirsty, to be, avoir soif; **be very thirsty**, avoir grand'soif (très soif).
though; as though to, comme pour
thought, la pensée
a **thousand**, mille; **thousands of**, des milliers de
threat, la menace
to **threaten**, menacer
through, par, à travers
to **throw**, jeter; **throw out**, jeter dehors
Thursday, jeudi
tie, la cravate
till, le coffre, la caisse
to **tinge**, teinter
tip, le pourboire
tobacco, le tabac
to-day, aujourd'hui
together, ensemble
to-morrow, demain
tone, le ton
too, trop
tooth, la dent
to **touch**, toucher
tourist, le touriste
towards, vers, du côté de; (*conduct*) envers
town, la ville; **Town Hall**, l'hôtel de ville
toy, le jouet
train, le train; **slow (local) train**, un omnibus; **by train**, en chemin de fer
tram, le tramway
to **travel**, voyager
traveller, le voyageur
tray, le plateau
tree, un arbre
to **tremble**, trembler
trigger, la détente
trip, la promenade, une excursion
trouble, la peine, le chagrin
true, vrai; **truly**, vraiment
trunk, (*tree*) le tronc; (*receptacle*) la malle; **pack one's trunk**, faire sa malle
truth, la vérité
to **try**, essayer (de), tâcher (de), chercher (à)
tune, un air
to **turn**, tourner; **turn to (towards)**, se tourner vers; **turn round**, se retourner
twice, deux fois

U

ugly, laid
umbrella, le parapluie
uncle, un oncle
to **understand**, comprendre
to **undertake (to)**, entreprendre (de), se charger (de)
unfortunate, malheureux
unhappy, malheureux
to **unite**, unir

unless, à moins que (*with* ne *before subj. verb*)
until, (*prep.*) jusqu'à; (*conj.*) jusqu'à ce que (+*subj.*)
unwell, souffrant
upper, supérieur
upstairs, en haut
to **use**, employer, se servir de; **what is the use of (doing)?** à quoi bon (faire)?
used; to get used (to), s'habituer (à), s'accoutumer (à)
usual, habituel, d'usage
usually, d'habitude, généralement

V

valley, la vallée
value, la valeur
van, guard's, le fourgon
vegetable, le légume
veritable, véritable
very, très, bien, fort; (=*same*) même
vestibule, le vestibule
vicious, vicieux
vigilance, la vigilance
villa, la villa
village, le village
visible, visible
visit, la visite; **to visit**, visiter, rendre visite (à)
visitor, le visiteur
voice, la voix
voyage, le voyage, la traversée

W

wagon, le chariot
waistcoat, le gilet
to **wake up**, (s') éveiller, (se) réveiller
to **walk**, marcher, se promener; **walk away**, s'éloigner, s'en aller; **walk down**, descendre; **walk round**, faire le tour de; **walk through**, traverser; to **walk** (*as opposed to riding*), aller à pied
walk, la promenade; **go for a walk**, faire une promenade, se promener; (*way of walking*) une allure; (*garden*) une allée
walking-stick, la canne
wall, le mur; **wall-paper**, le papier de tenture, le papier peint
wallet, le portefeuille
walnut, la noix; **walnut tree**, le noyer
to **wander**, errer
to **want**, vouloir
warm, chaud; **to warm**, chauffer
to **warn**, prévenir, avertir
to **wash**, laver
to **waste**, perdre
to **watch**, regarder
watch, la montre
water, l'eau (*f.*); **to water**, arroser
way, le chemin; (=*means*) le moyen; (=*manner*) la manière, la façon; **make one's way**, se diriger (vers); **this way**, par ici; **on the way**, en route; a **long way**, loin
weak, faible
wealthy, (très) riche
to **wear**, porter
weather, le temps
wedding, les noces (*f.*)
Wednesday, mercredi
week, la semaine
to **weep (over)**, pleurer
to **weigh**, peser
well, bien; **as well as**, aussi bien que
well-to-do, riche
wet, (=*rainy*) pluvieux; (*moist*) mouillé
when, quand, lorsque
whenever, toutes les fois que, chaque fois que
whereas, tandis que
wherever, partout où
while, a, un moment, quelque temps; **be worth while**, valoir la peine
to **while away**, passer
to **whistle**, siffler
to **whisper**, chuchoter, murmurer, dire tout bas
white, blanc; **white-washed**, blanchi à la chaux
whoever, quiconque, celui qui
wide, large
widow, la veuve

wild, (*eyes, look*) *hagard
willing, to be (quite), vouloir bien
to **win,** gagner
wine, le vin
winter, l'hiver (*m.*)
wise, prudent
to **wish,** vouloir
wit, l'esprit (*m.*)
without, sans; **do without,** se passer de
to **witness,** assister à
woman, la femme
to **wonder,** (=*ask oneself*) se demander
wonderful, merveilleux
wonderfully, merveilleusement, à merveille
wood, le bois
wooded, boisé
wooden, de bois
word, le mot, la parole
to **work,** travailler
work, le travail (*plur.*, -aux), l'ouvrage (*m.*); **set to work,** se mettre au travail
working-class, ouvrier
to **worry,** s'inquiéter, se déranger
worth, to be, valoir
to **wrap up,** envelopper
wretched, misérable, malheureux
wrinkle, la ride; **to wrinkle,** rider
to **write,** écrire
wrong, mauvais, méchant; **be wrong,** avoir tort

Y

yard, la cour
year, un an, une année; **many years,** bien des années; **New Year,** le nouvel an; **New Year's day,** le jour de l'an
yellow, jaune
yesterday, hier
yet, pourtant, encore
to **yield,** céder
yonder, là-bas
young, jeune
youngster, le petit, le gamin
youth, la jeunesse

Index to Grammar Section

(Both pages and paragraphs are indicated.)